Margarete Mitscherlich
Die friedfertige Frau
Eine psychoanalytische Untersuchung
zur Aggression der Geschlechter

S. Fischer

Originalausgabe
Veröffentlicht im S. Fischer Verlag GmbH,
Frankfurt am Main 1985
© 1985 by S. Fischer Verlag GmbH, Frankfurt am Main
Alle Rechte vorbehalten
Lektorat: Willi Köhler
Umschlaggestaltung: Buchholz/Hinsch/Walch
Satz und Druck: Wagner GmbH, Nördlingen
Einband: G. Lachenmaier, Reutlingen
Printed in Germany 1987
ISBN 3-10-049110-6

Inhalt

Vorwort
Krieg und Gewalt – Sache der Männer? VII

1. Frauen und Aggression – ein Überblick 3
2. Aggression und Geschlecht 19
3. Männerhaß – Frauenhaß 26
4. Über weibliche Sozialisation 33
5. Zum Selbstverständnis der Frau 48
6. Über Mütter, Väter und Partner 75
7. Müssen wir unsere Mütter hassen? 85
8. Lebensmitte und Einsamkeit der Frau 92
9. Psychoanalyse und Emanzipation 110
10. Narzißmus und Masochismus – typisch weiblich? 132
11. Antisemitismus – eine Männerkrankheit? 148
12. Patriarchen in einer vaterlosen Gesellschaft 161
13. Eine ungehaltene Rede 173

Nachwort
Weibliche Aggression – ein Modell? 181

Literaturverzeichnis 184

Nachweise zu den Beiträgen 192

Namen- und Sachregister 193

Vorwort
Krieg und Gewalt – Sache der Männer?

In allen uns bekannten geschichtlichen Zeiten sind Kriege von Männern geführt worden. Männer haben Kriege vorbereitet, angezettelt und ausgeführt, haben gegnerische Heere vernichtet, haben Gefangene gemacht oder auch nicht, haben ganze Landstriche verwüstet, Kontinente erobert, »kolonialisiert«, Kulturen ausgelöscht, haben nebenbei Frauen, Kinder, Greise hingemetzelt.

Männer haben die Kriegsgeräte erfunden und hergestellt. Sie haben Schlachtpläne entworfen und in die Tat umgesetzt. Sie haben einen ganzen Berufsstand geschaffen, den Krieger und Soldaten, haben das Waffenhandwerk erfunden mit Lehre, Gesellenprüfung, mit eigener Moral, mit Rängen und Hierarchien.

In allen uns bekannten Zeiten hat es Kriege gegeben, kleine, größere, Massen- und Völkerkriege, Kriege, die nur Männer führten, bei denen die Zivilbevölkerung verschont wurde, Kriege, die ganze Bevölkerungen einbezogen, Bürger- und Partisanenkriege, und in jüngster Zeit Material- und Menschenschlachten, mit Millionen von Toten und Verletzten, mit ausradierten Städten und umgepflügten Landstrichen, mit ganzen Völkerverschiebungen und Völkermorden.

In allen uns bekannten Kriegen hatten die Frauen eine dienende oder unterhaltende Funktion, sie zogen im Troß hinter den Kriegern her, sorgten für ihr leibliches Wohl, im Bett und in der Küche, im Lazarett und im Bordell – fast immer waren sie Opfer, ob als Vergewaltigte, Gefolterte, Getötete, Sklavinnen oder Kriegstrophäe, ob als Trauernde um Familienväter oder Kinder. Nur selten wurden »Weiber zu Hyänen«, nur selten hat man sie dazu antreiben können, an der »Grausamkeitsarbeit« teilzunehmen.

In allen uns bekannten Zeiten haben vor allem Männer Gewaltverbrechen begangen. Sie haben erschlagen und erstochen, sie haben erschossen und zerstückelt, haben gefoltert und vergewaltigt, haben verbrannt und gerädert, haben erwürgt und erdrosselt – haben für all diese Gewalttaten die entsprechenden Geräte erfunden und verfeinert. Sie haben aus der Gewalttätigkeit ganze Industrien geschaffen mit Spezialisten und Forschern. Auch in der Gewaltindustrie hat die Frau eine dienende Funktion: Sie kann Maschinen bedienen, Bürotätigkeiten ausführen, Kantinen versorgen.

Die männliche Aggression und Gewaltneigung ist immer wieder Gegenstand wissenschaftlicher Untersuchungen gewesen. Zu ihrer Erklärung wurden biologische, soziale, kulturelle, anthropologische, politische, psychologische Theorien bemüht und philosophische Systeme entworfen. Es wurde phantasiert und spekuliert, der Aufrufe und Appelle zur Änderung der Aggressoren und zur Abschaffung von Gewalt und Kriegen sind Legion.

Alle großen Religionen, alle Philosophien und Ethiken propagieren Gewaltlosigkeit, Menschenfreundlichkeit, Liebe, Freundschaft, Gemeinsinn. Alle Psychologen verfolgen auch das Ziel, die Menschen weniger gewalttätig zu machen, zu Verständnis, gegenseitiger Achtung und Liebe beizutragen – bis heute ohne jeden Erfolg. Die Kriege werden immer grausamer und rücksichtsloser, die Menschen, nicht nur im Krieg, immer gewalttätiger, bestialischer. Der für Untergangsvorstellungen empfängliche, pessimistische Zeitgenosse kommt verständlicherweise zu dem Schluß, daß der das Weltgeschehen dominierende Mann in sich einen unveränderbaren, von der Evolution entwickelten Todestrieb, einen Zerstörungsmechanismus trägt, der ihn zwingt, alles, was er mit der rechten Hand aufbaut, mit der linken wieder umzustoßen und schließlich sich und den ganzen Globus zu vernichten.

Ist es vorstellbar, daß ein Teil der Gattung Mensch, der Mann, in sich einer Zerstörungsneigung unterworfen ist, die erst mit der Selbstvernichtung zur Ruhe kommt, und daß der andere Teil der Gattung, die Frau, einer solchen Neigung weniger ausgeliefert ist und dazu verurteilt scheint, den Zerstörungswillen des anderen Teiles mehr oder weniger widerstandslos, als Dienerin, als Opfer oder als erzwungene Komplizin, über sich ergehen zu lassen? Ist es überhaupt vorstellbar, daß nur ein Teil der Menschheit Zerstörungsneigungen besitzt, der andere nicht? Müssen nicht beide ähnliche Neigungen haben? Und wenn dem so ist, was macht der andere Teil, die Frau, mit diesen Neigungen, wie verarbeitet sie sie, wie verhindert sie, daß sie sich nicht gar so selbst- und fremdzerstörerisch auswirken wie beim Mann? Können Umgang und Einstellung zur Gewalt und Zerstörung, wie sie die Frau im Laufe der Geschichte, mehr oder weniger gezwungenermaßen, entwickelt hat, als Modell dienen für einen weniger zerstörerischen Umgang mit Aggressionen?

Diesen und ähnlichen Fragen wird in den verschiedenen Kapiteln des Buches nachgegangen. Ihnen liegen zu verschiedenen Zeiten und zu verschiedenen Gelegenheiten verfaßte Arbeiten zugrunde, die gründlich überarbeitet wurden und in denen allen die klärende Beschäftigung mit Fragen nach dem Ursprung und den Auswirkungen männlicher und weiblicher Aggressionen gemeinsames Thema ist. Die Texte können nur Anregungen sein. Antworten und definitive Aussagen sind von ihnen nicht zu erwarten. Dazu ist das Thema zu vielfältig. Bisher konnten gültige Aussagen und praktizierbare Änderungsvorschläge von niemandem geliefert werden; auch dieses Buch wird nur Denkanstöße geben, Einsichten in uns selber oft unverständliche Verhaltens- und Denkweisen vermitteln können. Wenn diese Versuche zu weiteren Fragen und Forschungen anregen, wenn sie Frauen dazu veranlassen, sich auf ihre Kräfte und Fähigkeiten zu besinnen und diese auch zu benutzen, so haben sie ihren Zweck erfüllt.

Es bleibt mir, mich bei Frau Marieluise v. Schweinichen herzlich für ihren unermüdlichen Einsatz und ihre Geduld bei der Ausarbeitung des Manuskripts zu bedanken. Ohne die tatkräftige Hilfe von Willi Köhler, für die ich ihm sehr dankbar bin, lägen die Arbeiten, die die Grundlagen dieses Buches bilden, wahrscheinlich immer noch in meiner Schublade. Bei Frau Ingeborg Pabel möchte ich mich für die Durchsicht des Manuskripts und die Vervollständigung der Bibliographie bedanken.

Die friedfertige Frau
Eine psychoanalytische Untersuchung
zur Aggression der Geschlechter

1. Frauen und Aggression – ein Überblick

In einer Zeit, in der »Frau und Frieden« zu einem Schlagwort geworden ist, über Frauen und ihre vorhandene oder nichtvorhandene Aggression zu schreiben, kann falsche Erwartungen wecken. Ich möchte gleich klarstellen, daß ich unter Aggression nicht männliche Gewalt und unter fehlender Aggression nicht weibliche Friedfertigkeit verstehe.

Ich werde nur in groben Umrissen, auf die komplizierte Entwicklung von Aggressionen und ihre geschlechtsspezifischen Äußerungsformen eingehen. Manchmal jedoch vermittelt ein Überblick über vorhandene Erklärungsmöglichkeiten eher eine Orientierung, als es das allzu gedrängte, detaillierte Eingehen auf die Vielfalt der Probleme und Theorien vermag. Verallgemeinerungen und Vereinfachungen lassen sich dabei gelegentlich nicht vermeiden.

Ehe ich mich aber mit der Psychoanalyse, »meiner« Disziplin, beschäftige, möchte ich mich mit einigen Problemen der Gegenwart und der allerjüngsten Vergangenheit unter psychologischen Aspekten auseinandersetzen. Als Aggressionsproblem Nr. 1 wird heute von vielen Zeitgenossen die Gefahr eines Atomkrieges angesehen. Dennoch wird diese Gefahr oft nur intellektuell wahrgenommen; eine ihr entsprechende Angst wird vom Individuum nicht empfunden. Es wäre unsinnig, so lauten manche Erklärungen, sich mit einer Gefahr zu beschäftigen, der gegenüber man sowieso ohnmächtig sei. Die Teilnahme am Kampf gegen den Atomtod, das dauernde Sich-vor-Augen-Führen der Schrecknisse, die uns erwarten, sei im Grunde Ausdruck eines Leidensbedürfnisses, der nur der eigenen masochistischen Befriedigung diene. Es sei viel sinnvoller, sich um die realitätsnahen sozialen Probleme der unmittelbaren Gegenwart zu kümmern. Das hört sich recht vernünftig an, aber betrachtet man viele seiner Mitmenschen genauer, so entdeckt man, daß mit Hilfe der einen Sorge und Angst die andere offen-

sichtlich verdrängt und verleugnet wird: Die Betonung der gegenwärtigen Sorgen und Nöte dient der Abwehr der Angst vor
zukünftiger unvorstellbarer Zerstörung und nicht selten der Verdrängung vergangener Untaten.

Das ausschließliche Interesse an der Friedensbewegung wiederum
kann dazu führen, die Ungerechtigkeiten und sozialen Probleme
der Gegenwart aus den Augen zu verlieren. Daß das Bewußtsein
der einen Gefahr mit dem Vergessen und Verdrängen der anderen
verbunden sein kann, war in den letzten Jahren oft Thema von
Diskussionen.

Auch in der Frauenbewegung setzte man sich mit der Frage auseinander, welchen Stellenwert das Thema Frieden für die Situation
der Frau haben könnte. Nur wenige Frauen konnten sich vorstel-
len, Angehörige einer militärischen Streitmacht zu werden oder
Aufrüstung zu fördern, aber Frauen gaben andererseits zu beden-
ken, ob sie mit der Einordnung in die Kategorie »Friedensfrauen«
nicht in die alte Rolle der kompromißbereiten, vermittelnden, dienenden Frau zurückgedrängt werden sollen. Frieden kann eben
auch der Friedhofsfrieden einer unkritischen und kampflosen Hin-
nahme von Gewohnheitsunrecht werden, wie es den Frauen so
lange aufgezwungen wurde.

»Meine Hochachtung gehört unseren Müttern«, bekannte der
Bundeskanzler in einem Interview in *Bild der Frau*, »die ein Leben
lang ihre Pflicht getan haben, ohne zu protestieren. Die nie demon-
strieren konnten – gar nicht wissen, wie das geht.« Protest scheint
für den deutschen Bundeskanzler etwas Schlechtes, Anrüchiges, ja
fast Obszönes zu sein, vor allem, wenn er von Frauen kommt.

Psychologisch gesehen, ist die Kriegsgefahr immer mit der Einteilung der Menschen in gute und böse, das heißt, mit der Verschiebung eigener abgewehrter seelischer Anteile auf »Feinde« verbunden. Man erlebt die Situation dann folgerichtig so: »Die bösen
anderen sind es, die uns bedrohen, und nicht die Möglichkeit eines
uns alle vernichtenden Atomkrieges.« Ohne gegenseitige Projektionen und ohne Schuldverschiebungen ist die Kriegs- und Aufrü-
stungsmentalität kaum denkbar. Daß sich ein solches Verhalten bei
Männern mehr als Frauen beobachten läßt, darauf komme ich später zurück.

Vorerst möchte ich mich mit der Geschichte des Studentenprotestes
Ende der sechziger Jahre, mit der Wiederbelebung der Frauenbewegung und mit deren psychologischen Hintergründen beschäftigen,

um die jetzige Situation besser verstehen zu können und nicht der heute so oft zu beobachtenden schnellen Vergeßlichkeit anheimzufallen. Bei den Studentenprotesten handelte es sich um ein Generationsproblem; es war – zumindest in Westdeutschland – vorwiegend eine Auseinandersetzung mit den Vätern und deren Vergangenheit, auf die sich der Protest konzentrierte. Diese Elterngeneration hatte sich nach dem Krieg zunehmend mit der Supermacht USA politisch identifiziert und sie idealisiert und sich zu deren kriegerischen Aktionen mehr oder weniger unkritisch bekannt. Es war also nicht nur die Verdrängung der nationalsozialistischen Vergangenheit, es waren auch der Vietnam-Krieg, die damaligen Zustände in Persien, der spätimperialistische Umgang mit der Dritten Welt und vieles mehr, an dem sich die Proteste entzündeten.

Mit der Entidealisierung der Amerikaner ging eine Entidealisierung der Eltern, vor allem des Vaters, einher, die sich schon vorher angebahnt hatte, aber erst in diesen Zusammenhängen deutlich zum Ausdruck kam. Zum erstenmal beschäftigen sich nicht nur Vereinzelte mit den Ereignissen im Dritten Reich und ihren Folgen, sondern ein großer Teil der Jugend. Die Vergangenheit der Eltern rückte in den Mittelpunkt ihres Interesses. Auch hier allerdings war eine Schuldverschiebung nicht zu übersehen: Unsere – die junge – Generation ist unschuldig und zu kritischem Denken fähig, eure – die ältere – Generation ist schuldig und unfähig, sich selber in Frage zu stellen.

Diese Auseinandersetzung fand vorwiegend zwischen Vater und Sohn oder deren Stellvertreter statt. Sie war eine Auseinandersetzung zwischen Männern und zeigte wiederum die meines Erachtens besonders bei Männern zu beobachtende projektive Neigung im Umgang mit ihren Aggressionen, das heißt, der jeweils andere wird zum Schuldigen erklärt, Sündenböcke werden gesucht und gefunden.

Zur gleichen Zeit wurde die Frauenbewegung neu belebt. Das war deswegen erstaunlich, weil innerhalb der studentischen Zusammenhänge patriarchalische Verhältnisse gang und gäbe waren. Frauen wurden dort nicht wesentlich anders behandelt als in der übrigen Gesellschaft auch. Ein Blick auf die Geschichte der Frauenbewegung zeigt, daß sie während der Nazizeit zu existieren aufgehört hatte. In der Ideologie der Nazis hatten die Frauen nur als Mütter – möglichst von Söhnen – eine Lebensberechtigung, es sei denn, sie wurden während des Krieges in den Rüstungsfabriken gebraucht. Doch es waren weitgehend Frauen, die während und nach Beendigung des Zweiten Weltkrieges, als die Männer im Krieg oder in Gefangenschaft waren, einen großen Teil der Verantwortung in der Heimat übernahmen und wesentlich dazu beitrugen, daß so etwas wie ein Wiederaufbau überhaupt stattfinden konnte. In der Abwesenheit der Männer hatten die Frauen gelernt, für ihre Kinder und auch für sich selber zu sorgen.

In den ersten Nachkriegsjahren lehnten viele von ihnen es ab, sich den zurückkehrenden, entmutigten Männern unterzuordnen oder ihnen den Platz des bestimmenden und nicht selten tyrannischen Familienoberhauptes zurückzugeben. Sie hatten in der Zwischenzeit oft erfolgreich gelernt, sich allein zu behaupten, und wollten sich nicht mehr mit der Rolle des »Heimchens am Herde«, der in der Familie aufgehenden Frau, begnügen.

Das änderte sich in den fünfziger Jahren. Die Männer erholten sich, die von »Gleichen«, nämlich Männern, geführte Wirtschaft begann wiederaufzuleben und zu blühen, und was die Beziehung zwischen Mann und Frau betraf, so stellten sich die Vorkriegsverhältnisse wieder ein. Die Frauen schienen sich langsam in die frühere, die untergeordnete Rolle zu fügen; für viele war es nach langen anstrengenden Jahren offenbar eine Erleichterung, sich in die Abhängigkeit zurückzubegeben. Eine Welle konservativer und regressiver Konsolidierung der Familien- und Geschlechterverhältnisse überschwemmte die Gesellschaft der fünfziger Jahre.

Mit dem sogenannten Pillenknick Anfang der sechziger Jahre trat nach den geburtsfreudigen fünfziger Jahren langsam ein Geburtenrückgang ein. Die Mutterrolle verlor das Prestige, das sie noch in den konservativen fünfziger Jahren besessen hatte, in denen die Frau, wie zu Freuds Zeiten, ihren Wert daraus bezog, Mutter, und zwar möglichst Mutter von Söhnen, zu sein. Eine Frau, die keine Kinder geboren hatte, galt in dieser Zeit nicht als »richtige Frau«.

Wie aber kann man sich die Wiederbelebung der Frauenbewegung psychologisch erklären, die Wiederbelebung, die erst mit und nach der Studentenrevolte, also etwa Ende der sechziger Jahre, einsetzte? Ihre Initiatoren waren Frauen, die meistens in den vierziger Jahren geboren worden waren, also oft noch das Vorbild einer durchaus selbständigen Mutter vor Augen hatten, die sich inner-

und außerfamiliär durchsetzen mußte und konnte. Die Väter dagegen waren abwesend oder mehr oder weniger gebrochen aus dem Krieg zurückgekehrt.

Diese Generation von Frauen, von denen viele Ende der sechziger Jahre an der Studentenbewegung teilnahmen, hatte sich in den fünfziger Jahren – wie ihre Mütter – der Familienrestauration meist angepaßt. Man kann aber annehmen, daß eine Sehnsucht nach der selbständigen und bestimmenden Mutter der frühen Kindheitsjahre unbewußt bestehen blieb und durch die fehlende Sicherheit der Beziehung zum lange abwesenden und in seinem Selbstwertgefühl gebrochenen Vater verstärkt wurde.

Als diese Frauen später aktiv in der Frauenbewegung tätig wurden, geschah das dennoch nicht nur in Identifikation mit der tüchtigen Mutter, sondern auch mit der Absicht, innerlich unabhängiger von ihr zu werden. Sich mit anderen Frauen solidarisch fühlen zu können, bestärkte diesen Wunsch. Denn die allzu große Abhängigkeit von der allein erziehenden Mutter hatte auch untergründige Gefühle des Hasses ausgelöst, deren Folge wiederum Schuldgefühle und depressive Verstimmungen waren.

Ende der sechziger Jahre identifizierten sich viele der Studentinnen anfänglich mit den männlichen Kommilitonen, für die Gehorsam und Gleichschaltung nicht mehr das oberste Gesetz des Verhaltens waren, und übernahmen deren antiautoritäre Haltung. Gleichzeitig litten sie unter der doppelten Geschlechtermoral ihrer Genossen, die von ihnen wie eh und je Unterordnung verlangten. Auch und gerade in der Studentenbewegung wurden sich die Frauen zunehmend der patriarchalischen Herrschaftsverhältnisse bewußt und erkannten ihre sadomasochistische Grundlage, das heißt die Lust vieler Männer am Unterdrücken und die Bereitwilligkeit allzu vieler Frauen, sich unterdrücken zu lassen.

Herrschaft kann nur aufrechterhalten werden, wenn sie sich auf verschleierte sadomasochistische Befriedigung aufbaut. Dann verbindet sich die Lust am Erteilen von Befehlen mit der Lust, die Befehlshaber zu befriedigen und Gehorsam, Ordnung, Unterwerfung zu genießen. Natürlich gibt es zwischenmenschliche Beziehungen dieser Art nicht nur zwischen Mann und Frau, sondern auch zwischen Mitgliedern des gleichen Geschlechts, Beziehungen also, die nicht nur Lust, sondern auch heftige untergründige Aggressionen hervorrufen. Ohne eine solche sadomasochistische Gesellschaftsstruktur können Kriege nur schwerlich geführt werden.

Man kann nur einem Herren dienen, so heißt es. Beginnt man sich diese Gehorsamsideologie bewußtzumachen und sie in Frage zu stellen, lernt man auch kritisch zu denken, die verschiedenen Forderungen, Ideale und Wertvorstellungen gegeneinander abzuwägen, dann ist zumindest *eine* Voraussetzung gegeben, sich vom Zwang zur blinden Unterwerfung zu befreien.

Nachdem die Studentenbewegung mehr oder weniger in sich zusammengefallen war und sich die Männer dieser Generation der herrschenden Gesellschaftsstruktur weitgehend angepaßt hatten, konnte sich die Frauenbewegung trotz aller Probleme innerhalb und außerhalb als gesellschaftlich wichtiger Prozeß erhalten.

Das erkennt man schon daran, daß sich auch in der CDU manche Politiker um ein gutes Verhältnis zur Frauenbewegung bemühen. Was die CDU unter Emanzipation der Frauen versteht, kann in der Broschüre »Die sanfte Macht der Familie« nachgelesen werden. So rührend es erscheint, die irdische Misere durch weltweite Mütterlichkeit heilen zu wollen, wie der Arbeitsminister es will, so empörend ist die Wirklichkeit und die Doppelmoral, mit der unsere christlichen Politiker offenbar gut zu leben wissen und die sie nicht daran hindert, ihre Klischees »ohne falsche Scham«, wie es in dieser Broschüre heißt, zu äußern. Was hier mit »heiler Familie« an Welterlösungsphantasien verbunden ist, kann man nur als Ausdruck »unverblümter« Heuchelei ansehen.

In Wahrheit sind es die Mächtigen, die die Welt beherrschen. Dazu gehört die Macht der Männer über die Frauen, die Macht der Eltern über ihre Kinder. Folglich bestimmen die jeweils Herrschenden, was als Gewalt definiert wird. Um aber die Fronten zu verwirren, wird der Gewaltbegriff paradox verwendet. Wer gegen die Aufstellung von Raketen demonstriert, indem er beispielsweise den Verkehr blockiert, ist »gewalttätig«; wer Raketen aufstellt und so den Tod unzähliger Menschen ermöglicht, gilt als gewaltfrei. Wenn es den Regierenden gefällt, ist auch der Pazifismus Gewalt und hat zum Zweiten Weltkrieg, sogar zu Auschwitz, beigetragen. Der »Familienminister« spricht auch dort von Gewalt, wo es um die Reform des Paragraphen 218 geht. Wer die Macht hat, bestimmt auch darüber, wer wann mütterlich und sanft zu sein hat, wer wann Kinder in die Welt zu setzen hat, welche Rolle die Frauen ohne Protest jeweils übernehmen, wann sie an lebensvernichtenden Kriegen teilnehmen, wann sie die »sanfte Macht der Familie« zu stabilisieren, sich dafür zu opfern haben und ähnliches mehr.

Vor kurzem wurde ich gefragt, warum so viele Frauen Angst vor der Macht haben. Ob das damit zusammenhinge, daß Frauen größere Angst vor dem Verlust der Zuwendung ihrer Mitmenschen hätten als davor, unterdrückt zu werden. In dieser Frage war die Antwort bereits enthalten: Wer als Frau Macht hat, muß mit Liebesverlust rechnen. Eine solche Frau ist oft nicht nur dem Haß der Männer, sondern auch dem der Frauen, die sich machtlos fühlen, ausgesetzt. Ich denke, jede von uns kennt den Zorn, den man als Frau im Beruf, in der Partnerschaft und als Mutter spürt, wenn man für alles und jedes zuständig zu sein hat, ohne die Macht zu haben, etwas zu ändern, oder wenn man sie aus Angst vor Ablehnung auch gar nicht haben möchte. Als Frauen neigen wir nach wie vor dazu, unsere untergründigen Aggressionen in Vorwurfs- und Opferhaltungen umzuwandeln und dadurch eine für uns wie für die Betroffenen wenig erfreuliche passive Aggression auszuüben.

Wer sich als Frau dazu entschließt, seine Fähigkeiten offen zu nutzen, selbständig Entscheidungen zu fällen, für Verhaltensänderungen bei sich und anderen zu kämpfen, seine Angst vor notwendigen Aggressionen zu überwinden, muß seine masochistische Unschulds- und Vorwurfshaltung aufgeben. Ich weiß, wie schwer das ist, aber ohne kritisches und selbstkritisches Aufbegehren gerade der Frauen kann und wird sich in dieser Gesellschaft nichts ändern. Das setzt auch voraus, daß Frauen lernen, mit ihren Aggressionen bewußter umzugehen und Schuldgefühle besser zu ertragen. Wenn Frauen die Beziehung der Geschlechter untereinander ändern wollen, wird das nie ohne Aggressionen und Schmerzen vor sich gehen. Konflikte mit nahestehenden Menschen, im Beruf, vor allem mit dem Partner und in der Familie, werden unvermeidlich sein, müssen durchgearbeitet und dürfen nicht vermieden werden.

Ein weiteres Problem im Umgang mit weiblicher Aggression läßt sich unter der Überschrift »Mütter und Macht« zusammenfassen. Auch in der Frauenbewegung war viel vom Haß auf die Mutter die Rede: Die Mutter behindere die Entwicklung der Tochter zur Selbständigkeit. Die Tochter könne sich von der Mutter nicht lösen, weil diese ihr nicht erlaube, die frühkindliche Abhängigkeit von ihr aufzugeben, ohne unter Schuldgefühlen und Verlassenheitsängsten zu leiden. Die Mutter verbiete der Tochter die Verfügung über den eigenen Körper, über die Sexualität. »Das Vermächtnis der Mütter ist die Kapitulation«, meinte Phyllis Chesler.

Um bestehende Machtverhältnisse aufrechtzuerhalten, werden natürlich immer und überall Tricks angewendet, nicht nur in der Politik, auch in der Psychologie. Von beiden Seiten versucht man, die Frau davon zu überzeugen, daß sie die Macht in der Familie besitze. Nur indem sie diese Macht sanft ausübe, könne sie die bösen Verhältnisse in dieser Welt ändern. Allzu leicht lassen sich Frauen von solchen klischeehaften Verdrehungen der Wirklichkeit beeinflussen und beteuern dann schuldbewußt, daß sie doch gar keine Macht wollen.

Folglich fällt es vielen Frauen schwer, mit Macht umzugehen. Sie vermeiden es ängstlich, irgendwelche Positionen, die sie in Verbindung mit Macht oder Einfluß bringen können, zu übernehmen. Vermutlich nehmen sie die psychoanalytischen Vorstellungen von der Allmacht der Mutter, wie sie für das Erleben des abhängigen Kleinkindes bestehen, als gesellschaftlich real hin. Kindliche Phantasie und Realität werden einander gleichgesetzt, so daß gesellschaftliche Wirklichkeit nicht mehr unverzerrt wahrgenommen werden kann. Das hat zur Folge, daß oft auch analytisch geschulte Frauen ihre Wünsche nach Selbständigkeit unterdrücken und – trotz besserem Wissen – ihre Aggressionen in eine masochistische Opferhaltung umwandeln. Mit dem Slogan »Die Mutter ist an allem schuld« wurden Frauen erneut mit Schuldgefühlen überhäuft und zurück in die Rolle der abhängig Dienenden gedrängt.

Wenn aber Macht und Durchsetzungsvermögen von Frauen nicht nur von Männern bekämpft werden, sondern auch darüber hinaus der Verteufelung durch Geschlechtsgenossinnen ausgesetzt sind, lassen sich bestehende Geschlechter- und Machtverhältnisse nur schwerlich ändern. Tatsache ist, daß eine Frau, die Einfluß zu gewinnen versucht, um verhärtete Gesellschaftsstrukturen aufzubrechen, damit rechnen muß, auch in der Frauenbewegung abgelehnt zu werden. Sie identifiziere sich mit männlichen Verhaltensweisen und erweise damit der Frauenbewegung keinen Dienst, so hört man oft. Wenn sich dem noch eine falsche, oft von Neid diktierte Gleichheitsideologie hinzugesellt, mit der eine Frau als unsolidarisch etikettiert wird, wenn sie auf diesem oder jenem Gebiet überdurchschnittliche Fähigkeiten und Durchsetzungsvermögen entwickelt, dann werden Frauen auch von ihresgleichen dazu gezwungen, ihre Fähigkeiten und Möglichkeiten zu unterdrücken und ihre Aggressionen womöglich nur untereinander auszuleben.

Unter solchen Bedingungen darf etwas Neues nicht gedacht werden, können Verhaltensweisen sich nicht verändern, geht jegliche Kreativität verloren. Auch dagegen muß man sich als Frau zur Wehr setzen. Konfliktfreies und aggressionsloses Miteinanderleben wäre ein Pseudoparadies, in dem man, sofern es denn erreichbar wäre, wahrscheinlich vor Langeweile zugrunde gehen würde.

Die »neue Mütterlichkeit« als Rettungsphantasie und das überharmonisierende, Konflikte vermeidende Verhalten mancher Frauen in der Frauenbewegung zeigen, welche neuen Gefahren drohen und daß vieles, was Frauen bisher erreicht haben, durch eine politische »Wende« wieder rückgängig gemacht werden soll. Mittlerweile muß sogar erneut um die Reform des Paragraphen 218 gekämpft werden, auch wenn viele Frauen dazu gar nicht mehr bereit sind. Der Rückzug mancher Frauen in romantische Nostalgie, in mystische Vorstellungen, in religiöse Sekten oder auch in die Astrologie könnte man, psychoanalytisch gesehen, auch damit erklären, daß die heutige Generation junger Frauen sich in ihrer frühen Kindheit nicht mit den Müttern der Kriegs- und Nachkriegsjahre, die gelernt hatten, ein selbständiges Leben zu führen, identifiziert hat, sondern mit den Müttern der fünfziger Jahre, die sich in ihre frühere unkämpferische, untergeordnete Rolle wieder einfügten und die regressive antiaufklärerische Konsolidierung der Familien- und Geschlechterverhältnisse durch ihr Verhalten unterstützten.

Im Zusammenhang psychoanalytischer Erklärungsversuche scheint es mir angebracht, auf die Entwicklung des männlichen und weiblichen Überichs und seiner Beziehung zu den sogenannten Triebschicksalen, in diesem Fall die Rolle der Aggression für die Gewissensbildung, zurückzukommen. Nach Freud stellt das Überich eine Verinnerlichung der väterlichen Autorität dar, eine Verinnerlichung, die nur der Mann, aufgrund seiner Kastrationsangst, voll herstellt. Er hemmt mit dieser Verinnerlichung väterlicher Verbote seine tödlichen Aggressionen dem Vater gegenüber, indem er sie gegen das eigene Ich wendet. Das heißt, er leidet unter Schuldgefühlen und dem unbewußten Bedürfnis, sich selber zu bestrafen. Um diesem Leidensdruck zu entgehen, hat er die Neigung, Sündenböcke zu suchen, mit deren Hilfe er die eigenen abgewehrten, angsterregenden Aggressionen nach außen verschieben und auf andere projizieren kann. Da dem Mann kulturell mehr Aggressionen zugestanden, ja geradezu abgefordert werden und er stärker als die Frau dazu erzogen wird, sie auszuleben, er sie aber gleichzeitig

aufgrund seiner Kastrationsangst heftiger unterdrücken, verinnerlichen und, um sich nicht selbst zu schädigen, nach außen abführen
muß, wird auch sein gesellschaftlich geformtes »Gewissen« wiederum zur Aggressivität der Gesellschaft beitragen. Ein *Circulus
vitiosus*, der so leicht nicht zu durchbrechen ist.

In seinem Essay *Das Unbehagen in der Kultur* beschreibt Freud vor
allem die psychoanalytische Auffassung der männlichen Überich-
Entwicklung in ihrem Zusammenhang mit gesellschaftlichen Tendenzen. Wie die Frau mit ihrem Aggressionstrieb umgeht, bleibt
weitgehend unerwähnt, denn das mit Aggression und Kastrationsangst so eng verbundene Überich des Mannes bildet sich – so Freud
– bei Frauen nur unvollständig aus. Folglich sei sie auch weniger
als der Mann der Neigung verfallen, angsterregende Gefühle, die
sie in sich selber verabscheut, auf andere projizieren zu müssen, um
selbstdestruktive Tendenzen abzuwehren und diese Opfer irratio-
naler Aggressionen dann ohne Schuldgefühle verfolgen zu können.

Die beim Mädchen mehr aus Angst vor Liebesverlust denn aus
Kastrationsangst verinnerlichten Gebote der Eltern können aber –
bleibt man bei dieser Theorie – nicht nur zu einem »schwachen
Überich« führen, sondern auch zur Bildung eines Überichs, das
mehr auf die Erhaltung der Liebe nahestehender Menschen als auf
die gesetzestreue Einhaltung von Verboten und Geboten um ihrer
selbst willen ausgerichtet ist. Die weibliche »Moral« könnte deswegen theoretisch, und auch oft in der Realität, liebevoller und
humaner sein als die rigide, affektisolierende der männlichen Welt.
Wegen ihrer Objektbezogenheit und ihrem vordringlichen Bedürfnis, geliebt zu werden, besteht für die Frau allerdings die Gefahr,
sich mit männlichen Gesetzen, männlichen Wertvorstellungen und
Verhaltensvorschriften und den dazugehörenden Vorurteilen unkritisch zu identifizieren.

Weil Frauen mehr als Männer – so scheint es – von der Beziehung
zu ihren Mitmenschen abhängig bleiben und daher versuchen ihre
Aggressionen diesen gegenüber zu unterdrücken, lassen sie sich
leichter manipulieren, vor allem indem man ihnen Schuldgefühle
einflößt. Eine solche typisch weibliche Entwicklung hat auch immer etwas mit der frühen Beziehung der Tochter zur Mutter zu tun,
da die ödipale Ambivalenz und ihre Vorläufer aufgrund der frühkindlichen totalen Abhängigkeit besonders heftige Konflikte auslösen.

Die Psychoanalytikerin Melanie Klein sieht in der stärkeren Abhängigkeit der Frau von ihren mitmenschlichen Objekten die Folge einer besonders früh sich vollziehenden Überich-Bildung, das heißt, die Frau introjiziert ihre Aggressionen der enttäuschenden Mutter gegenüber bereits in den ersten Lebensjahren. Diese verinnerlichten Aggressionen oder das böse Introjekt, wie es bei Melanie Klein heißt, lösen heftige Schuldgefühle und Verfolgungsängste aus. Um sich diesen Schuldgefühlen zu entziehen, braucht das Mädchen mehr als der Knabe äußere Objekte, die sich ihm liebend zuwenden. Melanie Klein führt die geschlechtsspezifischen Unterschiede der Überich-Bildung auch auf die körperlichen Gegebenheiten von Mann und Frau zurück. Der Knabe habe im Vergleich zum Mädchen den Vorzug, sich mit Hilfe seines Geschlechts, einem sicht- und anfaßbaren Organ, das der Realitätsprüfung unterzogen werden könne, leichter von der Mutter unabhängig zu machen und sich als ein Wesen anderer Art, das etwas besitzt, was ihr fehlt, zu fühlen. Doch bei solchen, sicherlich interessanten Interpretationen werden erzieherische und soziokulturelle Einflüsse auf die Haltung der Eltern und deren Einwirkung auf die Entwicklung des Kindes weitgehend vernachlässigt. Zweifellos ist es von Bedeutung, die frühkindlichen Faktoren zu kennen und einzuordnen, um die komplizierte Überich-Bildung bei Frauen wie bei Männern besser verstehen zu können. Wenn wir jedoch die Rolle der ökonomischen und gesellschaftlichen Unterschiede und ihre Wirkung auf die Erziehung übersehen, laufen wir Gefahr, die psychische Entwicklung eines Menschen und die Beziehung zu seinen Eltern so zu sehen, als ob sie sich in einer Art geschlossenem Raum abspielten.

Am Beispiel einer Patientin möchte ich versuchen, einige Probleme der Aggressions- und Überich-Entwicklung ein wenig anschaulicher zu machen:

Eine junge Frau wünscht wegen depressiver Verstimmungszustände sowie ihrer Neigung zum Selbsthaß und zu sozialer Angst eine Behandlung. Sie ist verheiratet, hat sich aber weitgehend von ihrem Ehemann getrennt; beide sind jedoch weiterhin freundschaftlich miteinander verbunden. Der Anlaß zur Trennung war ein um einige Jahre älterer Mann, der aus einem osteuropäischen Kulturkreis stammte und in den sie sich verliebt hatte. Er bedeutet ihr außerordentlich viel, sie fühlt sich von ihm gerade durch seine »Andersartigkeit« besonders angezogen und meint auch, daß sie sich bisher niemandem gegenüber in ihren Gefühlen so aufgeschlossen habe.

Die Gefühlsregungen, die dieser Mann in ihr weckt, sind aber merkwürdig widersprüchlich. Sie fühlt sich völlig verstanden und doch im gleichen Maße völlig übergangen. Es ist eine schwierige, sie in ihren Grundfesten erschütternde und zugleich nahe und liebevolle Beziehung.

Als dieser Mann in seine Heimat zurückkehrt, wo eine Familie auf ihn wartet, ist sie zutiefst bedrückt. Nie mehr, so meint sie, würde sie sich gefühlsmäßig auf einen anderen Menschen einlassen können. Ihre Verzweiflung ist überzeugend, ihre Schmerzen scheinen über längere Zeit die Grenzen des Erträglichen zu erreichen. Sie ist tüchtig, intelligent, lernfähig und macht auf ihre Umgebung einen kompetenten und eher kühlen Eindruck.

Ihre Kindheit war problematisch. Als sie etwa sechs Jahre alt war, trennten sich ihre Eltern, und der Vater entwertete die Mutter als sexuell leichtfertige, wenig gebildete Frau. Die Mutter fürchtete den Vater, der in seiner intellektuellen Schärfe und Gnadenlosigkeit sie und ihre Tochter sehr verletzen konnte. Beide übersahen offenbar das neurotische Elend und die Einsamkeit des Vaters, den sie trotz oder gerade wegen der Kränkungen, die er ihnen zufügte, im Grunde erheblich idealisierten. Schließlich gingen beide Elternteile eine neue Ehe ein; die Patientin blieb bei ihrer Mutter, die sich, ihrem Erleben nach, den Verhältnissen im Hause des Stiefvaters zu sehr anpaßte. Die moralische und gesellschaftliche Orientierung der Familie des Stiefvaters beherrschte die Atmosphäre.

Die Patientin war wie ihre Mutter zu sehr darauf angewiesen, geliebt zu werden, und stellte sich deshalb auf die Anforderungen ihrer jeweiligen Umgebung mehr ein, als ihr guttat. Sie fühlte sich oft überfordert und meinte, sie könne nur selten offen sein und eigene Bedürfnisse geltend machen.

Neben der Anpassungswilligkeit der Mutter und ihrem Eingehen auf die Wertvorstellungen der jeweiligen Umgebung hatte sie aber auch vieles von der intellektuellen und moralischen Grausamkeit des väterlichen Verhaltens verinnerlicht. So wie sie sich von ihm in ihren geistigen Fähigkeiten nie anerkannt gefühlt hatte, so konnte sie weder der Mutter noch sich selbst eine einigermaßen stabile, liebevolle Achtung entgegenbringen. Bei aller Tüchtigkeit war sie unsicher, ängstlich, aber auch sehr aggressiv. Sie war gleichzeitig hart und viel zu nachgiebig ihren Mitmenschen gegenüber.

Was ihr gesellschaftliches Überich betraf, so nahm sie teil an der Friedensbewegung, und ihre politischen Interessen waren von einem starken moralischen Impetus geprägt. Bei ihrem Freund hatte sie ganz offensichtlich einen Teil der verlorengegangenen Mutterbeziehung der frühen Kindheit gesucht; die Wärme und Intensität seiner Gefühle ihr gegenüber sog sie auf wie eine Verdurstende. Auch seine von einer anderen Kultur geprägten Wertvorstellungen, die auf ihre Weise – besonders was seine politische Haltung betraf – nicht minder hart, streng und unversöhnlich waren wie die des Vaters, machte sie sich zu eigen. Ihr Überich war gespalten; soweit es von der Mutter geprägt war, schien es allzu nachgiebig, liebebedürftig und verursachte Schuldgefühle, soziale Angst, Selbstentwertung und entsprechende Depressionen. Soweit es die Haltung des Vaters verinnerlicht hatte, war es dagegen hart und verurteilend, aber auch selbstverurteilend, die abgewehrten Versagensängste des Vaters widerspiegelnd.

Ihr späterer, von ihr so geliebter Freund vereinigte die elterlichen Überich-Instanzen, so wie sie es in ihrer früheren und späteren Kindheit erlebt haben mochte. Die Trennung von ihm war, als Wiederholung des kindlichen Traumas, besonders schmerzlich und verstärkte ihre Neigung zum Selbsthaß. Mit ihren selbstdestruktiven Tendenzen setzten wir uns in der Analyse auseinander.

Ihre Beziehungen gestalteten sich so schwierig, weil ihre Haß- und Entwertungstendenzen nicht nur sich selber, sondern auch anderen gegenüber immer wieder durchbrachen. Wenn ihr das bewußt wurde, änderte sich ihre Haltung grundlegend; sie wurde masochistisch entschuldigend, bezeichnete sich als Versagerin und hatte die Neigung, durch Selbstanklagen ihre Aggressionen wieder auszugleichen zu wollen. Der sadomasochistische *Circulus vitiosus*, der dadurch entstand, die damit verbundenen untergründigen Aggressionen einerseits, Schuldgefühle und Angst vor Liebesverlust andererseits, störten die Herstellung einer konstanten erwachsenen Beziehung, das heißt die Fähigkeit, eigene ambivalente und schuldhafte Gefühle bewußt ertragen zu können.

Ich komme noch einmal auf den unterschiedlichen Umgang der Geschlechter mit Schuldgefühlen zurück. Männer haben, das bestätigen zahlreiche Beobachtungen, eine stärkere Neigung, ihre Schuldgefühle zu verleugnen und zu verdrängen, als Frauen, die ihnen oft hilflos ausgeliefert sind. Es wäre Frauen dringend zu ra-

ten, mit ihrer Bereitschaft zu Schuldgefühlen kritischer umzugehen, denn nichts kann so erfolgreich ausgebeutet werden wie
gerade diese Gefühle. Dabei darf jedoch nicht übersehen werden,
welche bedeutende Rolle unbewußte Schuldgefühle im seelischen
Leben eines jeden Menschen spielen und welche nur mühsam aufzuhebenden Abwehrmechanismen gegen die Bewußtmachung dieser Schuldgefühle und den ihnen oft zugrunde liegenden Aggressionen aufgebaut werden.

Die tiefe Angst, die Liebe der Menschen, die einem am nächsten
stehen, durch seine Aggressionen und Entwertungstendenzen zerstört zu haben, sind besonders für Frauen oft kaum zu bewältigen.
Sie reagieren wegen ihrer übergroßen Liebesbedürfnisse auf solche
unbewußten Schuldgefühle nicht selten depressiv, was ihre Neigung, abhängig von den Meinungen und der Zuwendung anderer
zu sein, noch verstärkt; allzu große Abhängigkeit ruft wiederum
untergründige Aggressionen wach, auf die erneut mit Schuldgefühlen reagiert wird. Männer, die aufgrund ihrer Kastrationsangst,
aus Angst vor Vergeltung und körperlicher Beschädigung also, und
weniger aus Angst vor Liebesverlust ihre Aggressionen verdrängen,
leiden weniger als Frauen an Depressionen, denn sie fürchten ja
nicht den Verlust des Liebesobjektes, sondern die Zerstörung des
eigenen Körpers.

Schuldgefühle und damit zusammenhängender Selbsthaß sind daher für Männer von geringerer Bedeutung oder werden erfolgreicher verdrängt als bei Frauen. Männer wehren sich gegen ihre
angsterregenden, verinnerlichten Aggressionen vor allem dadurch,
daß sie sie auf andere projizieren, das heißt, sie schaffen sich Sündenböcke und Rivalen, auf die sie dann ihre Aggressionen und
Vergeltungsphantasien schuld- und angstfrei verschieben, um sie,
wenn möglich, ausleben zu können.

Die passiv-aggressive, abhängige und leidensbereite Haltung der
Frau wird durch die geschlechtsspezifische Sozialisation begünstigt, die dem Mann nach wie vor Aggression, Selbstbehauptung,
Gefühlsabwehr offen zugesteht, der Frau aber unverändert die
Rolle der sich Anpassenden, Gefühlvollen und Dienenden zuweist.
Aber auch Männer reagieren auf ihre Abhängigkeit von Frauen mit
Haß, und die Aufkündigung der Mütterlichkeit erzeugt bei ihnen
oft ohnmächtige Angst und Wut.

Aber welche Möglichkeiten haben wir, um mit einer festgefahrenen psychischen und gesellschaftlichen Beziehung zwischen den

Geschlechtern besser umzugehen? Da ist guter Rat teuer und zugleich billig. Bei jahrhundertealten rigiden Verhaltensmechanismen, so sehr sie sich, jedenfalls für den oberflächlichen Beobachter, in vieler Hinsicht geändert haben, läßt sich eine grundlegende Umgestaltung offenbar nicht leicht bewerkstelligen. Wenn die Frauenbewegung oder doch zumindest Teile ihre unbearbeiteten heftigen Aggressionen untereinander ausagieren, anstatt sie zu überdenken und in die geeigneten Bahnen zu lenken, dann besteht die Gefahr, daß sie ihre Chance, Einfluß auf die Struktur der bestehenden Gesellschaft zu nehmen, verspielt. Sie bestätigt dann nur bestimmte psychoanalytische Theorien, etwa die, daß Frauen häufiger dazu neigen, ihre aus der unbearbeiteten negativen Mutterbindung stammenden aggressiven Gefühle dem eigenen Geschlecht gegenüber auszuleben, als sie sich bewußtzumachen oder ein neues Selbstbild zu entwerfen, um die Rollenzwänge, denen sie unterworfen sind, zu durchbrechen. Gefühlsbeziehungen zur Mutter ändern sich im Laufe des Lebens, doch die Identifikationen mit ihren Verhaltensweisen, ihren unbearbeiteten Konflikten, ja mit ihren Phantasien und falschen Glücksvorstellungen haben die Neigung, sich zu wiederholen.

Für Frauen liegt zudem die Gefahr nahe, sich als Teil des karrieregebundenen Mannes zu erleben und dadurch seine Gefühlsabwehr, seine Macht- und Größenphantasien, die sich oft mit Verfolgungsängsten und Sündenbocksuche paaren, zu zementieren. Dann bleibt auch eine Frau an Verhaltensstereotype gefesselt, wie z. B. die der aufopfernden Ehefrau, die den überzogenen Ehrgeiz des Mannes wie auch seine paranoiden und/oder rivalitätssüchtigen Neigungen teilt, Neigungen, die unter anderem in der weitverbreiteten Rüstungsmentalität zum Ausdruck kommen.

Je kritischer Frauen ihre sozialen Rollen und psychischen Reaktionen auf ihren Sinn und ihren untergründigen Gehalt hin überdenken, um so eher werden falsche Schuldgefühle und falsche Identifikationen ins Wanken geraten und Schuldgefühle auf ihre Rechtmäßigkeit geprüft. Dieser Wandel ist, bei allem Pessimismus über manche regressive und reaktionäre Tendenzen, auch in der Frauenbewegung zunehmend zu beobachten. Nicht wenige Frauen probieren heute neue Konstellationen des Zusammenlebens aus oder mißachten die Spielregeln und Rollenzuweisungen der nach wie vor patriarchalischen Gesellschaftsstruktur. Dazu gehört eine sensible Wahrnehmung für die psychische und soziokulturelle Situation, in der nicht nur Frauen zu leben haben, wie auch ein einigermaßen angstfreier Umgang mit Äußerungen der den jeweiligen Situationen entsprechenden Aggressionen. Wieweit eine Frau dazu fähig ist, hängt wiederum weitgehend davon ab, ob es ihr gelingt, sich die unbewußten Motive bewußtzumachen, Motive, die das eigene wie auch das gesellschaftliche Verhalten bestimmen.

2. Aggression und Geschlecht

Gibt es überhaupt eine männliche und eine weibliche Aggression oder gar einen männlichen und weiblichen Todestrieb? Fast alle Frauen und Männer, Kollegen und Nicht-Kollegen, denen ich die Frage nach der geschlechtsspezifischen Aggression gestellt habe, haben sie bejaht. Schwerer taten sie sich, als ich sie bat, mir näher zu beschreiben, was sie als typisch weibliche und was als typisch männliche Aggressivität ansehen.

Die Antwort meiner mit der psychoanalytischen Theorie identifizierten Kollegen hätte meines Erachtens lauten müssen: »Ja, es gibt einen Unterschied zwischen der männlichen und der weiblichen Aggression. Die Aggression der Frauen ist, was die analen und phallischen Strebungen anbetrifft, mehr nach innen gewendet, mehr masochistisch als sadistisch, indirekter. Ihr Überich ist ›schwächer‹, leichter beeinflußbar, aber auch weniger zu Projektionen geneigt; Neid pflegt ihr Selbstgefühl tiefer zu unterminieren als das des Mannes, Eifersucht spielt bei ihr eine besondere Rolle, aber sie ist weniger mit Rivalitätsaggression verbunden als die des Mannes, sondern ist verborgener, geht häufiger mit Vorwürfen einher.

Ihr ›schwaches‹ Überich prädestiniert sie weniger zu Sublimierungen ihrer Triebe, das heißt weniger zu wissenschaftlichen und kulturellen Leistungen. Ihre Moral und Sittlichkeit richten sich nach äußeren Geboten, also nach den Vorschriften der Männer und der von ihnen dominierten Gesellschaft. Aber wegen der Affektnähe ihres ›schwachen‹ Überichs kann es bei Frauen zu plötzlichen, ungehemmten Aggressionen kommen, die niemand erwartet, und die natürlich doch erwartet werden, denn Schuldgefühle, wenn auch verdrängte, ihr gegenüber bestehen genug, wie sonst sollte man die untergründige Angst, das oft bereitliegende Entsetzen des Mannes vor den Affekten der Frauen erklären können?«

Diese Angst der Männer vor plötzlichen, heftigen Aggressionsaus-

brüchen bei bisher gefügigen Frauen ist im Laufe der Jahrhunderte
häufig dokumentiert worden. Schiller, selbst ein Revolutionär, der
Autor der »Räuber«, und schon seit 1792 Ehrenbürger der französischen Republik, schreibt zum Beispiel über das schlimme
Verhalten der Frauen in Zeiten des revolutionären Aufstandes und
des Umsturzes: »Da werden Weiber zu Hyänen und treiben mit
Entsetzen Scherz. Noch zuckend, mit des Panthers Zähnen zerrei-
ßen sie des Feindes Herz.«

Bis heute scheint es den meisten Menschen pervers, wenn Frauen
sich an revolutionären Auseinandersetzungen beteiligen. Man war
allgemein fassungslos, als sich herausstellte, daß sich die »Rote
Armee Fraktion« aus mindestens so vielen Frauen wie Männern
zusammensetzte. Noch mehr als ihren männlichen Gesinnungsge-
nossen warf man den Frauen perverses Verhalten und Unmensch-
lichkeit vor. Die meisten von ihnen waren Töchter aus wohlsituier-
ten bürgerlichen Familien, Frauen eines Milieus, von denen man
erwartet hätte, daß sie sich besonders gut anzupassen wissen. Die
Terroristinnen fielen aus dem Rahmen eines bisher vorhersagbaren
weiblichen Verhaltens völlig heraus – und diesem »Fehlverhalten«
konnte man offenbar nur mit Haß oder Hilflosigkeit begegnen. Sie
verließen ihre Männer und Kinder oder verzichteten weitgehend
auf heterosexuelle Bindungen.

Ähnlich fassungslos steht der Bürger der Tatsache gegenüber, daß
lesbische Beziehungen zwischen Frauen wachsende Bedeutung gewinnen. Natürlich muß man wieder nach einem »Sündenbock«
suchen. Wer sonst als die vom Bürgertum meist als abstoßend,
unnatürlich oder doch zumindest als lächerlich abgewertete
Frauenbewegung konnte für diese schrecklichen, empörenden Entwicklungen verantwortlich sein?

Auch die meisten Psychoanalytiker erleben Feministinnen als unnatürlich oder lächerlich und wollen möglichst nichts mit ihnen zu
tun haben. Sie pflegen sie mit dem Stereotyp »phallische Frauen«
zu etikettieren. Was Frauen an kämpferischer Haltung, an Selbstbehauptung, an Ehrgeiz oder auch Kreativität aufbringen, wird
von Psychoanalytikern häufig mit dem »flächendeckenden« Begriff »phallisch« etikettiert. Mit diesem Klischee soll ihnen attestiert werden, daß sie in einer Welt der Illusionen leben, da sie sich
von der Phantasie, einen Penis zu besitzen, offenbar nicht lösen
können.

Psychoanalytische Aussagen über Weiblichkeit verführen leicht zu

Stereotypen über das »Wesen der Frau«. Eine Frau, die ihren
»Mangel« nicht akzeptieren will, wehrt nach psychoanalytischen
Theorien die Realität zugunsten von Wunschvorstellungen ab. Sie
hat, so sagt man, die genitale Stufe, das heißt die »reife Weiblichkeit«, nicht erreicht.

Wenn man die Feministinnen in ein psychoanalytisches System ein-
geordnet hat, erübrigt es sich, sie ernst zu nehmen, denn ihr
Verhalten, ihre Leistungen, ihr Aufstand gegen eine von Männern
bestimmte Gesellschaft beruht ja auf einer Phantasie. Nur der tatsächliche Besitz eines Phallus würde ihre Verhaltensweisen legitimieren, nur dann wäre es »natürlich«, wenn sie sich gegen das Unrecht, mit dem sie täglich konfrontiert sind, auflehnen. Von dieser
Sicht aus ist nur »realitätsgerecht«, wenn Frauen ihre Aggressivität, ihre kämpferische Haltung, nach innen wenden, die Familie zum
Ort ihrer Aktivitäten machen, sich für Mann und Kinder opfern
oder in dienstleistenden Berufen ihre Liebeswünsche sublimieren.

In zahlreichen Büchern haben Frauen darzustellen versucht, daß
die Ansichten und Theorien Freuds den Bemühungen der Frauen
um Emanzipation und Gleichberechtigung im Wege stehen. Es ist
wahr, Freud stimmte mit den Ansichten seiner Gesellschaft über
Aufgabe und Wesen der Frau weitgehend überein. Als er sich mit
dem Philosophen und Frauenrechtler John Stewart Mill beschäftigte und den Aufsatz von Mills Lebensgefährtin Harriet Taylor
»Über Frauen-Emanzipation« übersetzte, schrieb er den oft zitierten Brief an seine spätere Frau Martha (1893): »Gesetzgebung und
Brauch haben den Frauen viel vorenthaltene Rechte zu geben, aber
die Stellung der Frau wird keine andere sein können, als sie ist, in
jungen Jahren ein angebetetes Liebchen und in reiferen ein gelieb-
tes Weib.«

Warum aber hat Freud gerade diesen damals noch Mill zugeschrie-
benen, aber bereits 1851 von Harriet Taylor verfaßten Aufsatz zur
Übersetzung ausgesucht? Es muß ein Thema gewesen sein, das ihn
bewegte und das, wie der Brief an seine Frau zeigt, eine typisch
männliche Reaktion bei ihm ausgelöst hat. Die Angst vor der Selbständigkeit der Frau, vor ihren Forderungen nach gleichen Rechten
und Verhaltensweisen, hatte offenbar auch Freud befallen. Wie
sollte es auch anders sein?

Liest man Strindberg, den nur sieben Jahre vor Freud geborenen
Autor, erkennt man, welche Panik beim Mann die Vorstellung einer Frau auslösen kann, die sich, ihr Leben, ihr Denken und ihre

Sexualität nicht nur an der Beziehung zum Mann ausrichtet. Strindberg, der sich einerseits in zahlreichen Schriften für den Sozialismus und den Abbau der Klassenschranken kämpferisch eingesetzt hat, wehrt sich andererseits mit aller Heftigkeit, keine Injurien scheuend, gegen die Gleichberechtigung der Frau und den Abbau der Geschlechterschranken. Gewiß, es handelt sich bei Strindberg um einen sehr labilen, übersensiblen, zu paranoiden Ausfällen neigenden Mann; aber es sind gerade die Hypersensitiven, die oft am deutlichsten zeigen, was in der Psyche ihrer Zeitgenossen vor sich geht.

In der Psychoanalytischen Vereinigung hat es in den zwanziger bis zur Mitte der dreißiger Jahre zahlreiche Auseinandersetzungen über die psychosexuelle Entwicklung der Frau gegeben. Dann schlief die Diskussion fast ganz ein, und die Ansichten der Freud widersprechenden Analytiker verschwanden mehr oder weniger aus dem Bewußtsein. 1964 erschienen in Paris die von J. Chasseguet-Smirgel herausgegebenen Aufsätze über Psychoanalyse der weiblichen Sexualität. Die Autoren dieser Aufsätze stehen meist der Schule von Melanie Klein nahe. Etwa seit 1970 begannen auch andere Psychoanalytiker sich zögernd mit der psychosexuellen Entwicklung der Frau zu beschäftigen.

1976 gab Blum im *Journal of the American Psychoanalytic Association* eine Sammlung psychoanalytischer Arbeiten mit zum Teil neuen Ansätzen über die weibliche Psychologie heraus. 1975 und 1978 erschienen zwei Hefte der Zeitschrift *Psyche* zum Thema »Weiblichkeit«.

Doch man kann sich des Eindrucks nicht erwehren, daß diese Diskussionen an unseren männlichen und weiblichen Kollegen mehr oder weniger vorbeigegangen sind. Sie reden mit gleicher Unbefangenheit wie früher von Penisneid, von phallischer Frau, von »wahrer Weiblichkeit«, von Kinderwunsch als Penisersatz etc. Die Hypothesen Freuds über die weibliche Sexualität scheinen für viele Analytiker eine gesicherte Theorie darzustellen. Diese Haltung ist als Abwehr anzusehen. Wer die Macht hat, stellt sich nicht gern in Frage. Theoretisch wissen Psychoanalytiker zwar, daß nur durch immer erneute kritische Prüfung des eigenen Verhaltens und der eigenen Theorie so etwas wie Wahrheit sichtbar wird und daß man sich nur durch die Bewußtmachung unbewußter Motive von Denkeinschränkungen und Zwängen freimachen kann, praktisch hindert sie ihr Wissen jedoch nicht daran, an Theorien festzuhalten

die für sie bequem sind und die ihnen das Umdenken ersparen.

Christa Rohde-Dachser (»Frauen als Psychotherapeuten; Das Janusgesicht einer Emanzipation und die Folgen.« Unveröff. Manuskript) hat sich mit dem Problem befaßt, gleichzeitig Frau und
Psychoanalytikerin zu sein. Damit ist ein Rollenkonflikt besonderer Art verbunden. Als Therapeutin verhält sie sich rollenkonform,
wenn sie Takt, Einfühlungsvermögen, Ruhe, Geduld und die Fähigkeit entwickelt, für den anderen aufnahmebereit zu sein und
gleichzeitig Zugang zu den eigenen Gefühlen zu haben. Diese Fähigkeiten erwartet man auch von männlichen Therapeuten, wenngleich sie in unserer Gesellschaft eher als weiblich angesehen
werden. So scheinen in der psychoanalytischen Therapie Männer
wie Frauen ihre »Weiblichkeit« ausleben zu können. Aber dieses
Ausleben ist nur in beschränktem Maße möglich, denn von Psychoanalytikerinnen erwartet man Geschlechtsneutralität. Auf allen
anderen Gebieten des psychoanalytischen Berufs, in der Verbands-
rolle, in der Wissenschaftsrolle etc., sind dagegen Verhaltensweisen
und Eigenschaften gefragt, die weit mehr dem männlichen Rollen-
stereotyp entsprechen. In diesen Bereichen findet man erwartungs-
gemäß nur wenige Frauen. Zudem verschärft sich der geschlechtsspezifische Rollenkonflikt bei Psychoanalytikerinnen durch die
Internalisierung eines überwiegend negativen Frauen- und Mutter-
stereotyps, das ihnen im Verlauf ihrer psychoanalytischen Sozial-
sierung nahegebracht worden ist.

Noch etwas anderes kommt hinzu: »Der soziale Konflikt, dem
Frauen überhaupt und berufstätige Frauen insbesondere ausgesetzt
sind, wird von Psychoanalytikerinnen gemäß ihrer psychoanalytischen Ausbildung meist als innerpsychischer Konflikt angesehen.
Klagen über soziale Ungerechtigkeit werden als peinlich, weil als
Eingeständnis des eigenen Versagens empfunden. Die diesem Deu-
tungsmuster immanente Verleugnung objektiver Realitäten und
ihre Koppelung mit eigenen Omnipotenzphantasien erwies sich als
kaum hinterfragbar.« So Frau Rohde-Dachser.

Nimmt man die *Internationale Zeitschrift für Psychoanalyse* oder
die *Imago* aus den dreißiger Jahren in die Hand, ist man erstaunt
über die Lebhaftigkeit und klinische Nähe der Diskussion über die
spezifisch weibliche Problematik. Allein in den Bänden 1933/1934
befassen sich etwa 14 Arbeiten mit der psychosexuellen Entwicklung der Frau oder auch mit den phallischen Abwehrmaßnahmen

des Mannes. Lilian Rotter hat die Angst des Mannes vor der Frau mit ihrer sexuellen Macht über ihn zu erklären versucht. Sie löst bei ihm Erektionen aus – oft nur durch ihre sichtbare Gegenwart –, die er nicht zu kontrollieren vermag. Schon das kleine Mädchen, so meint sie, sei sich seiner sexuellen Macht über die Männer bewußt und baue sein Selbstgefühl darauf auf, den Mann verführen zu können. Wenn es im sexuellen Spiel erlebe, daß es Erektionen hervorrufen kann, wecke das bei dem Mädchen das Gefühl, der Penis sei seiner Kontrolle unterworfen und gehöre somit auch zum Körper des kleinen Mädchens. Penisneid würde nur dann auftreten, so Rotter, wenn die Frau das Gefühl habe, den Einfluß auf Männer verloren zu haben. In Einklang mit diesem weiblichen Erleben sehen manche Männer in der Frau »die Eigentümerin des Penis«, der sie »bedient«. Nicht berücksichtigt wird in dieser Arbeit, was es für Mann wie Frau bedeutet, wenn der Mann zu keiner Erektion fähig ist, die Frau also nicht »bedienen« kann. Der Haß, den das auf beiden Seiten auslöst und der vielleicht nicht nur Folge, sondern auch Ursache der Impotenz des Mannes ist, sollte nicht unterschätzt werden. Schon Freud hat festgestellt, daß die Abweisung sexueller Wünsche bei beiden Geschlechtern erhebliche Aggressionen hervorrufen kann. Auch Homosexualität beruht gelegentlich darauf, daß der Mann und nicht die Frau die Macht hat, andere Männer zu erregen oder sie mit ihrer Impotenz zu konfrontieren. Wenn aber der Selbstwert einer Frau abhängt von der Fähigkeit, Männer zu verführen, dürfte das nicht gerade ihre Autonomie und Kreativität fördern.

Ein Phänomen, das man als Pygmalion-Komplex bezeichnen könnte, beobachtet man bei Männern, die ihre unbewußte weibliche Identifikation und ihre geheimen Kinderwünsche zu realisieren versuchen und gleichzeitig ihre Macht über Frauen bestätigt wissen wollen. Sie befassen sich intensiv mit jungen Frauen, fördern beispielsweise ihre Schülerinnen und Patientinnen, hauchen ihnen sozusagen neues Leben ein, nämlich ihre Erfahrungen und ihr Wissen, und machen sie zu quasi-neugeborenen oder auch erstmals orgasmusfähigen Geschöpfen.

Ein interessantes Beispiel für einen Pygmalion-Komplex ist die Beziehung zwischen Sartre und de Beauvoir. De Beauvoir verzichtet darauf, Kinder zu bekommen, sie läßt sich ganz auf Sartre ein, der die Ansicht vertritt, daß im Leben von Mann und Frau allein ihre »Werke« zählen. Sartre konnte schon seine erste Verlobte, Camille, von seiner Ansicht überzeugen, und so gelang es ihm auch, diese selbstbewußte, unabhängige und anspruchsvolle Frau in seinen Bann zu schlagen. Mit der Produktion von geistigen Erzeugnissen sind Mann und Frau, so Sartre, auf einer Ebene der Fruchtbarkeit vereint. Sartre, der sicherlich weitgehend weiblich identifiziert war, zog die Gesellschaft von Frauen der von Männern vor. Seine Sexualität war von dem Bedürfnis nach Zärtlichkeit geprägt, seine genitale Potenz offenbar nicht besonders ausgeprägt und für ihn, so scheint es, ohne größere Bedeutung. Dennoch oder gerade deswegen gelang es ihm, bei Frauen – von denen viele ihn bis zum Ende seines Lebens umhegten – im Mittelpunkt ihres Interesses zu stehen.

Freud (1905) erkannte, daß das erste große Problem, mit dem ein Kind sich beschäftigt, nicht die Frage des Geschlechtsunterschiedes, sondern die Frage ist, woher die Kinder kommen. Erst wenn der Knabe entdeckt, daß er nicht in der Lage ist, Kinder zu gebären, beginnt er, besonderen Wert darauf zu legen, anders zu sein als die Mutter, worin ihn die Gesellschaft unterstützt. Infolgedessen mag die Entdeckung des Penisneides auch Ausdruck von männlichen Wünschen sein, Frauen auf die Anatomie und die damit verbundenen Fähigkeiten des Mannes so eifersüchtig zu machen, wie es der Mann auf die Frau ist. Vielleicht muß er immer wieder betonen, daß Neid und Eifersucht vorwiegend weibliche Eigenschaften seien, um seine eigenen Neid- und Eifersuchtsgefühle abzuwehren.

3. Männerhaß – Frauenhaß

Den Feministinnen wird häufig Männerhaß vorgeworfen. Alice Schwarzer meint dazu (*Emma*, März 1977), daß für sie der Frauenkampf ein Kampf für Frauen und nicht ein Kampf gegen Männer sei. Nur wo Männer den Kampf der Frauen um ihre Befreiung verhindern wollten, richte sich dieser Kampf auch gegen Männer. Sie schreibt: »Wer den Haß abschaffen will, muß die Gründe zum Haß abschaffen.«

Es gibt genügend Anlaß zum Haß. Wir brauchen uns nur umzuschauen, überall begegnen wir Menschen, die andere Menschen ins Elend stoßen, foltern, morden und verhungern lassen, und wir brauchen nur an unsere jüngste Vergangenheit zu denken. Situationen, in denen Frauen sich von Männern und ihren Handlungsweisen abgrenzen müssen, finden wir in Vergangenheit und Gegenwart mehr als genug. Darüber hinaus sind vor allem Frauen in der seit Jahrhunderten unveränderten, patriarchalisch strukturierten Gesellschaft erniedrigt, verachtet und ausgebeutet worden. Über viele Jahrhunderte war der Frauenhaß der Männer vorherrschend; vom Männerhaß der Frauen wurde kaum gesprochen. In zahlreichen Aussagen, in Romanen und sich als wissenschaftlich verstehenden Dissertationen haben sich bekannte Männer in Vergangenheit und Gegenwart über die charakterlichen Schwächen der Frau, ihren geistigen Schwachsinn und über die Frage ausgelassen, ob Frauen überhaupt als Menschen angesehen werden könnten. Von Aristoteles über Paulus und Thomas von Aquin bis zu Möbius, Weininger und Montherlant ist der Frauenhaß und die Frauenverachtung der Männer ohne jede Hemmung gepredigt worden.

Seitdem Frauen sich von gegenseitiger Verachtung zu befreien versuchen, in die sie durch die Haltung der Männer hineingezwungen worden sind, und solidarisch um ihre Rechte zu kämpfen begonnen haben, wird ihnen zunehmend »Männerhaß« vorgeworfen. Ist der von vielen Zeitgenossen beschworene »Männerhaß« der Feministinnen eine Verschiebung des aus der frühen Kindheit stammenden Mutterhasses? Wer sich über viele Jahre mit dem Gefühlsschicksal von Frauen beschäftigt hat, weiß, daß deren frühe Beziehungen zur Mutter in sich äußerst differenziert und verschiedenartig sind und daß die späteren Beziehungen sowohl zu Männern wie zu Frauen sich erheblich unterscheiden können. Schwerwiegende Traumen in der frühen Kindheit und frühe Störungen in der Mutter-Kind-Beziehung können das spätere Leben einer Frau gravierend beeinflussen. Ich möchte dafür ein Beispiel geben:

Eine Patientin stammte aus einer Arbeiterfamilie. Der Vater, ungelernter Arbeiter, kümmerte sich nach der Trennung von der Mutter nicht mehr um die Familie. Die Mutter, eine Kellnerin, ließ die Patientin, ihr einziges Kind, abends fast immer allein. In der Nacht kam sie nicht selten angetrunken und in Begleitung eines Liebhabers nach Hause. Das laute Verhalten und die Geräusche bei der sexuellen Vereinigung des Paares erlebte Maria, wie ich meine Patientin nennen möchte, als etwas Unheimliches und Zerstörendes. Sie war im Grunde ein tiefverängstigtes Kind, das seine Verlorenheit in der Schule mit Frechheit zu überspielen suchte und damit bei seinen Klassenkameraden gelegentlich auch Erfolg hatte.
Ihre soziale Umwelt ließ sie deutlich spüren, wie sehr ihre Mutter wegen ihres »zweifelhaften« Lebenswandels verachtet wurde. Nach Beendigung der Volksschule wurde sie – da niemand sich für sie einsetzte – wie die Mutter Kellnerin, dann Bardame, hatte wie die Mutter zahlreiche sexuelle Männerbekanntschaften und begann ebenfalls zu trinken. Sie heiratete schließlich einen Mann, der eine Art Playboy war und der ihr ein materiell sorgloses Leben bieten konnte. Das Glück dauerte jedoch nur kurze Zeit, da sich kein tieferer Kontakt zwischen den Ehepartnern einstellte. Maria fühlte sich enttäuscht, wurde zeitweilig von Ängsten überfallen, deren Ursache sie nicht zu erkennen vermochte. Sie verschwand alle paar Wochen für einige Tage, in denen sie sich meist in einem Dauerrausch befand. Während ihrer alkoholischen Eskapaden ging sie zahlreiche sexuelle Beziehungen ein. Meistens handelte es sich um Kontaktaufnahmen zu Ehepaaren, zwischen denen sie nachts im Bett lag. Die Sehnsucht nach einem liebenden Ehepaar, das ihre kindlichen Wünsche nach Schutz erfüllen sollte, kam in diesem Verhalten deutlich zum Vorschein.

Aber die eigentliche Triebfeder ihrer Flucht war das Gefühl, verfolgt zu werden, ein Gefühl, das ihr rational unsinnig schien, das sie aber nur mit Hilfe des Alkohols in Schach halten konnte. In einer Gruppe von früheren Alkoholikern, die sich gegenseitig Hilfe zu bieten versuchten, fand sie einen gewissen Halt. Diese Menschen verhielten sich zueinander so, wie das oft Geschwister tun, die ihre Mutter zu früh verloren haben.

Bei der Patientin, die in ihrer Kindheit ungewöhnlichen Traumen ausgesetzt war, stellten die sexuellen Dreierbeziehungen den Versuch dar, sich selber Elternliebe vorzutäuschen und so den hinter ihrer enttäuschten Liebe verborgenen hilflosen Haß auf die Eltern und die soziale Umwelt zu überdecken. Dieser Haß war der Ursprung ihrer Verfolgungsgefühle. Seinetwegen fürchtete sie Rache und endgültiges Verlassenwerden. Im Grunde litt die Patientin an den Folgen eines partiellen Hospitalismus, das heißt an einer frühkindlichen Vernachlässigung, eines mütterlichen und väterlichen Beziehungsdefizits, wie es René Spitz dargestellt hat. Deshalb war es für die Patientin immer noch besser, sich mit der alkoholischen Mutter zu identifizieren, worauf ihr Verhalten letztlich hinauslief, als vor ihrer Mutter und deren Verhalten Angst zu haben, sie zu hassen, sich von ihr verfolgt oder gänzlich im Stich gelassen zu fühlen.

Ein weiteres Analysebruchstück soll die schicksalhafte Wirkung eines untergründigen Mutterhasses anschaulich machen. Eine junge attraktive Patientin aus streng katholischem Milieu verliebte sich wiederholt in katholische Geistliche. Jedes dieser Verhältnisse endete mit einer Enttäuschung. Es war naheliegend anzunehmen, daß es sich um eindeutige ödipale Wiederholungssituationen handelte, das heißt, daß der Priester den Vater darstellte, mit dem die Patientin verbotene inzestuöse Beziehungen unterhalten hatte, und daß sie sich deswegen bestrafen mußte.
Außer an ihren unglücklichen Liebesaffären litt sie an einer leichten Schlafmittelsucht, das heißt, sie nahm harmlose Mittel, die eigentlich kaum eine Wirkung auf ihren Schlaf hätten haben dürfen, von denen sie aber dennoch abhängig war und ohne die sie nicht einschlafen konnte. Im weiteren Verlauf der Therapie wurde eine starke Abhängigkeit von der Mutter sichtbar, und man bekam zunehmend den Eindruck, daß die Geistlichen, zu denen sie Bezie-

hungen aufnahm, eigentlich verkleidete Mutterfiguren verkörperten. Die Patientin sehnte sich vor allem danach, eine Mutter zu haben, die ihr Verständnis entgegenbrachte.

Schon früh aber hatte sie die Enttäuschung erleben müssen, daß die schöne, von ihr bewunderte und geliebte Mutter ihren Bruder vorzog und wenig Einfühlung und Verständnis für das Gefühlsleben ihrer Tochter zeigte. Die Ambivalenz, ja der Haß, den diese ungerechte, verständnislose, aber wahrscheinlich typische Liebes- und Wertverteilung der Mutter bei ihr hervorrief, löste natürlich erhebliche Angst aus.

Da in dieser Familie sexuelle Äußerungen besonders rigide unterdrückt wurden und Onanie als Sünde galt, entstanden bei ihr darüber hinaus noch verstärkte Schuld- und Minderwertigkeitsgefühle, denn sie konnte trotz qualvoller Bemühungen die Onanie nicht aufgeben. Sie empfand sich zunehmend als zu wertlos, um geliebt zu werden; das aber verstärkte gleichzeitig ihre untergründigen Haßgefühle. So verschob sie, um ihre Liebesbedürfnisse zu befriedigen, ihre Wünsche später auf die Geistlichen als Pseudo-Väter, die aber deutlich mütterliche Züge trugen.

Erst als es während der Therapie gelang, den Mutterhaß aufzudecken und der Patientin ein Gefühl zuverlässiger Zuwendung zu vermitteln, besserte sich ihr Selbstgefühl so weit, daß sie es wagte, und auch in der Lage war, ohne ihre Tabletten einzuschlafen.

.Die Art, mit der viele junge Frauen versuchen, sich die von ihnen idealisierten Freunde mit Hilfe der Sexualität sozusagen einzuverleiben, erinnert an frühkindliche orale Formen der Beziehungsaufnahme. Wir haben häufig beobachtet, daß Patientinnen, die unter einer frühen Störung der Mutter-Kind-Beziehung litten, deren Vater sich an der Erziehung nicht beteiligt hatte und die schwere traumatische Erschütterungen erfahren hatten, neben dem als suchthaft sich äußernden sexuellen Verhalten häufig Drogenmißbrauch oder Alkoholismus zeigten, ähnlich wie bei den Patientinnen, die ich oben beschrieben habe.

Edward Shorter (1977) weist, in Anlehnung an Marx, darauf hin, daß der in der Marktwirtschaft erlernte Egoismus die heutigen soziokulturellen Normen weitgehend beeinflußt. Die zwischenmenschlichen Beziehungen werden vom Tauschcharakter bestimmt. Jeder will möglichst billig zu seiner »Ware« kommen. Aus dieser Beziehungsform fällt das Verhältnis von Mutter und Kind heraus, denn ihm fehlt die egoistische Form des Gebens und Nehmens, also der Egoismus, der auf den eigenen Vorteil aus ist oder zumindest kleinlich darauf bedacht ist, daß Geben und Nehmen im gleichen Verhältnis zueinander stehen. In der Mutter-Kind-Beziehung herrschen Gefühle und Beziehungsformen vor, die sich von der »Moral« der Wirtschaft grundlegend unterscheiden. Vielleicht wird auch aus diesem Grund in unserer Gesellschaft einerseits die Mutter überidealisiert, andererseits die Frau vehement abgelehnt. Es ist daher zu fragen, ob sich hinter »Mutterhaß« nicht unbewußte Identifikationen mit männlichem Frauenhaß verbergen.

Bei intensiveren Gesprächen mit Männern ist man häufig erstaunt zu hören, daß sie im Grunde ihre eigenen Geschlechtsgenossen nicht schätzen, sondern vielmehr Beziehungen auch freundschaftlicher Art zu Frauen vorziehen. Dennoch sind in Beruf und Ehe die Verhaltensweisen der Geschlechter in der Mehrzahl festgefahren, und es gibt kaum Zeichen für Veränderungen. Aus Angst vor Unmännlichkeit verleugnen und verdrängen viele Männer ihre Abhängigkeitsbedürfnisse, ziehen sich zu Hause in gesprächsfeindliche Gefühlsabwehr zurück oder glauben, ihre Frauen betrügen zu müssen, um sich als »Männer« zu beweisen, um ihre Abhängigkeit zu überspielen oder diese alsbald auf eine andere Frau zu übertragen.

Der sich zurückziehende Mann, der zugleich verwöhnt und bewundert werden will, ist, sofern »Intellektueller«, heutzutage hauptsächlich mit seiner Selbstfindung beschäftigt, ohne seine Verhaltensstereotypen und seine unbewußten Größenphantasien in Augenschein zu nehmen. Solche Männer idealisieren sich oft als »Einzelgänger«. Sie glauben, ihre Gefühle verbergen zu müssen, um die ihnen anerzogene Männerrolle befriedigend beibehalten zu können.

Bei Frauen spielen rollenstereotype Größenphantasien eine geringere Rolle als beim Mann. Für sie liegt aber die Gefahr nahe, sich als Teil des karrierebewußten Mannes zu erleben und dadurch seine Größenphantasien zu teilen. In solchen Fällen bleibt auch die Frau an Rollenstereotype gebunden, wie an die der aufopfernden Ehefrau, die sich ganz dem Aufstieg des Mannes widmet. Je mehr die Frau sich mit dem Mann identifiziert und in die bestehenden Machthierarchien integriert, um so schwerer kann sie sich herrschende »Werte« und Ideale bewußtmachen und sich ihnen entziehen. Aber auch solche Frauen merken schließlich, wie wenig ihre

Opferrolle ihnen einbringt, und sie reagieren darauf untergründig mit Neid und Haß, der dann nicht selten mit erneuten masochistischen Verhaltensweisen abgewehrt wird.

M. Torok (1964) sieht im »Penisneid« nur eine Abwehr gegen den ursprünglichen Haß auf die Mutter, von der das kleine Mädchen sich anal beherrscht und in ihren masturbatorischen Wünschen behindert fühlt. Es glaubt, daß die Mutter ihm verbietet, die eigene Geschlechtlichkeit zu genießen. Sein Haß auf die Mutter, die es gleichzeitig liebt und von der es mehr als von jedem anderen Menschen in der Kindheit abhängig ist, bereitet ihm schwere Schuldgefühle. Obwohl es sich mit der als herrschsüchtig erlebten Mutter und ihrer Macht weitgehend identifiziert, bleibt es aufgrund seiner Schuldgefühle an eine sadomasochistische Entwicklungsphase fixiert, und es gelingt ihm nicht, dieser Phase zu entwachsen. Hinter dem »Penisneid« liegt der Wunsch nach Bearbeitung der ungelösten Konflikte mit der Mutter, die der Reifung, Selbstfindung und der Verarbeitung von seelischen Problemen im Wege stehen. Wird die Abhängigkeit von der Mutter nicht gelöst, kommt es später regelmäßig zu einer ähnlichen Abhängigkeit vom Ehemann oder Lebensgefährten. Solche Abhängigkeiten werden im allgemeinen von der Männerwelt gefördert. Denn auch der Mann hat Angst vor der als gefährlich erlebten Mutter der analen Periode, und er versucht sich durch Identifikation mit dem phallischen Vater gegen seine Abhängigkeit zu wehren. Angst, Abhängigkeit, Schuldgefühle und Haß gegenüber der Mutter bleiben bestehen und werden auf die Ehefrau projiziert, deren Unselbständigkeit der Mann als erleichternd, als angst- und haßmindernd erlebt.

Die ursprünglichen Neid- und Haßgefühle des Mannes auf die Mutter sind bereits mehrfach erwähnt, und über seinen Gebär- und Brustneid ist viel geschrieben worden. Sich seinem Neid auf die Frau zu stellen, hieße für den Mann, seinen eigenen Neid und seine Abhängigkeit bewußt zu erleben. So sucht er für seine aus der frühen Kindheit stammenden Angst-, Wut- und Aggressionsgefühle gegenüber Frauen je nach den Zeitumständen die verschiedensten Rechtfertigungen: indem er sie zur Hexe stempelt, als dumm (»Lange Haare, kurzer Verstand«) oder als besonders narzißtisch bezeichnet. Die häufig haßerfüllten Attribute, mit denen Frauen belegt werden, sind Legion.

Die Enttäuschung über die Mutter oder der Ursprung des ungelösten Konfliktes mit ihr, der starken Haß auslösen kann, werden meines Erachtens häufig zu Unrecht auf die symbiotische oder orale Stufe verlegt; ihre Wurzeln liegen oft in der analen Phase oder genauer: Da es sich nicht ausschließlich um eine Triebentwicklung handelt, sondern auch um Beziehungskonflikte, findet die Störung der Mutter-Kind-Beziehung meist erst in der Loslösungs- und Individuationsphase statt, in der es reichlich Anlaß zu einander widersprechenden Strebungen gibt. Wie später in der Pubertät, fällt es vielen Müttern auch in dieser Zeit schwer, auf altersentsprechende Trennungswünsche ihrer Töchter einzugehen. In der Pubertät kommt es häufig zu besonders heftigen Konflikten; in solchen Fällen suchen Mütter in der bis ins Erwachsenenalter fortgesetzten engen Beziehung zu ihren Töchtern einen Ersatz für eigene eheliche Enttäuschungen und/oder wiederholen auf diese Weise unbewußte Verhaltensweisen der eigenen Mutter ihnen selbst gegenüber.

4. Über weibliche Sozialisation

Mit dem Begriff Sozialisation wird die Gesamtheit der Phasen bezeichnet, die der Mensch in seiner Entwicklung durchläuft, seine
»soziokulturelle Geburt«, durch die er in gesellschaftliche Struk-
tur- und Interaktionszusammenhänge hineinwächst. Die primäre
Sozialisation erfährt das Individuum in der Familie; in der sekundären Sozialisation lernt das Individuum ständig neues Rollenverhalten hinzu. Sozialisation ist ein soziologischer Begriff, den
manche Psychoanalytiker übernommen haben, der aber nicht zum
eigentlichen psychoanalytischen Vokabular gehört. Ich benutze
ihn, weil er mir für die »zweite«, die »soziokulturelle« Geburt des
Menschen aussagekräftig zu sein scheint, also auch für die Art und
Weise, in der Frauen in der jeweiligen Gesellschaft zu Frauen gemacht werden. Von der Wertwelt der Gesellschaft sind die geschlechtsspezifische Erziehung wie auch die unbewußte Einstellung
der Eltern dem Kind gegenüber weitgehend abhängig.
Margaret Mahler hat den Begriff der »psychischen Geburt« des
Menschen in die Psychoanalyse eingeführt. Sie bezeichnet damit
die Entwicklungsperiode, in der ein Kind langsam aus der autisti-
schen und der symbiotischen Phase des Einsseins mit der Mutter
heraustritt; damit beginnt die Zeit der Loslösung von der Mutter
und der Individuation. Bereits in dieser Entwicklungsperiode fällt
es manchen Müttern schwerer, auf die altersentsprechenden Trennungswünsche ihrer Töchter einzugehen als auf die ihrer Söhne.
Die Sozialisation beginnt, das heißt, traditionelle Rollenvorschriften beeinflussen zunehmend das elterliche Verhalten ihren Kindern
gegenüber und formen damit das Triebschicksal, den Umgang des
Kindes mit seinen Trieben.
Was aber versteht der Psychoanalytiker unter Trieben, was unter
Triebschicksalen? Freud definierte »Trieb« in seiner im April 1915
abgeschlossenen Arbeit »Triebe und Triebschicksale« als »ein[en]

Grenzbegriff zwischen Seelischem und Somatischem, als psychischer Repräsentant der aus dem Körperinneren stammenden, in die Seele gelangenen Reize«. In seiner Arbeit »Die Verdrängung«, die er zur gleichen Zeit fertigstellte, beschrieb er die psychische Triebrepräsentanz als Vorstellung oder Vorstellungsgruppe, die mit einem bestimmten Betrag von psychischer Energie, auch Libido genannt, besetzt ist. Trieb bleibt für ihn ein Grenzbegriff zwischen dem Somatischen und dem Seelischen. In *Jenseits des Lustprinzips* (1920) bezeichnet er die Triebe als »das wichtigste wie das dunkelste Element der psychologischen Forschung«. Freud unterscheidet zwischen Trieb und Reiz; Reiz kommt von außen, Trieb von innen. Dem äußeren Reiz kann man sich durch Flucht entziehen, den Triebbedürfnissen, auch als endogene Reize bezeichnet, nicht. In der Zeit von 1897 bis 1911 stand die Entdeckung des Ödipus-Komplexes und mit ihm die Bedeutung der Phantasie für den psychischen Konflikt im Mittelpunkt des psychoanalytischen Interesses. Dadurch wurde in dieser Phase seiner Theorie dem Einfluß äußerer Traumen und äußerer Ereignisse auf die kindliche Psyche weniger Beachtung geschenkt als bisher.

Nach Freuds Triebtheorie liegen die sexuellen Triebe und die Selbsterhaltungstriebe, auch Ich-Triebe genannt, miteinander in Konflikt. Diese Selbsterhaltungsbedürfnissen dienenden Ich-Triebe sind die verdrängende, die Sexualtriebe die verdrängte Kraft, die nach Bewußtsein und Befriedigung strebt. Dieser Konflikt wird dem zwischen bewußten und unbewußten seelischen Kräften gleichgesetzt; das Ich wird noch als bewußte seelische Instanz angesehen.

Das war der Stand der psychoanalytischen Theorie, ehe Freud die unbewußten Anteile des Ichs entdeckte und formulierte. Mit seiner Einführung des Narzißmus-Konzepts (1914) werden die Gegensätze zwischen Sexual- und Ich-Trieben verwischt. Freud erkannte, daß beide Triebe aus einer gemeinsamen libidinösen Quelle gespeist werden. Den Unterschied zwischen beiden sah er jetzt in der Wahl der Objekte, das heißt, die Libido kann sich entweder auf ein äußeres Objekt oder auch auf das eigene Ich richten. Freud hielt jedoch daran fest, daß es auch nicht-libidinöse Ich-Triebe gibt, die er zeitweilig »Interesse« nannte. Nach 1914 änderte sich auch seine Vorstellung von der Bedeutung der Aggression. Sie war bisher im Zusammenhang mit dem Sadismus als Teil des Sexualtriebes angesehen worden, wird jetzt aber den nicht-libidinösen Trieben – als Bemächtigungstrieb – zugeordnet.

Da Freud überall mit dem Problem der Ambivalenz, das heißt des gleichzeitigen Vorhandenseins von Liebe und Haß in der Beziehung zu einer Person wie zum eigenen Selbst oder Ich, konfrontiert wurde, gewann die Aggression in Freuds Denken zunehmend an Bedeutung. Seit *Jenseits des Lustprinzips* hielt er an einem Gegensatz zwischen sexuellen und aggressiven Trieben fest. Der Begriff der »Ich-Triebe« wird mehr oder weniger aufgegeben; Selbsterhaltungstrieb und Sexualtrieb werden zu Teilen des Lebenstriebes, Aggression wird nicht mehr den Ich-Trieben, sondern den Todestrieben zugeordnet. Die umfassenden Einheiten Lebens- und Todestriebe stehen in dieser Phase seiner Triebtheorie einander konflikthaft gegenüber.

Sexualität ist für Freud kein einheitlicher Trieb, der nicht mehr zerlegbar ist, sondern für ihn stellt sich Sexualität dar als zusammengesetzt aus einer Anzahl von Partialtrieben – wie die Gegensätze Exhibitionismus, Schaulust, Sadismus, Masochismus etc. Partialtriebe suchen, ehe sie in der genitalen Phase zusammengefaßt werden, unabhängig voneinander Befriedigung. Die der kindlichen Entwicklung entsprechenden oralen, analen und phallischen Partialtriebe sind eng mit den erogenen Zonen verknüpft, nach denen sie benannt werden und von denen eine lustvolle Erregung ausgehen kann.

Ich komme noch einmal auf die Entwicklung der Freudschen Triebtheorie zurück, wie sie in seiner Arbeit »Triebe und Triebschicksale« (1915) dargestellt wird. Dort beschreibt Freud, wie »Liebe« im Laufe der kindlichen Entwicklung vom Ausdruck einer Lustbeziehung des Ichs zu den Objekten schließlich an die Sexualobjekte fixiert wird. Haß ist demgegenüber weniger mit Sexuallust, sondern mehr mit den Ich-Trieben verknüpft. Die Unlust-Reaktion scheint bei der Entstehung von Haß die einzig entscheidende zu sein. »Das Ich haßt, verabscheut, verfolgt mit Zerstörungsabsichten alle Objekte, die ihm zur Quelle von Unlustempfindungen werden, gleichgültig, ob sie ihm eine Versagung sexueller Befriedigung oder der Befriedigung von Erhaltungsbedürfnissen bedeuten. Ja, man kann behaupten, daß die richtigen Vorbilder für die Haß-Relation nicht aus dem Sexualleben, sondern aus dem Ringen des Ichs um seine Erhaltung und Behauptung stammen.« Der Haß sei als Relationsobjekt älter als die Liebe, er entspringe der uranfänglichen Ablehnung der reizspendenden Außenwelt von seiten des narzißtischen Ichs. Als Äußerung der durch Objekte hervorgerufenen Unlust-Reaktion bleibt er immer in inniger Beziehung zu den Trieben der Ich-Erhaltung, so daß Ichtriebe und Sexualtriebe leicht in einen Gegensatz geraten können, der den von Hassen und Lieben wiederholt. Analytiker nach Freud haben zur Präferenz von Liebe und Haß andere Ansichten entwickelt.

Mit der Einführung der Dualität von Lebens- und Todestrieben 1920 wird auch das Lustprinzip als alleinherrschende Tendenz im Seelenleben entthront. Mit der Erfahrung, daß Erlebnisse wiederholt werden, aus denen sich keine Lust gewinnen läßt und die auch in der Vergangenheit niemals Triebbefriedigung verschafft haben konnten, ändert sich Freuds Theorie. Er erkannte, daß es einen Wiederholungszwang gibt, der sich über das Lustprinzip hinwegsetzt und dem er wie dem Lustprinzip Triebcharakter zusprach. »Auf welche Art hängt aber das Triebhafte mit dem Zwang zur Wiederholung zusammen?« fragt Freud in *Jenseits der Lustprinzips*. »Hier muß sich uns die Idee aufdrängen« — so fährt er fort — »daß wir einem allgemeinen ... Charakter der Triebe, vielleicht allen organischen Lebens überhaupt, auf die Spur gekommen sind. Ein Trieb wäre also ein dem belebten Organischen innewohnender Drang zur Wiederherstellung eines früheren Zustandes.« In derselben Arbeit verglich Freud die Polarität von Liebe und Haß mit der von Lebens- und Todestrieben und beschäftigte sich mit der Wirkung des Todestriebes innerhalb des Organismus. In späteren Schriften (wie *Das Unbehagen in der Kultur*) richtete er seine Aufmerksamkeit auch auf die Art und Weise, wie die Todestriebe nach außen gewendet und dort als destruktive oder aggressive Strebungen manifest werden. Todes- und Lebenstriebe treten nur selten »rein« auf, sondern meist in Legierungen oder Mischungen. Dieses Thema wird in seinem Essay *Das Ich und das Es* weiterverfolgt. Dort heißt es, daß das Konzept der Triebmischung eine unabweisbare Annahme darstelle. »In der sadistischen Komponente des Sexualtriebes hätten wir ein klassisches Beispiel einer zweckdienlichen Triebmischung vor uns, im selbständig gewordenen Sadismus als Perversion das Vorbild einer, allerdings nicht bis zum äußersten getriebenen Entmischung.«

Nach der Formulierung der Todestrieb-Theorie in *Jenseits des Lustprinzips* (1920) führt Freud 1923 in *Das Ich und das Es* seine psychoanalytischen Strukturkonzepte ein, das heißt, die Psyche wird in verschiedene Instanzen eingeteilt: Ich, Es, Überich.

In das Überich — so Freud — wird jener Anteil der kindlichen Aggressivität mit aufgenommen, den das Kind – aufgrund seiner Liebe zu ihnen – nicht gegen die Eltern wenden kann, denen sie ursprünglich gelten, da sie seinen Triebwünschen Versagungen auferlegen. Die verinnerlichten Eltern, deren Verbote und Gebote, werden zum Bestandteil des Überichs. Die Strenge des Überichs entspricht aber nicht nur der Strenge der Eltern, sondern – wie Freud betonte – auch dem Betrag der gegen die Eltern gerichteten Aggressivität des Kindes, der nach innen gerichtet wird und nun in dessen Überich eingeht. Mit den Identifikationen und Introjektionen bei der Überich-Bildung geht eine Triebentmischung einher, so daß die dadurch freigesetzten innerseelischen destruktiven Strebungen die Strenge des Überichs erhöhen. Identifikation bedeutet immer eine zumindest partielle Aufgabe des Objektes, das heißt, da die Liebe zum Objekt in den Hintergrund tritt, wachsen bei diesem Vorgang Aggression und Narzißmus.

Art und Inhalt des Überichs sind vom Umgang eines Menschen mit seinen Trieben und triebbesetzten Objekten abhängig, sind also die Folge eines Triebschicksals. Strenge, Schwäche, Rigidität, Elastizität, Einseitigkeit, Vielfältigkeit der Überich-Instanz hängen davon ab, wie mit den Trieben, vor allem den aggressiven, im Laufe der individuellen Entwicklung umgegangen wird, wie mitmenschliche Beziehungen verinnerlicht, Phantasien verarbeitet, Schuldgefühle projiziert, introjiziert oder ertragen werden können, und vieles mehr. Was immer der Psychoanalytiker behandelt und zu verstehen versucht, gehört in den Bereich der Triebschicksale. Abwehrmechanismen aller Art werden gegen angsterregende oder verbotene aggressive oder libidinöse Triebe aufgebaut und bestimmen Symptome oder Strukturen der Persönlichkeit.

Eine Regression der Libido, auch ein Abwehrmechanismus und damit ein Triebschicksal, kann zur Freisetzung des vorher gebundenen, gegen das Objekt gewendeten Destruktionstriebes führen. Dies geschieht zum Beispiel in der Zwangsneurose. Das Ich muß sich hier gegen die verinnerlichten anal-sadistischen Impulse zur Wehr setzen.

Auch in der Melancholie, in der das Ich sich mit dem verlorenen Objekt identifiziert und die Libido auf die Stufe des Narzißmus regrediert, werden alle nun im Überich enthaltenen destruktiven Impulse, die ursprünglich dem verlorenen Objekt galten, gegen das eigene Ich gewendet. Daher die in der Depression und Melancholie oft zu beobachtende Neigung zum Selbstmord. »Wenn eine Triebstrebung der Verdrängung unterliegt, so werden ihre libidinösen Anteile in Symptome, ihre aggressiven Komponenten in Schuldgefühle umgesetzt«, so Freud in *Das Unbehagen in der Kultur*. Die Selbstquälerei und Selbstbeschuldigungen des Masochisten oder Melancholikers bedeuten eine Befriedigung von sadistischen und von Haßtendenzen. Die Krankheit dient dazu, den offenen Ausdruck von Feindseligkeiten gegen das Liebesobjekt zu vermeiden.

Jedes Triebschicksal hat seinen bestimmten Abwehrcharakter: Verdrängung, Wendung gegen die eigene Person, Verwandlung ins Gegenteil, Identifikation, Projektion, Introjektion etc. 1926 stellt Freud die Hypothese auf, daß »der seelische Apparat vor der scharfen Sonderung von Ich und Es, vor der Ausbildung eines Überichs, andere Methoden der Abwehr übt, als nach der Erreichung dieser Organisationsstufen«.

Es ist das persönliche Schicksal eines jeden Menschen, wie er seine Triebe befriedigt bzw. wie er sie abwehrt. Bei den sexuellen Trieben handelt es sich nicht nur um die Abwehr und den Umgang mit dem genitalen Triebanteil, vielmehr auch um die Zulassung der prägenitalen Partialtriebe bzw. deren Abwehr. Die Instanzen seines Ichs und Überichs bestimmen weitgehend die Triebschicksale eines Menschen und die Art der durch Abwehr oder Befriedigung entstehenden Symptome und Charakterbildungen. Gleichzeitig muß die Überich-Bildung selber als Triebschicksal aufgefaßt werden, vor allem als Schicksal von Aggressionen. Wenn Scham, Schuld, Ekel noch nicht zum festen Bestandteil eines Ichs geworden sind, können prägenitale Partialtriebe zugelassen und befriedigt werden. In den Perversionen z. B. wehren sich die unterdrückten Triebe prägenitaler Art erfolgreich gegen das Schicksal, das ihnen das Ich aufzuerlegen versucht.

Aber die Partialtriebe in ihrer größeren Primitivität sind eng mit einer Neigung zu heftigen Aggressionen verbunden. Nicht selten findet bei ihrer Aktivierung eine weitgehende Entmischung der sonst in der Genitalität miteinander verbundenen Todes- und Lebenstriebe statt. Primitivität wird hier nicht im umgangssprachlichen Sinn einer moralischen Bewertung benutzt, sondern im Sinne der frühen entwicklungspsychologischen Bedeutung. Das Vorherrschen relativ reiner Aggressivität ist auch bei Perversionen in ihrem Zusammenhang mit Partialtrieben zu beobachten und kann diese Symptomatik so gefährlich machen, sowohl im Umgang mit anderen wie auch mit der eigenen Person.

Die Mutter, deren Pflege und hautnaher Kontakt – so der amerikanische Psychoanalytiker Lichtenstein – prägen dem Säugling
nicht eine Identität, sondern ein Identitätsschema ein. Die Triebe
bilden sich auf dem Boden solcher Prägungen, die mit der frühen
körperlichen Beziehung von Mutter und Kind einsetzen. Diese
nicht der Fortpflanzung dienende Sexualität erweckt das Kind zum
individuellen Leben, zur Bildung seiner eigenen Identität. Das Identitätsschema läßt viele Variationen zu. Seine Möglichkeiten vielfältig zu nutzen und ausbauen zu können, macht weitgehend das
Gefühl eines erfüllten Lebens aus.

Ich möchte noch einmal auf das Triebschicksal der Gewissensbildung oder des Überichs zurückkommen. Bei der Überich-Bildung
spielt die Aggression die vorherrschende Rolle. Mit der Verinnerlichung väterlicher Ver- und Gebote werden tödliche Aggressionen
dem Vater gegenüber nach innen gegen das eigene Ich gewendet.
Als Folge davon entstehen Schuldgefühle und das unbewußte Bedürfnis, sich selber zu bestrafen. Um diesem Leidensdruck zu
entgehen, sucht man Sündenböcke, mit deren Hilfe man die eigenen abgewehrten angsterregenden Aggressionen wieder nach außen verschieben und projizieren kann. Denn verhinderte Aggression – so Freud – bedeute eine schwere Schädigung des Menschen,
aktiviere den gegen das eigene Ich gerichteten Todestrieb. Dieses
Modell der Überich-Entwicklung läßt sich ausschließlich auf die
Psyche des Mannes anwenden.

Nicht zu Unrecht weist Erich Fromm diese Auffassung Freuds zurück, indem er feststellt, daß die Art, wie Freud die Wirkung des
Aggressions- und Todestriebes sah, der Logik des hydraulischen
Modells folge, das Freud ursprünglich auf den Sexualtrieb anwen-
dete. Das psychohydraulische Modell von sich summierenden
triebenergetischen Kräften, die unaufhaltsam nach Spannungslö-
sung drängen, trifft für die Sexualität von Männern in gewissem
Umfang zu. Bei Frauen, die nach wie vor in großer Zahl frigide
sind, läßt sich ein solches Entstehung und Funktion ihrer Sexualität
klärendes Modell nicht anwenden.

Die für die Gesundheit notwendige physische Entlastung des
sexuellen Triebes gilt offenbar nur für den Mann. Auch scheinen Teile der Freudschen Aggressionstheorie vorwiegend auf
Männer abgestimmt zu sein. Triebentlastung aggressiver Art
wird nur für den Mann als notwendig für sein seelisches und kör-
perliches Wohlergehen angesehen, während für die Frau aggres-

sive Triebunterdrückung bzw. deren Wendung nach innen, der
weibliche Masochismus, als normales weibliches Triebschicksal
betrachtet wird.

Anna Freud nimmt für die Aggression – einschließlich ihrer Fähigkeit zur Umwandlung in Aktivität – Phasen wie bei der libidinösen
Entwicklung an. Beißen, Spucken, Sich-Einverleiben etc. charakte-
risieren die sogenannte infantil-orale Aggression. Mit der Sauberkeitsgewöhnung, der analen Phase, werden heftige Ausbrüche
zerstörerischer Aggressivität als normal angesehen. Man spricht
von analem Sadismus, wenn die Aggressivität nach außen gewendet wird.

Auch in dieser Phase werden bei Jungen und Mädchen unterschiedliche aggressive Verhaltensweisen beobachtet, entsprechend der
Erziehung oder der Sozialisation, die geschlechtsspezifische Unterschiede aufzuweisen beginnt. Dem Jungen werden im allgemeinen
Aggressionsausbrüche eher erlaubt als dem Mädchen, von dem
man schon jetzt erwartet, daß es seine aggressiven Tendenzen ein-
schränkt und zunehmend nach innen wendet.

Der phallischen Phase werden Verhaltensweisen wie Herrschsucht,
Prahlerei, Überheblichkeit, Unduldsamkeit, Rivalitätsaggression
etc. zugesprochen. Auch das gilt vor allem für den Knaben; beim
Mädchen sollen der Penisneid und die Eifersucht vorherrschen.

Nach Spitz (1965), Winnicott (1965) und Greenacre (1971) verbinden sich Aggressionen mit dem Aktivitätsbedürfnis, der Selbst-
erhaltung und dem Meisterungswunsch des heranwachsenden
Kindes. Man solle sich davor hüten, Aggressionen nur als Ausdruck von feindseligem Verhalten und Fühlen anzusehen. Lantos
(1958) schlug vor, zwei primäre Kategorien der Aggression anzunehmen. An eine angeborene, nicht-triebhafte neutrale Ich-Energie
glaubt sie im Gegensatz zu Heinz Hartmann nicht. Sie unterscheidet eine nicht-feindselige Destruktivität (der Beute-Aggression bei
Tieren vergleichbar) und eine feindselige Destruktivität (Sadismus
im weitesten Sinn, Rivalitätsaggression).

Die meisten der zitierten Autoren betonen, daß nicht jede verhinderte Aggression zur Selbstdestruktion führe; beispielsweise trage
die Überich-Bildung im allgemeinen zur Struktur der Persönlichkeit bei und nicht zu deren Auflösung. Die ersten Überich-Vorläu-
fer, die Verinnerlichung der mütterlichen Verbote und Gebote in der
allerfrühesten Kindheit, die Entwicklung des »Nein« würden die

Destruktivität und Selbstdestruktivität des Kindes neutralisieren. Der Wechsel zwischen narzißtischer Libido zur Objektlibido sei mit einer psychobiologischen Differenzierung des Menschen verbunden, die die weitere Entwicklung der Destruktivität grundlegend beeinflusse. Mit ihr beginne die Zivilisierung des Menschen.

Henri Parens (1979) schließt sich in seinem Buch weitgehend den Beobachtungen und Theorien von Margaret Mahler an. Eine phallische Aggressivität sei beim Mädchen nicht zu beobachten; in dieser Phase der Entwicklung sei die erste geschlechtsspezifische Unterscheidung zwischen Jungen und Mädchen festzustellen. Deswegen möchte er den Begriff »phallische Phase« durch den Begriff einer »ersten genitalen Phase« bei beiden Geschlechtern ersetzen. Der in dieser Zeit typische Ambivalenzkonflikt bilde sich – so Parens – beim Mädchen weit stärker aus als beim Knaben, weil seine Rivalitätsaggression sich gegen die Mutter als dem ersten Liebesobjekt wende, das heißt, die Angst, durch seine Aggressionen einen überaus notwendigen und geliebten Menschen zu verlieren, kann für es überwältigend sein. Auf diese, für das Mädchen besonders konfliktträchtige Situation haben vor Parens schon mehrere Psychoanalytiker hingewiesen. Mahler, auch Loewald und andere Psychoanalytiker sehen die Entwicklung der Aggression vom Anfang des Lebens an als eng verbunden mit dem Verhalten der wichtigen ersten Objekte, vor allem dem der Mutter, die für die frühe Aggressionsentwicklung verantwortlich gemacht wird.

Meines Erachtens werden Triebschicksale von Anbeginn des Lebens bei beiden Geschlechtern durch nahestehende Menschen und deren Beziehung zum Kind bestimmt. Das Verhalten der wichtigen ersten Objekte – das ist in unserer Kultur meistens die Mutter – hat Einfluß auf die sexuelle und aggressive Triebentwicklung. Doch es gibt innerhalb der Psychoanalyse nach wie vor Auseinandersetzungen darüber, ob und wieweit die Triebentwicklung bereits in ihren ersten Anfängen als abhängig von Objektbeziehungen anzusehen ist oder ob am Lebensanfang ein primärer Narzißmus vorherrscht. Mit anderen Worten: Nimmt das Kind von Anbeginn des Lebens seine nächsten Beziehungspersonen wahr und besteht schon in dieser Zeit eine Beziehung – welch primitiver Art auch immer – zwischen Mutter und Kind, die auf die Triebentwicklung Einfluß nimmt, oder bleibt das Kind in den ersten Monaten narzißtisch auf sich selbst bezogen und seinen aggressiven Triebvorgängen unbeschützt ausgesetzt?

Ich erinnere mich noch lebhaft an eine kontroverse Auseinandersetzung zwischen den englischen Psychoanalytikern Willi Hoffer
und Michael Balint in den fünfziger Jahren in London. Hoffer ver-
trat die Ansicht, der auch Freud zuneigte, daß der primäre Narzißmus am Anfang des Lebens das Seelenleben eines jeden Kindes
beherrsche. Balint trat für die primäre Liebe ein; damit meinte er,
daß von Geburt an das kleine Kind eine primitive Beziehung zu
seinen nächsten Mitmenschen aufnehme und auf seine Weise auf
deren Verhalten reagiere. Seither hat die sogenannte psychoanalytische Objektbeziehungstheorie, zu deren Befürwortern neben Balint, Winnicott, Fairbairn, Loewald noch zahlreiche andere Psychoanalytiker gehören, an Einfluß gewonnen.

Seit Freud, für den der Ödipus-Komplex noch im Mittelpunkt der
psychoanalytischen Theorie stand, haben sich die Psychoanalytiker
zunehmend mit den frühen präödipalen Phasen der kindlichen Entwicklung befaßt. Wurde vorher die Vater-Sohn-Beziehung als besonders schicksalsträchtig angesehen, so trat jetzt die Beziehung
zur Mutter in den Mittelpunkt des Interesses.

Psychoanalytiker wie Alice Miller im deutschsprachigen Bereich
und J. Masson in den Vereinigten Staaten erregten Aufmerksamkeit, weil sie die dualistische Triebtheorie Freuds und damit die
Bedeutung des ödipalen Konfliktes entschieden ablehnten. Freud
habe, so heißt es bei ihnen, gegen besseres Wissen, aus Angst vor
gesellschaftlicher Reaktion, die Verführungstheorie als Auslösung
neurotischer Erkrankungen zugunsten der Etablierung phasenspe-
zifischer ödipaler Triebregungen und ihnen entsprechender Phantasien und Konflikte aufgegeben. Mit dieser Behauptung wird
praktisch die Psychoanalyse als solche in Frage gestellt. Jeder Psychoanalytiker weiß, daß inzestuöse Verführungen oder Mißhand-
lungen in der Kindheit zahlreich vorkommen und daß sie Ursache
schwerer seelischer und körperlicher Erkrankungen sein können.
Nur hat das mit der ubiquitären Existenz ödipaler Phantasien
nichts zu tun und stellt diese nicht in Frage. So wie die mitmenschlichen Objektbeziehungen von Anbeginn des Lebens für die Trieb-
und Ichentwicklung eine prägende Rolle spielen, haben natürlich
auch die von Eltern oder anderen Personen zugefügten Traumata
wie beispielsweise die frühkindliche Verführung ihre schwerwiegenden Folgen. Was aber wann als Trauma, das heißt als krankma-
chende seelische Verletzung, zu gelten hat, ist von Individuum zu
Individuum unterschiedlich.

Die verrückte und böse Gesellschaft ist an allem schuld, heißt es oft. Aber wer ist die Gesellschaft, wer macht sie so böse, so destruktiv? Die wechselseitige Beeinflussung von Menschen, Staaten und Gesellschaften bleibt in solchen Aussagen unberücksichtigt. Der Mechanismus von Projektionen und Verschiebungen eigener aggressiver Bedürfnisse auf andere Individuen und Völker wird als eine von vielen Ursachen für Kriege und Rüstungsmentalität übersehen. Auch die Beziehungen von Männern und Frauen sind geprägt von der unterschiedlichen Art, wie Individuen und Gesellschaft Sexualität und Aggression auf die Geschlechter verteilen. Frauen sind sicherlich von Natur aus nicht weniger sexuell oder aggressiv als Männer, sie äußern aber ihre Triebbedürfnisse anders als Männer. Triebschicksale sind von individuellen und gesellschaftlichen Entwicklungen wie von geschlechtsspezifischen Erfahrungen und Erlebnissen geprägt.

Das Spannungsfeld zwischen Gesellschaft und Individuum darf auch der Psychoanalytiker nicht aus den Augen verlieren. In welchem Ausmaß einerseits Phantasien die äußere Realität formen und verformen können, Triebwünsche andererseits von traditionellen gesellschaftlichen Vorstellungen, der »Wertwelt«, gelenkt werden, Wiederholungszwänge im Inneren des Menschen die Wiederholungszwänge der jeweiligen Gesellschaft perpetuieren – all dies wird leicht übersehen. Freud (1930) erkannte bereits früh die Abwehrfunktion des Kultes mit Werten. Mit der Aufdeckung unbewußter Motive, die hinter den Illusionen, Moralen und Idealen stehen, stellte er diese Wertwelt selbst in Frage, in der Hoffnung, damit die ewige Wiederkehr des Gleichen durchbrechen zu können. »Wer dem Kult der Werte frönt, kann unsanft erwachen, wenn im Kampf der Klassen und Parteien, von dem er sich fernhält, Gruppen obsiegen, auf deren Programm eine ›Umwertung der Werte‹, z. B. die Aufwertung von ›Unwerten‹, steht«, schreibt Helmut Dahmer (1983).

Ich fasse die Theorien Freuds über die weibliche Entwicklung zusammen. Gemäß der patriarchalischen, phallozentrischen Gesellschaft, in der er lebte, war für ihn der Penisneid des kleinen Mädchens die Bedingung dafür, daß es sich von einem kleinen Mann zu einer Frau entwickelte. Wenn das kleine Mädchen entdeckt, daß es keinen eigenen Penis besitzt, will es den des Vaters oder/und als Ersatz dafür ein Kind von ihm. Die Mutter muß es hassen, weil sie ihre Tochter penislos geboren hat und weil sie eine

Rivalin ist im Kampf um den Penis des Vaters. Der Penisneid und der Haß auf die Mutter leiten die Entwicklung zur Weiblichkeit ein. Nicht Sexualität, sondern Aggression bestimmt damit die Anfänge des weiblichen Triebschicksals. Das kleine Mädchen muß als erwachsene Frau seine Aggressionen nach innen wenden und zur Masochistin werden, um den Geschlechtsverkehr genießen zu können oder doch erträglich zu finden. Aggressionen also leiten ihre Weiblichkeit ein, Sexualität wird mehr oder weniger aufgegeben. In dieser Theorie gibt es für das Mädchen eigentlich nur zwei Möglichkeiten: seine Sexualität weitgehend abzulehnen und masochistisch zu werden oder einen Männlichkeits-Komplex zu entwickeln und an der Klitorisonanie festzuhalten.

Freud war in gewissem Sinne ein ahistorischer Denker. Nach ihm bestimmen kindliche Erfahrungen bewußter und unbewußter Art das spätere Leben. Die Triebanlage des Menschen ist mitgegeben, die Triebschicksale sind vom Erleben der phasenspezifischen Objektbeziehungen abhängig; genetische Erklärungen stehen im Mittelpunkt der psychoanalytischen Theorie und Praxis. Menschliche Geschichte erscheint in Freuds Werken oft als die »ewige Wiederkehr des Gleichen«; sie ist individualhistorisch. Erst das Wissen von der Bedeutung der Übertragungs- und Gegenübertragungsanalyse hat die unmittelbare Gegenwart des Hier und Jetzt der gesellschaftlichen Zustände und ihre psychische Verarbeitung in den analytischen Prozeß hineingebracht und der Psychoanalyse ihre historische Dimension gegeben.

Die Auffassung der Überich-Bildung bei Mann und Frau, wie sie Lampl-de Groot (1933) vertritt, beruht noch wesentlich auf phasenspezifischen und triebbestimmten Gesetzmäßigkeiten. Die ursprüngliche Elternbeziehung wird mit Hilfe des Introjektionsvorganges ins Seelische aufgenommen. Die Introjektion ist ein aggressiver Prozeß, der aber von Libidokomponenten begleitet wird. Dadurch wird die weitere intrapsychische Existenz der Objekte gesichert. Die passiven Libidokomponenten bleiben nach Lampl-de Groot beim Introjektionsprozeß unbeteiligt. Obwohl ihrer Meinung nach die ersten Entwicklungsphasen bei beiden Geschlechtern identisch sind, unterscheidet sich der Ödipus-Komplex des Mädchens, aus dem die Bildung des Überichs hervorgeht, grundsätzlich von dem des Knaben. Die positive Ödipus-Einstellung des Mädchens ist ein sekundäres Gebilde, das erst entsteht, wenn die negative Ödipus-Einstellung aufgegeben ist. Die passiven

Libidokomponenten finden aber keine Verwendung im Mechanismus der Überich-Bildung; sie bleiben in ihrer zärtlichen Form bei den realen Objekten und verursachen eine besonders starke Abhängigkeit von ihnen. Bei der rein weiblichen, nur passiven Frau findet eine Überich-Bildung also nicht statt.

Mittlerweile bekennt sich Lampl-de Groot zu einer in manchem veränderten Auffassung über die psychosexuelle Entwicklung der Frau. Sie stimmt mit vielen Ansichten in dem von Harold Blum herausgegebenen Buch (1976) überein. Alle Autoren dieses Buches betrachten die psychosexuelle Entwicklung der Frau nicht mehr nur in Analogie zum Mann, und das kleine Mädchen erlebt sich danach nicht nur als kastrierter kleiner Junge. Die ödipale Situation sei zwar von den Erlebnissen der präödipalen Entwicklung beeinflußt, aber auch von Erziehung, Haltung und Konventionen des kindlichen Milieus geprägt. Der Erforschung der prägenitalen weiblichen Identität wird in dem Buch viel Raum gegeben. Als Grundlage dienen direkte Kinderbeobachtungen, die Arbeit mit Transsexuellen und Analysen schwangerer Frauen. Die Autoren des Buches kommen zu dem Resultat, daß zu Beginn des zweiten Lebensjahres eine Kern-Geschlechtsidentität entsteht. Sie fällt mit der Zeit der Loslösung von der Mutter zusammen. Das Kind entdeckt seine Genitalien und zieht das Spiel mit ihnen dem Spiel mit anderen Körperteilen vor. Das kann jedoch noch nicht als Masturbation bezeichnet werden. Es ist aber ein entscheidender Schritt zur Bildung eines differenzierten Körperbildes. Die Loslösung von der Mutter kann nur dann gelingen, wenn das Kind die narzißtische Besetzung seines ganzen Körpers, die Genitalien eingeschlossen, geleistet hat.

Erst auf der Grundlage der »primären Feminität« (Stoller) kann für das Mädchen die ödipale Phase beginnen, das heißt der Wunsch nach einer sexuellen Beziehung und einem Kind vom Vater. Dies muß nicht, wie Freud (1925) angenommen hatte, durch die Erkenntnis des Mädchens, kastriert zu sein, eingeleitet werden. In der Sicht der weiblichen Entwicklung, wie sie in dem genannten Buch zum Ausdruck kommt, kann kaum mehr die Rede sein von Penisneid als der »Grundsäule der Weiblichkeit«. Das Fehlen von Onanie in der Latenzzeit – die Freud und Lampl-de Groot als Festhalten des Mädchens an seinem Männlichkeits-Komplex interpretieren – sehen heutige Autoren eher als Hinweis auf eine »genitale Anästhesie« an. Als selbstverständlich wird angenommen, daß auch Frauen eine zureichende Ich-Stärke und ein integriertes Selbst entwickeln können und daß ihr autonomes weibliches Überich es ihnen ermöglicht, während ihres ganzen Lebens wiederkehrende Aufgaben und Krisen zu meistern. Solche Frauen können auch in einer Gesellschaft, die einerseits berufliches Fortkommen hoch bewertet, andererseits dazu tendiert, eine »Karrierefrau« als unweiblich abzutun, den ihnen entsprechenden Weg gehen. Ticho meint, daß Frauen von der heutigen Krise einer sich rapide ändernden Welt, in der es kaum noch festgelegte Wertvorstellungen gibt, profitieren und neue Wege zu einer befriedigenden, unkonventionellen Identität finden können. Auch Blum betont, daß die präödipale Entwicklung von kohäsiven Selbst- und Objektrepräsentanzen, von Identität und Geschlechtsidentität auf der einen und die postödipale Weiterentwicklung eines weiblichen und mütterlichen Ich-Ideals auf der anderen Seite die moderne Perspektive einer vollen weiblichen Persönlichkeitsentwicklung darstellen. Er hat bei normalen Frauen einen weiblichen Masochismus nicht finden können, vielmehr sieht er die Fähigkeit, Schmerzen zu ertragen, als eine Fähigkeit des weiblichen Ichs an und trennt sie von der Lust am Schmerz, dem eigentlichen Masochismus. Nach Blum ist nicht die Anatomie das Schicksal, sondern Schicksal ist, was der/die einzelne aus seiner/ihrer Anatomie macht.

Das Überich ist die jüngste seelische Instanz in der Entwicklung des Menschen und daher veränderungsfähiger als das Ich und vor allem das Es. Das Überich ist immer Träger bestehender Werturteile, für den Mann wie für die Frau. Die sich mit den wandelnden Gesellschaftsformen verändernden moralischen Inhalte ändern auch Struktur und Inhalte des Überichs. Dennoch pflegen alte archaische Anteile aus den ersten Lebensjahren wie auch aus überkommenen Traditionen Seite an Seite neben Neuformungen bestehenzubleiben.

Welche Veränderungen lassen sich nun in der Überich-Bildung seit den Zeiten Freuds erkennen? Der Verlust des Vaters als anerkannte Autorität muß notwendigerweise das Überich in der heutigen Gesellschaft beeinflussen. Das Überich beider Geschlechter zeigt heute häufiger jene »doppelte Natur«, von der Jeanne Lampl-de Groot spricht und die sie als Ursache für eine ungefestigte moralische und ethische Haltung des Menschen ansieht; eine Überich-Instanz dieser Art sei wenig befähigt zu kulturellen und wissenschaftlichen Leistungen. Ich stimme mit vielen Analytikern darin

überein, daß ein solches »doppeltes Überich«, das mit Verinnerlichungen von Vater *und* Mutter aufgebaut wird, meistens ein
reiferes und flexibleres Überich darstellt als das von Freud beschriebene, das ausschließlich eine Identifikation mit der unbefrag-
ten väterlichen »Wertwelt« zum Inhalt hat.

Inhalt und Entstehung des weiblichen Überichs sind aber nach wie
vor umstritten, wie auch die psychischen Motive, die für den Ob-
jektwechsel des kleinen Mädchens ausschlaggebend sind. So blieb
für viele Psychoanalytiker die weibliche Homosexualität ein
»dunkler Kontinent«. Die meisten Psychoanalytiker haben wahrscheinlich auch nur wenig Interesse für diesen Bereich. Ellen
Reinke-Körberer meint, in der heutigen psychoanalytischen Gemeinschaft besäßen die Hypothesen Freuds über die weibliche
Sexualität nicht mehr den Charakter der Vorläufigkeit, sondern
seien in den Status einer etablierten und gesicherten Theorie erhoben worden.

5. Zum Selbstverständnis der Frau

Die psychische Verarbeitung des anatomischen Geschlechtsunterschiedes war also nach Freud der Ursprung des Minderwertigkeitsgefühls und der Selbstverachtung der Frau. »Nachdem es [das Mädchen] den ersten Versuch, seinen Penismangel als persönliche Strafe zu erklären, überwunden und die Allgemeinheit dieses Geschlechtscharakters erfaßt hat, beginnt es, die Geringschätzung des Mannes für das in einem entscheidenden Punkt verkürzte Geschlecht zu teilen« (Freud, 1925). Das kleine Mädchen wende sich jetzt von der Mutter ab, die es wie sich selbst als minderwertig erlebe, und fühle sich zu dem wertvolleren Vater hingezogen. Die Abwendung von der Mutter habe eine deutlich sexuell-genitale Note – die übrigens von unserer Gesellschaft bis heute weit mehr zugelassen wird als die inzestuös getönte Beziehung des Sohnes zu seiner Mutter. Es wird immer noch als normaler angesehen, wenn eine jüngere Frau einen wesentlich älteren Mann heiratet als umgekehrt.

Den Knaben treibe seine Kastrationsangst dazu, sich mit dem Vater und seinen Verboten zu identifizieren und die inzestuöse Bindung an die Mutter aufzugeben. Dem Mädchen, das körperlich nichts Entsprechendes zu verlieren habe und dies »endlich« auch einzusehen lerne, fehle der Anlaß zu einer solchen strengen Verinnerlichung von Geboten und Verboten, das heißt, es entwickle im Vergleich zum Knaben ein schwächeres Überich. Auch die Fähigkeit zum Abstrahieren und sachlichem Denken, die man bis heute eher dem Mann als der Frau zuspricht, wird mit seinen rigoroseren Verinnerlichungen und der entschiedeneren Abkehr des Knaben von inzestuösen Besetzungen in Zusammenhang gebracht.

Vor einigen Jahren haben verschiedene Autoren (Marcuse, 1963; H. u. Y. Lowenfeld, 1970; A. Mitscherlich, 1963) darauf hingewiesen, daß die permissive, hauptsächlich von Frauen erteilte

Erziehung und die »Vaterlosigkeit«, das heißt das Fehlen eines sichtbaren väterlichen Vorbildes, dazu geführt hätten, daß das Überich auch des Knaben wesentlich weniger strenge Züge aufweise und die Geschlechter in ihrem Verhalten, ihrer Kleidung etc. sich einander zunehmend angeglichen hätten.

Wer als Frau sogenannte phallisch-klitoridale Empfindungen nicht aufzugeben bereit ist, bringt es nach Freud nicht zu einer reifen, genitalen Weiblichkeit. Diese drücke sich nicht nur im Kinderwunsch, sondern – nach der Pubertät – auch in der vaginalen Orgasmusfähigkeit aus. Nachdem über einen langen geschichtlichen Zeitraum die Frigidität und das sexuelle Desinteresse der Frau als normal und der guten Sitten entsprechend angesehen wurden, änderte sich unter anderem aufgrund der psychoanalytischen Erkenntnisse die Einstellung zur weiblichen Sexualität. Jetzt wurde umgekehrt gefordert: Nur wer zum Orgasmus fähig ist, kann als reife Frau angesehen werden.

Äußerlich veränderte sich die Szenerie drastisch, faktisch blieb aber vieles beim alten. Denn als sich die Frau dem neuen Meinungsdiktat vom vaginalen Orgasmus unterwarf, blieb sie trotz angeblicher sexueller Befreiung dem Mann und seinen Vorurteilen von »wahrer Weiblichkeit« ausgeliefert. Wir wissen, daß heute die Zahl der frigiden Frauen nicht geringer ist als zur Zeit Freuds, daß aber die Frau sich im Gegensatz zu früher wegen ihrer Frigidität zutiefst entwertet fühlt. Daß die Vorstellungen von der unreifen klitoridalen und reifen vaginalen Sexualität der Frau zeitgebunden waren, haben mittlerweile die Untersuchungen von Masters und Johnson, die Erforschung der Physiologie der sexuellen Funktionen sowie die Erfahrungen mancher Psychoanalytiker eindeutig nachgewiesen.

Daß der allgemeine Zugang zu schwangerschaftsverhütenden Mitteln für viele Frauen die Befreiung von Ängsten und sexueller Einengung bedeutet, soll gewiß nicht übersehen werden. Dennoch haben die dadurch entstehenden neuen Verhältnisse nicht selten auch neue Zwänge mit sich gebracht, z. B. den Zwang, sexuell stets verfügbar zu sein. Mit der Vermarktung des weiblichen Körpers und der Sexualität allgemein ist eine neue Phase der gesellschaftlichen Einstellung zur Beziehung zwischen den Geschlechtern eingetreten. Die Familie als ökonomische Basis unserer Gesellschaftsstruktur hat ihre Bedeutung weitgehend verloren. Die Sexualität gilt als verkäuflicher Markt- und Konsumartikel und wird in diesem Sinne von der heutigen Gesellschaft voll genutzt. Sie ist deswegen – auch für die Frau – nicht mehr an die Ehe gebunden. Voreheliche sexuelle Gemeinschaften unterstehen kaum noch dem gesellschaftlichen Tabu. Verglichen mit früheren Jahrhunderten nimmt sich das wie eine weitgehende sexuelle Befreiung der Frau aus.

Dennoch darf nicht übersehen werden, welche neuen Formen der Unterdrückung die veränderte Situation mit sich bringen kann. Es bleibt zum Beispiel die Neigung bestehen, lesbische Beziehungen zu sanktionieren. Solchen Frauen wird Hemmungslosigkeit, Aggression und Gesetzesverstoß unterstellt; das wurde an manchen Strafprozessen der letzten Jahre deutlich. Nach dem patriarchalischen Konzept auch unserer Zeit hat eine »normale« Frau keine selbständige, zumindest keine von einem Mann unabhängige Sexualität zu empfinden. Damit stehen auch die Ablehnung der klitoridalen sexuellen Reizbarkeit als »männlich« und die Hochschätzung des vaginalen Orgasmus als Ausdruck »reifer Weiblichkeit« in Zusammenhang.

Indem die Frau sich nach dem patriarchalischen Ideal der Gesellschaft ausrichtet, pflegt sie auch die geschlechtliche Liebe überzubewerten. »Mann« will von ihr, daß ihr einziger Wunsch sein soll, geliebt zu werden, einen Mann zu lieben, ihn zu bewundern und ihm zu dienen sowie sich ihm anzupassen. Diese Haltung entspricht weniger dem natürlichen Wunsch der Frau, sie ist vielmehr die Folge eines ihr aufgezwungenen Ideals, mit deren Verinnerlichung sie vor allem der Selbstachtung und Herrschaft des Mannes dient. Nur wenn in einer Gesellschaft die heterosexuelle Beziehung als einziger sinnvoller Lebensinhalt der Frau dargestellt wird, entwickelt sich auch die als »typisch weiblich« beschriebene Rivalität der Frauen untereinander.

Ein Beispiel soll anschaulich machen, wie sehr die Frau, trotz aller angeblichen Befreiung, in ihrem Verhalten weiterhin vom Mann bestimmt bleibt.

Karin wünscht eine Psychotherapie, weil sie an depressiven Verstimmungen leidet. Es stellt sich heraus, daß sie, obwohl verheiratet, zu mehreren Männern sexuelle Beziehungen unterhält, wie auch ihr Mann mehrere Freundinnen hat. Sie hält das für normal und fortschrittlich.

Die Analyse läßt erkennen, daß sie sich, gemäß den Idealen der von

Männern bestimmten Gruppe, in der sie lebt, über nichts so sehr schämt wie über ihre Gefühle der Eifersucht, die sie als Ausdruck verpönter Besitzwünsche erlebt und daher um jeden Preis mit Hilfe von Gegenaktionen verleugnen will. Sie weiß keine andere Möglichkeit, mit ihrer Eifersucht fertig zu werden, als selbst Verhältnisse zu anderen Männern einzugehen, zumal ihr Mann gegen ein solches Verhalten wenig einzuwenden hat – was natürlich für sie im Grunde eine schwere Kränkung bedeutet.

Betrachten wir die Kindheitserlebnisse dieser Frau, dann stellen wir fest, daß der Vater sich ähnlich verhielt wie der Ehemann: Er betrog die Mutter mit zahlreichen anderen Frauen, und die Mutter litt sehr darunter, wußte sich aber, den Gepflogenheiten ihrer Zeit entsprechend, nicht dagegen zu wehren.

Karin kränkte es bereits als Kind zutiefst, daß die von ihr geliebte Mutter sich von ihrem Mann so erniedrigen ließ. Sie wünschte daher, auch noch zur Zeit ihrer Pubertät, daß die Mutter sich ganz ihr zuwenden möge und durch diese Beziehung ihre Leiden über den Vater vergessen sollte. Dennoch bewunderte sie den Vater und identifizierte sich mit manchen seiner Eigenschaften und Funktionen, denn er war beruflich erfolgreich und gesellschaftlich anerkannt.

In ihrem Beruf hatte auch Karin Erfolg; sie konnte sich durchsetzen. Sexuell war sie, trotz aller scheinbaren Freizügigkeit, kaum weniger abhängig von den ihr aufgezwungenen sexuellen Wünschen ihres Mannes und den in ihrer Gruppe herrschenden Verhaltensformen als ihre Mutter. Sie war wie viele dieser als Nymphomaninnen auffallenden Frauen frigide. Ihr nymphomanes, pseudosexuelles Verhalten stellte im Grunde eine Abwertung ihres Selbst dar bzw. war Ausdruck einer Störung ihres Selbstwertes. Es gelang ihr nicht, sich selbst zu lieben und zu achten.

Wir müssen annehmen, daß dieser Unfähigkeit eine Identifikation mit den oft verächtlichen Einstellungen des Vaters Frauen gegenüber zugrunde lag, Einstellungen, die auch von der Mutter geteilt wurden. Sie liebte ihre Mutter, aber deren geringe Selbstachtung und selbstzerstörerische Unterwürfigkeit dem Vater gegenüber boten ihr wenig Anreiz, sich mit ihr zu identifizieren, auch wenn sie das unbewußt tat. Die negative Partnerwahl der Mutter hatte Karin mit ihrer Heirat wiederholt.

Der Vater, der, trotz aller Wut und Verachtung Karins für ihn, in der Familie, vor allem bei der Mutter, seine bevorzugte Rolle beibehielt, blieb weit mehr, als ihr bewußt war, auch für Karin und ihr Verhalten bestimmend. Dennoch spiegelte das Verhalten von Karin nicht nur frühe traumatische Kindheitserlebnisse und den Versuch wider, sie mit Hilfe konfliktreicher, in sich widerspruchsvoller Identifikationen zu bewältigen; ihr Verhalten war auch in hohem Maße geprägt von den Idealen und Forderungen der sie umgebenden Gruppe. Sie glaubte, ihre Anpassung an die Ideale der Gruppe trage dazu bei, daß sie von dieser Gruppe, das heißt von den dort tonangebenden Männern, mit deren Forderungen sich auch die anderen Frauen bereitwillig identifizierten, akzeptiert wurde. Dadurch geriet sie in eine ausweglose Situation: Da sie auf die Zuwendung der anderen und ihre Anerkennung nicht verzichten konnte, zerstörte sie ihre Selbstachtung. Je weniger sie sich aber achten konnte, um so mehr war sie auf die Anerkennung der anderen angewiesen. Die Folge waren depressive Verstimmungen und Arbeitsstörungen, die sie schließlich in die psychotherapeutische Behandlung trieben.

Freud stieß mit seinen Weiblichkeits-Theorien nicht nur bei Feministinnen, sondern auch bei manchen Psychoanalytikern auf Widerspruch. In den Jahren zwischen 1920 und 1940 kam es über diese Theorien zwischen Psychoanalytikern zu lebhaften, manchmal heftigen Diskussionen, die dann aber ohne Klärung im Sande verliefen. Erst im letzten Jahrzehnt, mit der Neubelebung der Frauenbewegung und dem Ringen der Frau um ein neues Selbstverständnis, ist auch innerhalb der Psychoanalyse die Diskussion um die weibliche Entwicklung, wenn auch nur zögernd, wiederaufgenommen worden. Zu den Psychoanalytikern, die bereits Anfang der zwanziger Jahre gegen manche der Ansichten Freuds über die Weiblichkeit opponierten, gehörte auch Karen Horney.
Nach Meinung von Karen Horney (1923; 1933) kann die Entdeckung des anatomischen Geschlechtsunterschiedes allein den Penisneid nicht erklären. Erst die narzißtische Überschätzung der Ausscheidungsprozesse in der analen Phase, die infantile Schau- und Zeigelust, bei der der Knabe im Vorteil ist, und schließlich der Umstand, daß dem Knaben erlaubt, ja gelehrt werde, beim Urinieren sein Glied anzufassen, was das kleine Mädchen als Onanieerlaubnis deute – all das führe zu einem verständlichen Neid auf den Knaben und seine für das kindliche Erleben bessere genitale Ausstattung. Dieser kindliche Penisneid sei allgemein zu beobachten,

aber von vorübergehender Bedeutung. Die von Freud dem Penisneid zugeschriebene nachhaltige Wirkung auf die spätere Entwicklung der Frau konnte Horney nicht beobachten. Dazu bedürfe es,
so ihre Meinung, einer neurotischen Entwicklung, die meist durch
Erlebnisse zur Zeit des ödipalen Konfliktes eingeleitet werde.

Was Horney als sekundären Penisneid beschreibt, ist Ausdruck
einer Abwehr gegen ödipale Wünsche, die Angst bereiten oder Enttäuschungen verursacht haben. Die Folge ist: Das Mädchen gibt
den Vater als Liebesobjekt auf und identifiziert sich statt dessen mit
ihm. Erst diese Identifikation mit dem Vater, die zu Vergleichen
Anlaß gibt, läßt Kastrationsangst, Rachebedürfnisse und Gefühle
des Neides auf die Männer entstehen und leitet die phallische Phase
des Mädchens ein.

Obwohl Horneys Beobachtungen in vielem zutreffen, unterschätzt
sie meines Erachtens die Wirkung traditionsbedingter, generatio-
nenalter Identifikationen und Wertvorstellungen der Eltern, vor
allem der Mutter, auf die frühe Entwicklung des Mädchens. Das
fängt bereits mit der Geburt an und läßt das kleine Mädchen die
Penislosigkeit als Beweis für die eigene Minderwertigkeit erleben.

Nachdem Freud entdeckt hatte, daß nicht nur die äußeren Ereignisse und Erlebnisse sich in der Psyche des Menschen niederschlagen, sondern daß auch Phantasien äußere Ereignisse uminterpretie-
ren und eine neue psychische Realität schaffen, konzentrierte er
sich vor allem auf die innerpsychischen Folgen von verdrängten
Wünschen und Triebbedürfnissen und deren Wirkung auf die psychische Verarbeitung der äußeren Realität. Damit trat erstmals die
Bedeutung des Unbewußten und der Phantasien in den Mittelpunkt einer wissenschaftlichen Forschung über die menschliche
Seele. In dieser Phase erregender neuer Entdeckungen war es kaum
zu erwarten, daß die Folgen der unterschiedlichen Erziehung von
Knabe und Mädchen und der kulturellen Werteinstellung der Frau
eine adäquate Beachtung fanden.

Als weiteres Verdienst Karen Horneys und anderer Psychoanalytikerinnen kann es daher auch gelten, daß sie auf die Bedeutung der
äußeren Wirklichkeit für die Entwicklung der Frau, das heißt auf
die kulturellen und gesellschaftlichen Haltungen ihr gegenüber,
größere Aufmerksamkeit richteten.

Zweifellos ist es von größter Bedeutung, die Mischung von objektiven Ereignissen und subjektiver psychischer Verarbeitung genauer

zu verstehen. Immer wieder bemühen sich Analytiker darum, daß das differenzierte Wissen Freuds von der unbewußten triebgesteuerten psychischen Verarbeitung der äußeren Realität und der Rückwirkung einer dadurch gebildeten neuen psychischen Realität auf die gesellschaftlichen Verhältnisse nicht verlorengeht, ohne daß sie dabei die traditionsbildende Kraft der verschiedenen Gesellschaftsordnungen und ihre Wirkung auf das Verhalten ihrer Mitglieder unterschätzen. Denn gerade weil Wertnormen in den Trieben der Menschen oder deren Abwehr verankert sind, lassen sich Gesellschaftsordnungen so schwer verändern. Schon aus diesem Grunde konnte die gesetzlich eingeführte Gleichberechtigung der Geschlechter bisher konkret keine Gleichberechtigung bewirken. Auch der Sozialismus konnte die Situation der Frau, ihre Minderbewertung und Überforderung durch gleichzeitige Arbeit in Beruf und Familie kaum ändern. Ohne mühevolle Durcharbeitung und Bewußtmachung tradierter Haltungen, abgewehrter Triebbedürfnisse und dazugehöriger Verachtung der Frau wird sich die Beziehung zwischen den Geschlechtern kaum verbessern können.

Freud übersah zum Beispiel, daß bei unserer Art der Erziehung das männliche Geschlechtsorgan als Symbol für die höher bewertete Männlichkeit schlechthin begriffen wird und es deswegen fast unmöglich ist, keinen Neid auf den Mann zu entwickeln. Den kindlichen direkten Neid auf das männliche Genital, den man beim kleinen Mädchen beobachten kann und den bereits Horney beschrieben hat, sieht man im späteren Leben einer Frau nur noch selten. Es bleiben aber die daraus sich ableitenden Gefühle der Minderwertigkeit oder die Ablehnung der eigenen Weiblichkeit bestehen.

Dem Psychoanalytiker sind natürlich auch Neidgefühle des Mannes auf die Frau gut bekannt, zum Beispiel der Gebärneid. Er stammt aus der frühen Kindheit und ist eine Folge des Geschwisterneides und der Hilflosigkeit gegenüber der als übermächtig erlebten Mutter. Sich mit seinem Neid auf die Frau zu konfrontieren, fällt dem Mann aber in einer Welt, in der er gelernt hat, die Frauen zu verachten, noch wesentlich schwerer als der Frau. Er sucht deswegen für seine aus der frühen Kindheit stammende Angst, Wut und Aggression der Frau gegenüber eine Rechtfertigung, indem er sie als Hexe, als verabscheuenswürdig und gewissenlos oder doch zumindest als lächerlich und unzurechnungsfähig bezeichnet.

Nachdem sich die weiblichen Verhaltensweisen im Laufe der letzten 50 bis 60 Jahre augenscheinlich verändert haben, läßt sich
deren Abhängigkeit von sich entsprechend verändernden gesellschaftlichen Verhältnissen nicht mehr übersehen. Sie ausschließlich
als gesetzmäßig verlaufende biologisch-psychische Entwicklungen
anzusehen, gilt auch in der Psychoanalyse als unhaltbar. Auch die
sich vertiefenden Kenntnisse der frühen Kindheit beeinflussen die
Theorien über die geschlechtsspezifischen Entwicklungen. Die psychosexuelle Entwicklungstheorie Freuds wurde erweitert durch die
Forschungen Margaret Mahlers und ihrer Mitarbeiter. Ihre
Theorien, die sich aus psychoanalytischen Behandlungen, Direkt-
beobachtungen von Kindern und bisherigen psychoanalytischen
Kenntnissen ableiten, fanden allgemeine Beachtung, da sie die unterschiedlichen Objektbeziehungen der verschiedenen Entwick-
lungsphasen in den Mittelpunkt ihrer Forschungen stellte. Die
stufenweise Loslösung von der Mutter und die Individuation des
kleinen Kindes bilden den Kern der Theorien von Margaret Mahler
und ihrer Mitarbeiter (1965; 1968; 1972; 1975). Sie messen der
Wiederannäherungsphase, die in der zweiten Hälfte des zweiten
Jahres beginnt, eine ebenso große Bedeutung für die psychische
Entwicklung bei wie dem Ödipus-Komplex.
Ich möchte auf diese Theorie näher eingehen. Mit ihr wird die
Zuwendung zum Vater nicht nur auf den Penisneid des kleinen
Mädchens zurückgeführt, sondern gewinnt neue Bedeutung,
wenngleich die Wahrnehmung des Geschlechtsunterschiedes von
Margaret Mahler und den anderen Autoren früher als bei Freud,
nämlich am Ende des zweiten Lebensjahres, angesetzt wird. In der
»Wiederannäherungsphase« geht es auch nicht vorwiegend um einen Rivalitätskonflikt des Kindes, das den gegengeschlechtlichen
Elternteil begehrt und den gleichgeschlechtlichen als Konkurrenz
erlebt, sondern um eine neue Stufe in der Entwicklung seiner Individuationsfähigkeit. Der Konflikt entsteht vorwiegend durch einander widersprechende Bedürfnisse, durch das Streben nach
größerer Unabhängigkeit, das dem Kind inhärent ist, und dem
gleichzeitigen Wunsch, die Einheit mit der Mutter, die Abhängigkeit von ihr, nicht aufzugeben.
Der Vater bietet sich in dieser frühkindlichen, prädipalen Periode
als neues Objekt an, das von der allzu großen Abhängigkeit von
der Mutter befreien kann. Natürlich ist das Bedürfnis nach einem
dritten Menschen auch eine Reaktion auf unvermeidbare Enttäu-

schungen durch die Mutter, aber ihr liegen weniger Penisneid, passiv homosexuelle Strebungen des Knaben oder heterosexuelle des Mädchens zugrunde als vielmehr der Entwicklung des Kindes entsprechende Selbständigkeitsbedürfnisse. Erst mit der Fähigkeit, zu zwei Personen unterschiedliche Beziehungen aufnehmen zu können, lernt das Kind schärfer zwischen sich und der Mutter zu unterscheiden und getrennte Selbst- und Objektrepräsentanzen aufzubauen. Diese »Triangulierung«, die Abelin (1971; 1975), ein Mitarbeiter Margaret Mahlers, als dritten wichtigen Organisator der kindlichen Entwicklung (neben dem von Spitz angeführten »Nein« und dem aufrechten Gang) ansieht, unterscheidet sich von der ödipalen Dreier-Konstellation (vgl. auch Rotmann, 1978). Denn gerade die enge Beziehung, die den Vater mit der Mutter verbindet, gilt als Voraussetzung dafür, daß das Kind – Knabe und Mädchen gleichermaßen – sich ihm im Sinne einer Erweiterung der primären Mutter-Kind-Einheit zuwenden kann. Zunehmend bildet sich in einer solchen idealen Konstellation das heraus, was Winnicott (1965; 1971) als »Cross-Identifikation« beschrieben hat, das heißt eine Gemeinsamkeit, in der sich die Eltern sowohl in ihren Partner als auch in ihr Kind einfühlen können und in der das Kind durch schrittweise Verinnerlichung dieser Haltung eine differenziertere Identifikations- und Einfühlungsmöglichkeit gewinnt.

Die Problematik des Loslösungs- und Individuationsprozesses liegt also zeitlich vor der des ödipalen Konfliktes, beeinflußt aber die Einleitung und den Verlauf der ödipalen Phase entscheidend. Nach den Erfahrungen Margaret Mahlers kann der ödipale Konflikt nur dann positiv, das heißt ohne allzu heftige Aggressionen oder Abbruch der Beziehung zu einem Elternteil, gelöst werden, wenn vorher die »Triangulierung« in der Wiederannäherungsphase einigermaßen gelungen ist. Mit der »Triangulierung« soll auch der Penisneid seine destruktive und selbstdestruktive Schärfe verlieren, da das Kind durch Verinnerlichung einer harmonischen Beziehung zu zwei als verschieden erlebten Menschen die Objektrepräsentanzen sinnvoll verbinden und das Selbstbild integriert erleben kann. Danach spielen Gefühle, körperlich minderwertig, zerstört zu sein oder andere zerstören zu wollen, keine solche Rolle mehr.

Für das ödipale Mädchen ist nach der psychosexuellen Theorie die Mutter eine enttäuschende Rivalin, die ihm den Penis vorenthalten hat, den ihm der Vater nun in Gestalt eines Kindes ersetzen soll. Die Mutter wird nach dieser Theorie außerdem als Person angesehen, die unfähig ist, ihre Tochter frei von Ambivalenz zu lieben. Die Bedeutung einer gegenseitigen Einfühlung in der vor der ödipalen Konkurrenzphase gelegenen Drei-Personen-Beziehung spielt hier kaum eine Rolle, und dies, obwohl Freud hervorhob, daß der Mann die Beziehung seiner Frau zu ihrer Mutter erbe. Je schlechter die ursprünglich symbiotische Mutter-Kind-Beziehung gewesen sei, um so dringlicher werde vom Vater und später vom Mann als Geschlechtspartner die Erfüllung der frühen ödipalen Versagungen gefordert. Wenn aber der Vater einfühlend auf die von der Mutter enttäuschten Bedürfnisse seiner Tochter eingeht, hat auch das für die Beziehung zum späteren heterosexuellen Partner, jedenfalls laut Freud, häufig eine negative Bedeutung: denn als Folge kann sich eine übermäßig idealisierende Bindung an den Vater entwickkeln, gegenüber der jede andere Beziehung als enttäuschend erlebt wird.

Anders die Auffassung von Margaret Mahler: Wenn die Loslösungs- und Individuationsphase mit optimaler Einfühlung in die unterschiedlichen und schwankenden Bedürfnisse des Kindes nach Trennung, Triangulierung und Wiederannäherung verläuft, wird auch der ödipale Konflikt mit Hilfe eines weiteren Entwicklungsschrittes so gelöst werden können, daß das Kind die Beziehung zu beiden Eltern aufrechtzuerhalten, deren Verbote und Gebote, ihre Funktionen und Verhaltensweisen verinnerlichen und damit neue, das Ich erweiternde Identifikationen vorzunehmen vermag.

Allzuoft fehlt es aber in der Ehe oder Lebensgemeinschaft an gegenseitiger Empathie und Einfühlung der Eltern in die Bedürfnisse des Kindes. Aufgrund jahrhundertelanger gesellschaftsspezifischer Praktiken ist die gegenseitige Einfühlung erschwert. Der Knabe und später der Mann neigen dazu, ihre Interessen über die der anderen in der Familie zu stellen. Der Vater erlebt seine Kinder nicht selten als Rivalen im Kampf um die Aufmerksamkeit seiner Frau, oder aber er kämpft mit ihnen gemeinsam gegen die als enttäuschend, allmächtig oder auch als wertlos erlebten Mutter. Nur wenn beide Eltern zu einer einfühlenden Beziehung gleichzeitig zu mehreren Personen fähig sind, können sie auch das Kind sowohl mit seiner Abhängigkeit als auch mit seiner Trennungs- und Triangulierungsproblematik verstehen.

An verschiedenen Stellen seiner Schriften hat Freud dargelegt, daß beide Geschlechter gleichermaßen das Bedürfnis entwickeln, passive Erlebnisse, Eindrücke, Triebeinbrüche etc. aktiv zu wiederholen, um sie schließlich meistern zu lernen. Warum sollte dies nicht auch im Bereich der weiblichen Sexualität gelten? Nun bewerten Psychoanalytiker aber die für die Entwicklung des Menschen notwendigen Bedürfnisse nach Aktivität und Meisterung bei Frauen nicht als Fortschritt, sondern meist als phallisch-regressive Störung. Der phallische Monismus Freuds, dem die Annahme zugrunde liegt, daß beide Geschlechter in den ersten Lebensjahren kaum Geschlechtsunterschiede wahrnehmen und beide sich schon früh als kleiner Mann erleben, wird von manchen Psychoanalytikern und Psychoanalytikerinnen in Frage gestellt. Vergleicht man Freuds Annahme mit der heutigen Erkenntnis der primären Weiblichkeit des Embryos, vor allem aber mit den Beobachtungen von Spitz (1965) und Mahler (1968), so kommt man zu einer anderen Schlußfolgerung als Freud: Beide, Knabe wie Mädchen, gehen ursprünglich eine primäre Identifikation mit der bedürfnisbefriedigenden, idealisierten, aktiven Mutter ein.

Die Verhaltensweisen, Phantasien etc., die zur Annahme einer phallischen Phase beim Mädchen geführt haben, erweisen sich häufig als Folge einer traumatischen und darum abgewehrten Wahrnehmung des anatomischen Geschlechtsunterschiedes. Wann diese Wahrnehmung so traumatisch wird, daß sie abgewehrt werden muß, wann sie kindliche Zerstörungsängste massiv aktiviert und wann nicht, läßt sich nur von Fall zu Fall entscheiden. Unvermeidbare Kastrationsangst oder unabweisbare weibliche Defektgewißheit sind keine allgemeingültige Erklärung dafür, denn die psychische Verarbeitung dieses Erlebnisses weist erhebliche individuelle Unterschiede auf.

Wenn das kleine Mädchen auf den Anblick des männlichen Genitals traumatisch reagiert, mögen Urszenen-Erlebnisse, Angst vor der Wirkung eigener Aggressionen etc. auslösend sein. Überdeterminierend wirken soziale Definitionen, welche die Haltung der Mutter, ja beider Eltern der Tochter gegenüber, erheblich beeinflussen. Die elterliche Geringschätzung des kleinen Mädchens und die damit verbundene unterschiedliche Erziehung der Geschlechter verstärken die immer vorhandenen kindlichen Ambivalenzgefühle den Eltern gegenüber und die mit diesen Gefühlen einhergehenden Ängste des kleinen Mädchens vor Strafe, Liebesentzug, körperlicher Zerstörung etc.

Die Mißverständnisse, denen die Psychoanalyse immer wieder ausgesetzt ist, lassen es notwendig erscheinen, hier einzufügen, was dem Psychoanalytiker selbstverständlich ist: In dieser Wissenschaft geht es um die psychische Verarbeitung von Konflikten, die in den verschiedenen Stadien der Triebentwicklung mit den primären Objekten oder deren verinnerlichten Repräsentanzen ausgetragen werden. Im Mittelpunkt der Lehre Freuds steht der psychische Konflikt in all seinen Variationsmöglichkeiten. Gerade in diesem Punkt sind die »Revisionisten«, zu denen H. S. Sullivan, aber auch K. Horney in ihren späteren Arbeiten zählen, viel biologistischer, viel weniger konfliktorientiert als Freud, so wenn sie etwa von »natürlicher Weiblichkeit«, »natürlicher heterosexueller Anziehungskraft« etc. sprechen und komplementär dazu die gesellschaftlichen Bedingungen der Neurosenentstehung allzu oberflächlich definieren.

In der Vorstellung, daß die phallische Phase einen sekundär defensiven Charakter hat, stimmt E. Jones (1927) mit K. Horney überein. Für Jones war die phallische Phase weder beim Mädchen noch beim Knaben ein Zeichen der normalen kindlichen Entwicklung; sie stelle vielmehr bei beiden Geschlechtern einen neurotischen Kompromiß dar, eine Abwehr der angst- und schulderregenden ödipalen Triebwünsche. Die Überbetonung der eigenen phallischen Qualitäten in der Phantasie soll helfen, Kastrationsängste abzuwehren.

Mit der jeweiligen psychosexuellen Reifungsstufe ändern sich die Wünsche an die primären Objekte, wie auch deren innerpsychische Repräsentanz und die Art der Konflikte mit ihnen. Die phallische Entwicklungsstufe des Knaben ist mit ödipalen Wünschen an die Mutter verbunden, die klitoridal-vaginale des Mädchens mit Wünschen nach der Liebe des Vaters. Zweifellos hat Freud recht, daß man als auslösend für dieses Verhalten nicht nur eine unkomplizierte Anziehung der Geschlechter untereinander annehmen kann; es ist nicht zu übersehen, daß es sich dabei auch um ein kompliziertes Ergebnis geschlechtsspezifischer, präödipaler Konflikte in der Mutter-Kind-Beziehung handelt.

Zusammenfassend läßt sich sagen: Unmittelbare Beobachtungen an kleinen Kindern beweisen, daß es einen primären, autoerotischen Penisneid in der analen Phase gibt. Wir glauben aber auch, Grund für die Annahme zu haben, daß es eine primäre Weiblichkeit gibt, die nicht nur biologische Wurzeln hat, sondern im frühen Körper-Ich enthalten ist, das durch die Körperpflege der Mutter seine besonderen Anregungen erfährt. Darüber hinaus identifizie-

ren sich beide Geschlechter primär mit der idealisierten und bedürfnisbefriedigenden Mutter. Die unvermeidlichen Enttäuschungen durch sie im Laufe der Entwicklung verstärken das Bedürfnis
des kleinen Mädchens nach einem neuen Objekt. Der Vater wird
jetzt zu dem von ihm idealisierten Liebesobjekt. Geht dieser auf
seine Angebote nicht adäquat ein oder reagiert die Mutter zu heftig
auf diese teilweise Abwendung von ihr, geht das enttäuschte oder
angsterfüllte Mädchen nicht selten wieder auf die Mutter zu, dies-
mal allerdings in deutlicher Rivalität mit dem Vater, das heißt, es
wehrt ihre weiblichen Wünsche ihm gegenüber durch eine phallische Identifizierung mit ihm ab.

Ob die ursprüngliche Enttäuschung durch die Mutter tatsächlich
wesentlich darauf zurückzuführen ist, daß die Mutter als Person
angesehen wird, die dem Mädchen den Penis vorenthalten hat,
bleibt offen. Eine solche Enttäuschung wird wahrscheinlich erst
wirksam, wenn andere Enttäuschungen hinzukommen oder bereits
erlebt worden sind. Dazu gehört vor allem die permanente narzißtische Kränkung, die darin besteht, als Mädchen bei beiden Eltern
weniger willkommen zu sein als der Knabe.

Doch die Bedeutung der Ich-Entwicklung in der ödipalen Phase
soll nicht übersehen werden; sie macht in dieser Zeit beachtliche
Fortschritte. Mit ihr wächst die Fähigkeit, nicht nur zwischen
Selbst und Objekt, sondern auch zwischen Objekt und Objekt dif-
ferenzierter unterscheiden zu können. Das Kind ist jetzt in der
Lage, zu zwei verschiedenen Objekten unterschiedliche Beziehungen aufzunehmen. Die Lust an dieser erweiterten Orientierungsfä-
higkeit führt keineswegs nur zu Konflikten, sondern auch zu
Konfliktentlastungen und Konfliktverteilungen.

Ein Überblick über die psychoanalytischen Beiträge zur psychosexuellen Entwicklung der Frau läßt eine weitere Kontroverse erkennen. Es konnte immer noch nicht eindeutig geklärt werden, zu
welchem Zeitpunkt das kleine Mädchen die Existenz seiner Vagina
wahrnimmt. Josine Müller (1931) und Karen Horney (1923) sahen
es als erwiesen an, daß es eine primäre sexuelle Erregbarkeit der
Vagina gebe. Melanie Klein äußerte 1932 ähnliche Ansichten,
wenn sie auch zunächst der Vagina nur orale Bedürfnisse zusprach.
Chasseguet-Smirgel glaubt, darin Melanie Klein folgend, daß frühe
vaginale Triebregungen aus Angst vor Angriffen auf das Körperinnere verdrängt werden. Sie hebt besonders die anal-sadistischen
Bemächtigungswünsche der Frau hervor, die sich den Penis vaginal

aneignen will, was ihr Schuldgefühle macht, weswegen sie diese Bedürfnisse verdrängt.

E. Jones verteidigt sich in seinem Wiener Vortrag (1935) gegen die Vorwürfe, die Londoner Psychoanalytiker schätzten das frühe Phantasieleben auf Kosten der äußeren Realität zu hoch ein. Er meinte, »daß keine Gefahr besteht, daß jemand die äußere Realität vernachlässigt, wohl aber, daß man Freuds Lehre von der Wichtigkeit der psychischen noch immer unterschätzen kann«. Faktisch hat aber Melanie Klein, deren Ansichten er in diesem Vortrag verteidigte, für ein bestimmtes »Bodythinking«, wie Fenichel es formulierte, oder für präverbale Phantasien Worte und Bilder benutzt, die aus der Sprache der Erwachsenen stammen und dadurch den Eindruck hervorrufen, als ob präverbale Phantasien, deren unbewußte Existenz nicht geleugnet werden soll, beim Kind verbalisierungsfähig vorhanden seien. Daß das kleine Mädchen im ersten Lebensjahr den konkreten Wunsch erleben soll, am Penis des Vaters zu saugen, ist wenig überzeugend. Daß später, bei größeren Kindern und erwachsenen Patienten, solche Wünsche vorhanden sind, und auch geäußert werden, weist möglicherweise auf präverbale Phantasien ähnlichen Inhalts hin, jedoch nicht darauf, daß diese tatsächlich vom kleinen Kind erlebt werden.

Weiter möchte ich bezweifeln, daß die Vagina, im Sinne sexueller Lustempfindungen, im Erleben des Kindes vor der Pubertät eine hervorragende Rolle spielt. Sie erweckt im Gegensatz zur Klitoris nur selten das spontane Bedürfnis, mit ihr manuell onanistisch umzugehen. Das schließt nicht aus, daß die Vagina, zumindest der Introitus, vom kleinen Kind oft neugierig erforscht wird, die Existenz der Vagina also durchaus wahrgenommen wird (vgl. dazu Greenacre, 1950). Es geht mir hier lediglich darum, ob tatsächlich genital-sexuelle vaginale Empfindungen vor der Pubertät allgemein und intensiv erlebt werden oder aber nur dann, wenn vorher eine sexuelle Verführung stattgefunden hat. In dieser Hinsicht scheinen mir die folgenden Entdeckungen von Masters und Johnson interessant: Eine künstliche Vagina entwickelt im Laufe ehelichen Beisammenseins sexuelle Reaktionen, die denen einer normalen Vagina entsprechen. Der regelmäßige Verkehr ist notwendig, um auch in der künstlichen Vagina sexuelle Reaktionen zu wecken. Ähnliches beobachteten die beiden Forscher bei Homosexuellen, die regelmäßig analen Verkehr hatten und bei denen der Anus quasi vaginale Reaktionen übernahm.

Dabei bleiben in jedem Fall der Glanspenis und die Glansklitoris die empfindlichsten Sexualorgane, die auch in der Kindheit bereits unmittelbare sexuelle Reaktionen zeigen. Aufgrund dieser biologischen Tatsachen bezweifle ich die Vorstellungen von Melanie Klein und anderen, die annehmen, daß die Klitoris beim kleinen Mädchen nur deswegen eine größere Rolle als die Vagina spiele, weil dadurch die Angst vor der Vagina, das heißt vor dem Körperinneren, abgewehrt würde. Nach der Meinung dieser Analytiker ist die Vagina von Anfang an das sexualintensivste Organ. Faktisch ist sie aber bis zur Pubertät ein unterentwickeltes Organ mit nur geringer Gefäßversorgung und kaum vorhandener Sekretabsonderung. Obwohl ihnen diese biologischen Tatsachen durchaus bekannt sind, beharren manche Analytiker darauf, daß die Vagina schon früh eine wesentliche Rolle im psychischen Erleben des Kindes spielt. So spricht auch Kestenberg (1968) von einer »inneren genitalen Phase«, in der die inneren Genitalorgane diffus wahrgenommen würden und die etwa bis zum vierten Lebensjahr des kleinen Mädchens andauere. Erst dann übernehme die Klitoris die führende Rolle, und das Mädchen beginne, seine Weiblichkeit und damit seine Vagina zu verleugnen.

Melanie Klein (1932) und Helene Deutsch (1944) sahen die Wendung zum Vater und seinem Phallus als Abkömmling der ursprünglichen Zuwendung zur Brust der Mutter an. Das Äquivalent der männlichen Kastrationsangst, so Klein, sei für die Frau die Angst vor dem Körperinneren. Durch Versagungen und Enttäuschungen würde in der Folge der Penis wie vorher schon die Mutterbrust zum bösen Objekt und als solches introjiziert. Das führe zu einer frühen und besonders sadistischen Überich-Bildung beim Mädchen. Um mit der Angst vor diesem es verfolgenden Überich fertig zu werden, brauche das Mädchen dringender als der Knabe äußere Objekte, die die Angst vor den eigenen Schuldgefühlen und Verfolgungsängsten mildern. Dadurch bleibe es in besonderem Maße abhängig von seinen mitmenschlichen Objekten.

Im Gegensatz zu Freud, der die Frauen als überichschwach ansieht, spricht Melanie Klein ihnen also ein starkes, sadistisches, frühentwickeltes Überich zu. Ihren Erfahrungen nach leidet das kleine Mädchen auch nicht in dem Sinne an einem Penisneid, daß es wünsche, selbst ein Mann zu sein; vielmehr wolle es nur den Penis des Vaters, um den es die Mutter beneide. Der Knabe habe dem Mädchen gegenüber den Vorzug, daß er sich mit Hilfe seines Penis von der Mutter unabhängig machen, als ein Wesen anderer Art fühlen könne. Er besetze seinen eigenen Penis mit narzißtischer Allmacht, während das Mädchen nur den introjizierten väterlichen Penis idealisieren könne. Da sie ihn aber in ihrer Phantasie ursprünglich der Mutter geraubt habe, trage der introjizierte väterliche Penis gleichzeitig zur Steigerung ihrer Schuldgefühle bei.

Chasseguet-Smirgel (1964), die der Schule von Melanie Klein nahesteht, sieht im Penisneid einen Abkömmling auf die allmächtige Mutter, von der man sich nur dann unabhängig machen und mit der man nur dann rivalisieren kann, wenn man ein Organ besitzt, das ihr fehlt. Ihre Deutung, daß die Entwertung der Frau, die bei beiden Geschlechtern zu beobachten ist, ausschließlich auf die frühe Angst und die Haßgefühle auf die allmächtige Mutter zurückgeht, ist interessant und bietet für manche Einzelfälle eine einleuchtende Erklärung, doch sie erscheint mir in ihrer Ausschließlichkeit einseitig. Hier werden, wie bei Melanie Klein, trotz vieler plausibler Gedanken und Interpretationen, gesellschaftliche Einflüsse auf die Haltung der Eltern dem Kind gegenüber ignoriert. Im Grunde werden alle späteren Entwicklungen von Mann und Frau zurückprojiziert auf die früheste Mutter-Kind-Dyade, die in der Beziehung zum Vater fortgesetzt wird. Zweifellos ist es wichtig, die frühkindlichen Faktoren zu kennen und zu verwerten, um die späteren Verhaltensweisen der Erwachsenen besser verstehen zu können. Wenn wir jedoch die Rolle der ökonomischen und gesellschaftlichen Unterschiede und ihre Wirkung auf die Erziehung übersehen, laufen wir Gefahr, die Eltern-Kind-Beziehung so darzustellen, als ob sie in keiner Beziehung zu den vielfältigen Einflüssen der Umwelt stünde.

Ich habe früher bereits auf die konkretisierende Körpersprache verwiesen, die Melanie Klein verwendet. Es sollte bedacht werden, daß im Rahmen ihrer Theorie Worte wie Penis, Brust etc. Chiffren für sehr komplizierte psychische Prozesse darstellen. Interessant sind zum Beispiel ihre Vorstellungen von einem »guten« und einem »bösen« Penis. Mit Hilfe positiver Partnerbeziehungen kann der introjizierte »böse« Penis überwunden werden. Mit Hilfe eines solchen guten Partners kann der in der Phantasie ursprünglich der Mutter geraubte Penis ihr symbolisch zurückgegeben und können Schuldgefühle ihr gegenüber besänftigt werden. Tatsächlich erleben wir in unseren klinischen Erfahrungen nicht selten, daß die Beziehungen der Frau zu ihren gegengeschlechtlichen Partnern wechselhafter Natur sind, also dem Wiederholungszwang nicht unmittelbar unterworfen zu sein scheinen. Freud, der in seinen späteren Arbeiten über die weibliche Sexualität die präödipale Beziehung zur Mutter als ausschlaggebend für die psychosexuelle Entwicklung der Frau beschreibt, zweifelte schließlich sogar daran, ob seine Behauptung, daß alle Menschen einen Ödipus-Komplex erlebten, für die Frau Gültigkeit habe, da die Art ihrer Bindung an die Mutter in der Beziehung zum Ehemann fortgesetzt werde.

Melanie Kleins Vorstellungen vom guten und bösen Penis bieten für bestimmte klinische Erfahrungen, nach denen der Sexualpartner die ursprüngliche Beziehung zur Mutter sicher nicht »geerbt« hat, eine verständniserweiternde Erklärung an. Wenn es einer Frau gelingt, im Partner die Verkörperung des guten Penis zu sehen, der die frühen Gewissensängste und das Gefühl, im Inneren etwas Schmutziges, Zerstörendes oder Geraubtes zu haben, überwinden hilft, entsteht eine Partnerbeziehung, die sich von der zur Mutter völlig unterscheiden kann. Nicht selten erleben wir in der Praxis, daß die erste intensivere heterosexuelle Beziehung sadomasochistischer Natur ist, während eine darauffolgende von Einfühlung und gegenseitiger Befriedigung bestimmt wird. Der äußere sadistische Penis, das heißt die masochistische Beziehung zu einem sadistischen Mann, kann, wie Melanie Klein es darstellt, tatsächlich dazu benutzt werden, den introjizierten bösen Penis zu vernichten.

Sicherlich spielen in einer solchen Verwertung heterosexueller Beziehungen Schuldgefühle der Mutter und später auch dem Vater gegenüber eine Rolle, wie sie zum Beispiel Chasseguet-Smirgel beschrieben hat. Wenn der gute Penis, das heißt die gute Beziehung zu einem Mann, die Ängste in bezug auf das Körperinnere und die Schuldgefühle mildert, ist der Lustgewinn, der beim Sexualakt erzielt wird, zweifellos viel größer als bei einer rein sexuellen Befriedigung. Folglich bildet die Milderung der Angst-, Schuld- und Unwertgefühle mit Hilfe des Sexualaktes und über die Sexualität hinaus eine wesentliche Grundlage für eine dauernde, befriedigende Liebesbeziehung. Dabei wird wieder einmal deutlich, daß die Untersuchungen von Masters und Johnson sich nur auf einen bestimmten Bereich des weiblichen sexuellen Erlebens beziehen. Die psychischen Konstellationen, die zur Befriedigung in einer sexuellen Beziehung wesentlich beitragen, werden bei diesen Untersuchungen nicht berücksichtigt.

Wir müssen Melanie Klein auch recht geben, wenn sie die Frigidität in vielen Fällen als Ausdruck einer Unfähigkeit des Ichs ansieht, mit seinen Ängsten fertig zu werden. In solchen Fällen kann der Penis als äußeres Objekt unbewußt ebenso gefürchtet werden wie als inneres, so daß beim sexuellen Verkehr alle destruktiven Triebe und Schuldgefühle gleichzeitig mobilisiert werden. Dieser Zustand innerer Angst und Spannung treibt viele Frauen in immer neue sexuelle Beziehungen. Da diese blinden Versuche einer Triebbefriedigung und gleichzeitigen Angstmeisterung dem *Circulus vitiosus* von Aggression, Angst und Schuldgefühlen unterworfen bleiben, pflegen sie letztlich zu scheitern.

Ein Beispiel soll erklären helfen, welche psychische Bedeutung unterschiedliche Partnerbeziehungen im Leben einer Frau haben können.

Eine junge Frau vermag sich über viele Jahre hin nicht aus einer unglücklichen Beziehung zu lösen, weil sie glaubt, weder mit noch ohne diesen Mann leben zu können. Schließlich gelingt ihr die Trennung und nach etwa einem Jahr auch eine neue Beziehung, aus der eine dauernde und befriedigende Verbindung hervorgeht. Was ist geschehen? Meine Patientin hatte von Anfang an den ersten Freund innerlich nicht anerkennen können; für sie war er ein Mann, den sie wenig achten, nicht als Vorbild respektieren konnte. Auch der sexuelle Kontakt mit ihm hatte für sie kaum befreiende und genußreiche Aspekte – im Gegenteil, sie lehnte ihn von vornherein eher als etwas Beschämendes, Verbotenes, Lästiges oder gar Ekelerregendes ab. Allem Anschein nach hatte dieser Mann das Verhältnis meiner Patientin zu ihrer Mutter nicht »geerbt«, denn sie liebte und achtete ihre Mutter sehr. Bewußt zumindest hatte sie sich immer gut mit ihr verstanden und sich von ihr geliebt und anerkannt gefühlt.

Nur über die Sexualität der Patientin hatte es bereits von früher Kindheit an Schwierigkeiten mit der Mutter gegeben. Als die Mutter beobachtete, daß die Tochter onanierte – sie war damals etwa vier Jahre alt –, machte sie daraus ein Drama. Man brachte ihr bei, daß etwas Schlimmes geschehen sei, was mit Sicherheit für Körper und Seele böse Folgen hätte. Trotzdem konnte sie dieses Laster, als welches sie die Onanie dann immer stärker empfand, nie ganz aufgeben. Jedesmal, wenn sie dem Bedürfnis zu onanieren nicht widerstehen konnte, mußte sie – von einem Beichtzwang getrieben

– zur Mutter gehen und ihr über den erneuten Rückfall berichten. Diese reagierte jedesmal mit großer Traurigkeit und schweigenden vorwurfsvollen Augen und verstärkte dadurch bei der Tochter das Gefühl eines schwerwiegenden Vergehens. Die Patientin empfand sich folglich als innerlich unsauber, als zerstört, und wußte, daß sie selbst schuld an ihrem Elend war.

Die Wahl des ersten Freundes hatte etwas mit der eigenen Minderwertigkeit, dem Gefühl des eigenen sexuellen Unwertes zu tun. Der »schmutzige« sadistische Penis des Partners, der seine sexuellen Wünsche eindeutig und offenbar ohne Schuldgefühle durchzusetzen wußte, sollte den »bösen« Penis in ihr, die eigene abgelehnte Sexualität, beseitigen. Das gelang zwar nicht, aber immerhin war sie von der Qual befreit, mit ihrer »bösen« Sexualität allein fertig werden zu müssen. Diese Sexualität war nicht mehr nur ein innerer Faktor; sie war draußen, die Patientin löste sich von ihr, indem es ihr schließlich gelang, sich von ihrem Freund zu trennen. Kurz vorher hatte sie den Abbruch einer beginnenden Schwangerschaft offenbar ähnlich erlebt. Eine Austragung der Schwangerschaft kam für sie von vornherein nicht in Frage, obwohl der Freund nur allzugern bereit gewesen wäre, sie zu heiraten. Später, in ihrer Analyse, erlebte sie deshalb auch keine Schuldgefühle, obwohl sie sonst sehr dazu neigte, Schuldgefühle zu empfinden, deren Bearbeitung einen großen Teil der Analyse ausmachte.

Mit Hilfe der Externalisierung der »bösen« Sexualität, des »bösen Penis« in ihr, war es ihr möglich, eine neue, weitaus positivere Beziehung einzugehen. Der neue Freund war von Anfang an für sie eine Person, die sie anerkennen konnte. Die Sexualität mit ihm befriedigte und befreite sie. Sie war daher bereit, eine erneute Schwangerschaft auszutragen, obwohl die äußeren Verhältnisse schwierig waren und, von der Vernunft her gesehen, eine Abtreibung eher angeraten gewesen wäre. Auf jeden Fall gelang es ihr jetzt, das tiefe Gefühl der Wertlosigkeit loszuwerden, an dem sie seit den frühen erfolglosen Kämpfen gegen die Onanie gelitten hatte. Das Zusammenleben mit diesem Freund nahm ihr die Ängste vor einem inneren Zerstörtsein. In vielem war er für sie ein Ideal, an dem sie sich aufrichten konnte. Dennoch gab es deutliche Unterschiede zwischen dieser Beziehung und derjenigen zur Mutter, die über lange Zeit auch ein Ideal für sie gewesen war. Ihrem Freund gegenüber war sie viel offener aggressiv als gegenüber der Mutter, was ihr zwar Schuldgefühle bereitete, aber keine untergründige Wut entstehen ließ. Die Ambivalenz zum Freund trat also offen zutage und wurde nicht verdrängt wie in ihrem Verhältnis zu ihrer Mutter.

In der Analyse wurde ihr bewußt, wie sehr sie sich in ihrer ödipalen Phase dem Vater zuzuwenden versucht hatte. Erinnerungen waren ihr geblieben, aus denen hervorging, daß es Angst vor dem Verlust der mütterlichen Liebe, aber auch heftige Enttäuschung über den Vater war, die sie dann in eine betont phallisch-exhibitionistische Haltung getrieben und sie von neuem an die Mutter gebunden hatte.

Diese Patientin verdrängte also nicht – wie es Chasseguet-Smirgel bei manchen Patienten als typisch schildert – ihre anal-sadistische Aggression gegenüber dem Ehemann, sondern es gelang ihr vielmehr, diesem als gut erlebten Objekt gegenüber ihre destruktiven Neid- und Entwertungsimpulse in Schach zu halten. Dadurch gewann sie selbst an Wert, und der »gute Penis« in ihr machte sie auch großzügiger und geduldiger in ihrem Verhältnis zu anderen. In ihrem Fall repräsentierte meines Erachtens der zweite Freund weder den Vater noch die Mutter, sondern hatte eher eine frühe Überich-Bedeutung und repräsentierte eine Sexualität, die auch von der Mutter anerkannt werden konnte. Warum?

Offenbar stellte der zweite Freund den ersten Ehemann der Mutter dar, den sie verehrt und idealisiert hatte, im Gegensatz zum Vater der Patientin, den die Mutter eher bemitleidet und ein wenig verachtet hatte. Das bedeutete, daß nun die innere und äußere Mutter mit ihrer Sexualität, mit dem »Penis in ihr«, zufrieden war. Sicherlich standen ihre sexuellen Probleme und die sich daraus ergebenden schwierigen Partnerbeziehungen in Verbindung mit frühen oral-aggressiven und anal-sadistischen Einstellungen. Insofern haben sowohl Freud als auch Melanie Klein recht, daß die späteren sexuellen Beziehungen vieles mit den allerfrühesten Erlebnissen und deren Introjektionen, Projektionen und Externalisierungen zu tun haben, auch wenn sie keine unmittelbare Wiederholung der Beziehung zur Mutter darstellen. Überblicken wir die Geschichte dieser Patientin, so ist, trotz komplizierter innerpsychischer Verarbeitung, unübersehbar, daß die gesellschaftsspezifische Erziehung, die ihre Einstellung zur Sexualität bestimmt hatte, wesentlich an der Entstehung ihrer Probleme beteiligt war.

Die Zuwendung zum Vater, die der Patientin mehr Unabhängigkeit hätte bringen können, war offenbar von der Mutter nicht gefördert worden, im Gegenteil, sobald ihre Tochter solche Neigungen zeigte, reagierte die Mutter vorwurfsvoll. Der Vater selber war in seinem Verhältnis zur Tochter offenbar nicht einfühlend genug, obwohl er sie bewunderte. Sie war hübsch und eine gute Schülerin; trotzdem gelang es ihm nicht, eine tiefere Beziehung zu ihr herzustellen. Dafür kreiste er zu sehr um seine eigenen Probleme und war selbst zu abhängig geblieben. Das behinderte die der Entwicklung entsprechende Triangulierung.

Die Brücke zwischen den Eltern, mit deren Hilfe das Kind eine Erweiterung und Öffnung der allzu engen Mutter-Kind-Beziehung hätte leisten können, war nur bruchstückhaft vorhanden. Hier erkennt man, daß die Einfühlungsfähigkeit des Vaters für die psychischen Belange des Kindes von nicht geringerer Bedeutung für dessen spätere Entwicklung ist als die der Mutter. Ihr wird meines Erachtens viel zuviel an Verantwortung aufgebürdet, was häufig zu einer Störung der Individuationsfähigkeit ihrer Kinder, besonders der Tochter, führt.

Die Störungen des Selbstwertgefühls dieser jungen Frau waren einerseits die Folge einer Identifikation mit der Mutter, die sich wegen ihrer oft unterwürfigen Haltung dem Vater gegenüber selbst verachtete, andererseits waren sie auf die mehr oder weniger offene Verachtung alles Weiblichen, die von Vater und Bruder ausging und von der Mutter geteilt wurde, zurückzuführen. Aber auch die eigene Gefühlsambivalenz beiden Eltern gegenüber bereiteten der Patientin Schuldgefühle und stellten ihren eigenen Wert als liebesfähiges Wesen und als einfühlsame Tochter und Frau in Frage. Wenn diese junge Frau sich später wiederholt in gleiche Krisensituationen begab, indem sie sich Männern zuwandte, die bereits gebunden waren, so war das sowohl Ausdruck eines nicht überwundenen ödipalen Konfliktes und der damit verbundenen Schuldgefühle und Selbstbestrafungstendenzen als auch der Wunsch, sich von allzu großer innerer Abhängigkeit von einer Mutter-Imago zu befreien. Letzteres gelang deswegen nicht, weil sie in jeder intimen Beziehung die frühe Zwei-Einheit mit der Mutter und die damit in Konflikt liegenden Wünsche nach Autonomie wiederholte.

In der Analyse konnte ihr dennoch geholfen werden, weil die ersten Verinnerlichungen der mütterlichen Funktionen in der Mutter-Kind-Beziehung trotz Trennungsschwierigkeiten und sexuellem Autonomieverbot im wesentlichen positiv waren.

Auch spätere Identifikationen mit der als vorwiegend positiv erlebten Mutter hatte sie in das eigene Selbst integrieren können. Gefährliche Spaltungen in ein gutes und in ein böses Objekt, das heißt die Trennung der mitmenschlichen Beziehungen in einen idealisierten und einen verfolgenden, entwertenden oder entwerteten Anteil, hatte sie weitgehend überwinden können und gelernt, Ambivalenzgefühle einem geliebten Menschen gegenüber zu ertragen. Auch war sie fähig, Trauerarbeit zu leisten. Damit ist hier gemeint, daß Trennung von infantilen Bindungen schließlich möglich wurde und die Verinnerlichung der guten Beziehung zum verlorenen Objekt und dessen Funktionen, Idealen, Zielen etc. das eigene Selbst bereicherte und stabilisierte.

Melancholie wird erzeugt, wenn der Zorn, der dem Objekt gilt, das einen verlassen hat, verinnerlicht und gegen das eigene Ich gerichtet wird. Das »böse Introjekt«, das heißt die Verinnerlichung eines mit Wut, Rache und Entwertung besetzten Objekts, von dem eine Trennung erfolgt ist, verhindert eine Erweiterung des Ichs mit Hilfe neuer und vielfältiger Identifikationen und damit eine Reifung der Person. Die Folge ist eine dauernde Vorwurfshaltung, gemischt mit unbefriedigten Abhängigkeitsbedürfnissen und Selbsthaß. Unter diesen Umständen bleiben Möglichkeiten unentwickelt, die die Grundlage altersentsprechender Autonomie sind. Das läßt erkennen, wie bedeutsam eine Trennung zur rechten Zeit ist, eine Trennung, die keinen Zorn oder übergroße Schuldgefühle und/oder Strafbedürfnisse auslöst, sondern von beiden Eltern gefördert wird, so daß kein endgültiger Abbruch der wichtigen Beziehungen erfolgt. Nur so können Trennungen zu Identifikationen führen, die sich als bereichernd für das Selbst integrieren lassen und sich nicht gegen das eigene Ich wenden. Melancholie und Selbstwertstörungen sind stets miteinander verbunden.

Nur wenn die Beziehung zwischen den Eltern nicht von der Wiederholung frühkindlicher egozentrischer Bindung an die Mutter geprägt ist, das heißt, nur wenn beide zu einer einfühlenden Beziehung zu mehreren Personen gleichzeitig fähig sind, können sie das Kind sowohl mit seinen Abhängigkeiten als auch mit seiner Trennungs- und Triangulierungsproblematik verstehen.

Bei einem solchen Beziehungsmuster braucht auch der Penis nicht notwendigerweise zum Symbol für männliche Allmacht einerseits und für weiblichen Mangel andererseits zu werden noch braucht er einen Ersatz für die Mutterbrust darzustellen und orale Befriedigungswünsche zu erfüllen; er kann dann vielmehr vom Mädchen als Ausdruck menschlicher Vielfalt und Verschiedenartigkeit verstanden werden und die Fähigkeit symbolisieren, neue Arten von Objektbeziehungen eingehen zu können und *last not least* triebhafte Bedürfnisse körperlicher Natur, die Grundlage jeder heterosexuellen Beziehung sind, ohne Verlust an Selbstachtung zu befriedigen. Hand in Hand damit entwickeln sich psychische Differenzierungen: Zwischen Objekt und Objekt, zwischen Selbst und Objekt kann immer schattierungsreicher unterschieden werden.

Auch die Forschungen von René Spitz (1965), Edith Jacobson (1937; 1964), Fraiberg (1969), Tolpin (1971) und anderen führten zu neuen Erkenntnissen über Entwicklungen in der frühen Kindheit und über die Entstehung geschlechtsspezifischer Verhaltensweisen. Über vielfältige kleine Verinnerlichungsschritte eignet sich das Kind mütterliche Funktionen, Haltungen, Reaktionsweisen etc. an, die den Ursprung seiner psychischen Entwicklung und den Beginn seiner Individuation bilden. Die langsam sich herausbildende Fähigkeit zur zeitweiligen äußeren Trennung von der Mutter ist das Kriterium, an dem die Entwicklung der inneren Autonomie, das heißt die Entwicklung von Selbst- und Objektrepräsentanzen und ihrer Trennung voneinander, sowie der Objektkonstanz und der Entwicklung einer evokativen Gedächtnisfähigkeit des Kindes gemessen werden kann. Wenn diese Trennungsfähigkeit bis zu einem gewissen Grade erlangt worden ist, können auch ambivalente Gefühle ein und demselben Menschen gegenüber ertragen werden; die Spaltung in ein gutes und böses Objekt wird langsam überwunden. Es ist klar: Symbiotische Wünsche nach Vereinigung mit der guten Mutter-Imago bleiben ein Leben lang bestehen. Manche Analytiker haben daher den sich über alle Phasen des Lebens erstreckenden, mühevollen Prozeß des Erwachsenwerdens, der immer mit partiellem Abschied von bisherigen Formen der Objektbeziehungen und folglich mit Angst vor Objektverlust gepaart ist, mit einem lebenslangen Trauerprozeß verglichen.

Wie wir wissen, identifizieren sich beide Geschlechter mit der in ihrer frühen Kindheit für sie als allmächtig erlebten Mutter, von deren Zuwendung sie völlig abhängig sind. Skolnikow, Kestenberg, Galenson (1976), Jacobson (1950) und andere haben darüber berichtet, daß Knabe wie Mädchen häufig Phantasien äußern, ein Kind haben zu wollen. Auch von normalen männlichen Adoleszenten werden ähnliche Wünsche und Phantasien berichtet. Der Wunsch nach einem Kind ist zeitlich früher zu beobachten als der nach einem Penis; das berichtet bereits Freud. Der Gebär- und Brustneid, der Neid auf die allmächtige Versorgungsfähigkeit der Mutter, verbunden mit dem Haß, der durch die völlige Abhängigkeit von ihr entsteht, wird beiden Geschlechtern gleichmäßig zugesprochen. Freud (1905) beschrieb, daß das erste Problem, mit dem das Kind sich beschäftige, nicht die Frage des Geschlechtsunterschiedes, sondern des Rätsels sei, woher die Kinder kommen.

Die schrittweise Verinnerlichung der versorgenden, tröstenden und Sicherheit spendenden mütterlichen Funktionen hilft, Angst, Haß und Hilflosigkeit des Kindes zu überwinden, und führt auch beim Knaben dazu, daß er sich später Kindern gegenüber »väterlich« verhalten kann. Darauf machte bereits Zilboorg (1944) aufmerksam.

Unsere Kultur verlangt immer noch vom Knaben, daß er besondere männliche Eigenschaften entwickelt. Er wird schon früh zu einem aggressiv-selbstbehauptenden, gefühlsunterdrückenden Verhalten – zumindest außerhalb der Familie – angeleitet. Wenn er in diesen ihm aufgezwungenen Lebenskämpfen bei der Mutter Trost sucht, pflegt auch sie ihm mit Unverständnis zu begegnen und ihn zu sogenannter »Männlichkeit« anzuhalten. Hier wird dem Individuationsbedürfnis eine falsche, weil von außen aufgezwungene Richtung gegeben, die das gesellschaftstypische Verhalten des Mannes fördert. Denn zur gleichen Zeit ist es infolge der unterschiedlichen geschlechtsspezifischen Erziehung dem Knaben innerhalb der Familie häufiger erlaubt als dem Mädchen, egoistischen Launen nachzugehen. Er braucht sich weniger in die Bedürfnisse der anderen Familienmitglieder einzufühlen, wird seltener zur Hilfe im Hause verpflichtet etc. als das Mädchen.

Greenson (1968) sieht in der Entidentifizierung des Knaben gegenüber der Mutter die Bedingung dafür, daß er sich ungestört mit dem Vater identifizieren und eine stabile Geschlechtsidentität entwickeln kann. Eine langsame Lösung von der symbiotischen Beziehung zur Mutter und die Zuwendung zu einer dritten Person, die Fähigkeit zur Triangulierung in der Wiederannäherungsphase, müssen für beide Geschlechter als Grundlage für die Entwicklung zur Selbständigkeit angesehen werden. Es ist die Frage, ob eine ge-

schlechtsspezifische Entidentifizierung gegenüber der Mutter, wie
Greenson sie als notwendig für den Knaben ansieht, tatsächlich
wünschenswert ist.

Wenn die Mutter in unserer Gesellschaft den Knaben von sich weg-
stößt und in das hineindrängt, was noch bei vielen als »männlich«
verstanden wird, erleben wir es allzuoft, daß sie damit eine für ihn
wichtige Identifikationslinie traumatisch unterbricht. Dadurch
kann sie den untergründigen Haß des Knaben auf seine Mutter –
und später auf alle Frauen – noch verstärken, der nach Zilboorg,
Chasseguet-Smirgel und anderen in der frühen Abhängigkeit von
der allmächtig erlebten Mutter seine Wurzeln hat. Hinter der tief-
sitzenden Angst vor der Mutter der frühen Kindheit und dem
untergründigen Haß des Mannes auf sie (und später auf die Frau)
verbergen sich nach Zilboorg allerdings letztlich Projektionen eigener, aus der Frühgeschichte stammender mörderischer Wünsche ihr
gegenüber.

Wenn die Individuation, das heißt die Bildung von Selbst- und Objektrepräsentanzen, einigermaßen gelungen ist und das Selbstbild
einen inneren Zusammenhang erhalten hat, sollte auch der Körper,
seinem Geschlecht entsprechend, als intakt empfunden werden
können. Eine solche positive Entwicklung hängt allerdings davon
ab, welche unbewußten Erwartungen, Vorstellungen und Bewer-
tungen die Eltern dem Kind entgegenbringen. Die Bewunderung
durch die Eltern ist in den frühen Übergangsphasen des ersten und
zweiten Lebensjahres von besonderer Bedeutung, wie die Forschungen Margaret Mahlers gezeigt haben.

Das schwierigste Problem ist, wie sich die unterschiedlichen Rol-
lenanweisungen und Verinnerlichungen zu einem in sich zusam-
menhängenden Selbstbild vereinigen lassen. Wenn die Mutter dem
Kind widersprüchliche Verhaltensweisen, Erwartungen und Wertvorstellungen vermittelt, hat es das kleine Mädchen schwer, ein
strukturiertes, autonomes Selbstbild zu formen. Zu einer solchen
Entwicklung trägt eine häufig zu beobachtende familiäre Konstellation bei, welche die Familienatmosphäre in typischer Weise prägt.
Kurz zusammengefaßt sieht sie etwa folgendermaßen aus: Dem
Vater wird als Berufstätigem und als dem Vertreter der Gesellschaft,
von dem man ökonomisch abhängig ist, ein weit höheres Prestige
in Fragen der Intelligenz und des sozialen Einflusses zugemessen als
der Mutter. In dieser Hinsicht stellt er ein Ideal dar, das man verwirklichen möchte. Innerhalb der Familie ist er aber nicht selten

ein verwöhntes Kind, das nicht gewillt ist, die Interessen anderer über die eigenen zu stellen, oder er ist in fordernder Weise abhängig von seiner Frau geblieben. Diese tyrannisch-infantile Seite des Vaters wird von der Mutter einerseits gefördert, andererseits insgeheim verachtet, eine Verachtung, die sich bewußt oder unbewußt auf die Kinder überträgt. Die Mutter pflegt innerhalb der Familie die Person zu sein, an die sich Vater und Kinder wenden, von der sie das Gefühl haben, sie allein könne Hilfe bringen, wenn sie sich schwach und elend fühlen. Außerhalb der Familie besitzt sie allerdings selten eine dem Mann entsprechende Position. Dort besteht eher die Tendenz – auch der eigenen Familie –, sich lächerlich über sie zu machen oder sich ihrer gar zu schämen.

Eine Mutter, die einerseits in Identifikationen mit den Mitgliedern der Gesellschaft alles Männliche idealisiert, dem Vater wie selbstverständlich alle Macht außerhalb der Familie überläßt, ihm in der Familie aber Regression auf kindliche Verhaltensweisen erlaubt, ihm folglich andererseits Verachtung entgegenbringt – eine solche Mutter stellt für das heranwachsende Mädchen ein verwirrendes Vorbild dar. Denn die Tochter einer solchen Mutter, die als typisch für unsere Gesellschaft gelten kann, bemerkt bald deren Minderbewertung alles Weiblichen, also auch der eigenen Person. Nicht selten macht sie diese ihr ansonsten unverständliche Haltung, die sie oft nur unbewußt wahrnimmt, an den anatomischen Körperunterschieden fest. Wenn sie sich dann aber, um dem Gefühl des eigenen Unwerts zu entgehen, mit dem höhergeachteten Vater oder Bruder zu identifizieren versucht, wird ihr auch das schwergemacht, weil ihr die geheime Verachtung des infantilen Anteils im Verhalten des Vaters nicht entgeht. Viele Haltungen und Funktionen ihrer Mutter hat sie im Laufe der Kindheit verinnerlicht, und so übernimmt sie mit der Verachtung oder doch dem Gefühl der Zweitrangigkeit der eigenen Weiblichkeit auch die ambivalente Einstellung der Mutter zum Vater und zur Welt der Männer überhaupt. Einerseits fühlt sie sich den Männern überlegen, andererseits wird ihr nahegebracht und akzeptiert sie auch, daß sie als Frau unfähig sei, sich durchzusetzen, daß sie den Männern im beruflichen, intellektuellen und geistigen Leben hoffnungslos unterlegen sei.

Die notwendige Lösung und die teilweise Entidentifizierung gegenüber der Mutter, durch die Zuwendung zu einer dritten Person, meist dem Vater, erleichtert, werden aufgrund dieser Spaltung der

Gefühle in Verachtung und Idealisierung gegenüber beiden Eltern erschwert. Mit der Unfähigkeit, sich aus der frühen Zweierbeziehung ausreichend zu lösen, geht einher, daß ein Kind die Fähigkeit, den anderen Menschen als ein von ihm unterschiedliches Wesen voll zu erleben, nur ungenügend entwickelt. Es vermag dann nur unzulänglich zu begreifen, daß ein anderer Mensch anders denken und fühlen kann als es selbst und in seinem Handeln und Verhalten von anderen Motiven geleitet wird. Es wird ihm deswegen schwerfallen, sich in das Andersartige des anderen Menschen einzufühlen.

Man kann die beschriebene typische familiäre Konstellation natürlich auch im Sinne von Melanie Klein und Chasseguet-Smirgel interpretieren und sie als Folge von ungelösten anal-sadistischen Konflikten der Mutter, später der Tochter, ansehen. Aufgrund von sadistischen Wünschen, sich den Penis des Vaters anzueignen oder ihn der Mutter zu rauben, um sich gegen die allmächtige Mutter zu behaupten, entstehen Schuldgefühle, und als Abwehr gegen die Angst- und Schuldgefühle erregenden sadistischen Wünsche wird erst die den väterlichen Penis besitzende Mutter, später der Vater (Ehemann etc.), idealisiert und/oder es entstehen masochistische Verhaltensweisen. Nicht selten haben wir es auch mit einer »Identifikation mit dem Opfer« (dem kastrierten Vater, der beraubten Mutter) und den entsprechenden Symptomen der Wertlosigkeit, der Leere etc. zu tun, wie sie von Thomä (1967), Staewen-Haas (1970) und anderen beschrieben werden.

Intrapsychische Konflikte entstehen aber nicht im leeren Raum, sondern innerhalb einer menschlichen Umgebung, das heißt, sie sind psychische Verarbeitungen und Verinnerlichungen von elterlichen, bewußten und unbewußten Haltungen, Vorbildern, Forderungen, Projektionen etc., die wiederum gesellschaftstypische Machtstrukturen und Werturteile widerspiegeln.

6. Über Mütter, Väter und Partner

Obwohl »Väterlichkeit« in Beruf und Politik nur noch eine geringe Rolle spielt, ist innerhalb der Familie die patriarchalische Struktur weitgehend erhalten geblieben. Der Vater ist nach außen hin das bestimmende Oberhaupt der Familie, die Mutter ist, nach innen hin, für alle Belange der Familienmitglieder zuständig. Doch die Rollen von Mann und Frau haben sich aufgrund der historischen Konstellationen verändert. Daraus ergeben sich für die junge Generation typische Schwierigkeiten mit ihren Eltern.

Nicht nur vom Individuum her erklärbare Einflüsse tragen zur Veränderung der Gesellschaft grundlegend bei. Der Staat repräsentiert keine Vaterautorität mehr, wir leben in einer technisch-industriellen Welt, einer anonymen Gemeinschaft, geführt von meist ebenso anonymen, technisch-geschulten Sachverständigen oder von professionellen Politikern.

Von Freuds psychoanalytischer Illusions- und Wertekritik angeregt und von dem »Wertwandel« seiner Zeit beeindruckt, schreibt Alexander Mitscherlich 1963 sein Buch *Auf dem Weg zur vaterlosen Gesellschaft* und geht darin den Ursachen einer sich verändernden Welt nach. In seinem Buch beschäftigt er sich mit dem für die Kinder zunehmend unsichtbar werdenden Vater, der selber in einer anonymen »vaterlosen« Massengesellschaft lebt, die von »Gleichen«, von »Geschwistern«, bestimmt und regiert wird. Daß es sich, was die Machtverhältnisse anbetrifft, bei diesen »Gleichen« und »Geschwistern« auch um sehr »Ungleiche« handelt, war ihm durchaus bewußt. Er erwähnte nicht, daß unter den mächtigen »Gleichen« nur Männer zu finden sind. Frauen spielen im Milieu der Sachverständigen der Wirtschaft, in den multinationalen Konzernen, in der Politik, überhaupt in führenden Positionen, auch heute kaum eine Rolle. Ist ein in seiner beruflichen Arbeit unsichtbar bleibender Vater auch zu Hause, in seiner Familie, kaum vorhanden? In welcher Beziehung steht innerhalb der Familie »Väterlichkeit« zu »Mütterlichkeit« und wie verhält sich familiäre Moral zu gesellschaftlicher? Welche Probleme hat die heutige Generation mit ihren Müttern und Vätern?

Ich habe verschiedentlich darzustellen versucht, daß vom Innern der Gesellschaft, also der Familie aus gesehen, sich typische Feinstrukturen erkennen lassen. Der Vater als das gesellschaftlich bestimmende Oberhaupt der Familie ist gleichzeitig das egozentrische, verwöhnte Kind der Mutter, die sein Verhalten akzeptiert, wenn nicht fördert, aber gleichzeitig auch verachtet. Die einerseits fürsorgliche Mutter kann andererseits weitgehend unselbständig sein, sich an den Vater anlehnen, ihn idealisieren, Problemen und Schwierigkeiten aus dem Wege gehen.

Die unterschiedlichen Rollen der Mutter stehen einander gegenüber: die sich für die gesamte Familie zuständig fühlende, oft überfürsorgliche Mutter, die alle Familienmitglieder, ihren Mann eingeschlossen, infantilisiert, und die Mutter, die selber kindlich bleibt, sich an den Mann als den »Starken« anlehnt. Nicht selten mischen sich diese verschiedenen Haltungen. Zum einen übernimmt die Frau unbewußt die Rolle der allmächtigen Mutter, andererseits bleibt sie die Tochter der Mutter oder macht den Mann zur Mutter oder zum Vater.

Die Rolle der Mutter, die für alles zuständig zu sein hat, wird der Frau häufig aufgedrängt. Auch der Mann kann sich aus seiner Abhängigkeit von der Mutter schwer lösen und sich vom Verhalten eines tyrannisch-abhängigen Kindes nur mit Mühe befreien.

Daß die Männer aus ihren »Bruderschaften« die Frauen herauszuhalten versuchen, wird von Psychoanalytikern als Versuch interpretiert, sich der abhängigen Mutter-Kind-Beziehung zu entledigen und Rache an der enttäuschenden Mutter zu nehmen. In der Rolle des *Pater familias* kann ein Mann sowohl sein Bedürfnis, Oberhaupt der Familie zu sein, wie auch seine regressiven Wünsche befriedigen, das verwöhnte Kind der Mutter bleiben.

Natürlich finden wir auch zahlreiche andere Familienstrukturen, zum Beispiel Mütter und Frauen, die sich, wie der Mann, an die moderne Gesellschaft angepaßt haben und vorwiegend nach Selbstverwirklichung und Einfluß im Beruf sowie nach Partnerschaft streben; allerdings gelingt es nur wenigen, leitende Positionen einzunehmen und in die männlichen Gemeinschaften einzudringen. Dieser Typus Frau nimmt im sogenannten »Pillen-

Zeitalter« zu; bei ihnen besteht die Neigung, auf Kinder zu verzichten.

Wer nach den Schwierigkeiten der heutigen Generation mit ihren Müttern und Vätern fragt, muß sich erst einmal darüber im klaren sein, welches Alter er der »heutigen« Generation geben will, um feinere, aber vielleicht bedeutungsvolle Unterschiede sehen zu können. Die zwischen 1940 und 1950 Geborenen haben andere Erfahrungen in ihrer Kindheit durchgemacht als die um 1960 Geborenen. Die heute 30- bis 40jährigen sind ganz anders von den Kriegs- und Nachkriegsverhältnissen beeinflußt als die 20jährigen.

Über die zweite Generation nach der Hitler-Ära ist viel geschrieben worden; vor allem über ihre Auseinandersetzung mit den Vätern. Der 1940 Geborene blieb in den ersten Jahren seiner Kindheit häufig vaterlos und fand sich nach der Rückkehr des Vaters mit einem ihm fremden Mann nur mühsam zurecht. Außerdem kamen die Väter als geschlagene, enttäuschte, in ihrem Selbstwert zutiefst in Frage gestellte Männer zurück, und sie entsprachen dem Idealbild, das das Kind sich von ihnen gemacht hatte, in keiner Hinsicht.

Die Mutter – während der Abwesenheit des Vaters im Kriege oder als Witwe selbst Familienoberhaupt – hatte über viele Jahre allein die Verantwortung für ihre Kinder zu tragen und war nach dem Kriege häufig nicht mehr bereit, sich dem zurückkehrenden, entmutigten Vater unterzuordnen oder ihm den Platz des verwöhnten Kindes in der Familie wieder einzuräumen. Sie hatte meist gelernt, sich gesellschaftlich zu behaupten, und wollte nicht in die Rolle der ausschließlich in der Familie aufgehenden Frau zurückgedrängt werden.

An einem Beispiel soll die schwierige Beziehung eines im Zweiten Weltkrieg geborenen Sohnes zu seinen Eltern dargestellt werden, eines Sohnes, der ein für diese Generation recht typisches Schicksal hatte.

Paul wurde 1943 geboren. Sein Vater war Offizier, er sah ihn während des Krieges nur wenige Male. Nach dem Krieg war sein Vater für mehrere Jahre in russischer Kriegsgefangenschaft. Paul lebte mit seiner Mutter und seinen Geschwistern in einem kleinen Ort, an dessen Volksschule die Mutter als Lehrerin tätig war. Er fühlte sich von ihr abhängig, mußte sich aber frühzeitig darauf einstellen, daß seine Verwöhnungs- und Versorgungsbedürfnisse nur be-

schränkt erfüllt werden konnten. Denn die Mutter hatte nicht nur
drei Kinder und den Haushalt zu versorgen, sie war auch beruflich
sehr beansprucht.

Das Gefühl, zu kurz zu kommen, sowie Wut und Angst darüber,
viel allein gelassen zu werden, lernte er frühzeitig zu unterdrücken.
Alles, was ihn enttäuschte oder ihm angst machte, versuchte er mit
Hilfe von sogenannten Übergangsobjekten zu überwinden, das
heißt, er übertrug seine Anlehnungsbedürfnisse auf Stofftiere,
nahm sie als Trost mit ins Bett, sprach mit ihnen, vertraute sich
ihnen an, und ähnliches mehr. Etwas später war es seine bastlerische Betätigung, die seine Angst vor dem Alleinsein milderte.

Der Vater, krank und gebrochen aus der Kriegsgefangenschaft
heimgekehrt, beanspruchte die ganze Aufmerksamkeit der Mutter
für sich. Er konnte fordern, was Paul nie wagte. Der Vater war der
Mittelpunkt, das verwöhnte und tyrannische Kind der Mutter, der
alle Familienmitglieder an den Rand der mütterlichen Aufmerksamkeit drängte. Von dem Ideal seines Vaters blieb bei Paul bald
nichts mehr übrig.

Der Vater konnte in seinen Beruf nicht zurückkehren und war au
ßerdem über lange Zeit zu krank und wohl auch unwillig, sich um
eine Arbeit zu kümmern, die unter dem Niveau seiner früheren
beruflichen Tätigkeit lag. Die Mutter hatte also, um die Familie zu
versorgen, mehr denn je zu arbeiten, so daß ihr auch weiterhin für
die Kinder kaum Zeit blieb.

Als der Vater endlich physisch und psychisch so weit genesen war,
daß er sich wieder um Arbeit bemühen konnte, gelang es ihm aufgrund von Beziehungen aus früheren Zeiten, einen gutbezahlten
Arbeitsplatz in der Wirtschaft zu bekommen. Die Mutter gab ihre
Berufstätigkeit auf und zog sich in eine Art vorwurfsvolle Abhängigkeit vom Vater zurück. Inzwischen hatte Paul zum Vater, mit
dem er nie offen rivalisiert hatte, nur noch eine verächtliche Einstellung, zur Mutter eigentlich gar keine mehr. Als Kind hatte er sie
verehrt, sich weitgehend mit ihr identifiziert und hatte, wenn auch
zähneknirschend, akzeptiert, daß sie sich um ihn nicht so kümmern
konnte, wie er sich das gewünscht hatte. Später war ihm ihre Haltung dem Vater gegenüber unverständlich und mehr oder weniger
abstoßend.

An der Studentenrevolte Ende der sechziger Jahre nahm er mit
gedämpfter Begeisterung teil. Nur die Verachtung für die Generation der Väter konnte er voll teilen. Seine Reserve gab er später

auch in der Ehe nicht auf. Künstlerische und literarische Interessen bildeten den Mittelpunkt seines Erwachsenenlebens, wie in der Kindheit Übergangsobjekte und spätere bastlerische Interessen. Nur seinen kleinen Kindern gegenüber vermochte er sich aufzuschließen. Ganz offenbar machte es ihm Spaß, ihnen sowohl eine bessere Mutter als auch ein besserer Vater zu sein, als er die eigenen Eltern erlebt hatte. Erst als seine Mutter nach dem Tod des Vaters wieder mehr Selbständigkeit zeigte, nahm er den Kontakt mit ihr erneut auf. Seine Vorbildsuche blieb meist erfolglos oder war nur kurzfristig erfolgreich, denn niemand konnte ihm den Verlust des frühen Vaterbildes ersetzen und die damit verbundenen hohen Idealforderungen erfüllen.

Übergangsobjekte wie weiche Stofftiere und anderes Spielzeug, später auch Interessen wie Basteln und künstlerische Tätigkeiten etc. stellen eine Art Symbol der trostgebenden Mutter-Kind-Beziehung dar. Es entsteht ein »Spielraum« (Erikson) zwischen Mutter und Kind, der es dem Kind ermöglicht, sich von seiner allzu großen Abhängigkeit zu befreien. Auch im Erwachsenenalter legte Paul großen Wert darauf, genügend Raum für sich und seine Interessen zu behalten, und wehrte sich gegen neue Abhängigkeiten. Da in der frühen Kindheit keine sogenannte Drei-Einheit mit den Eltern herzustellen war und die Vertrauensbasis zum Vater nach dessen Rückkehr nicht mehr aufgebaut werden konnte, führten die ödipalen Konflikte mit dem Vater letztlich zum Abbruch der Beziehung. Als begabter, sublimierungsfähiger Mensch gelang ihm jedoch eine Stabilisierung seiner psychischen Nöte mit Hilfe der beruflichen und künstlerischen Tätigkeit sowie seiner Vaterrolle, die ihn in sich selbst ein Stück des verlorenen Ideals sehen ließ.

Nicht unähnlich ist auch der Lebenslauf eines wenig später geborenen Analysanden. Karl kam wegen Kontaktstörungen und Depressionen in die psychotherapeutische Behandlung. Er hatte seinen Vater erst kennengelernt, als er etwa sieben Jahre alt war. Vorher war seine Mutter berufstätig gewesen und hatte für ihre zwei Kinder allein gesorgt. Er hatte zahlreiche psychosomatische Krankheiten, die darauf schließen ließen, daß er die Phase der notwendigen Trennung von der frühkindlichen, allzu engen Beziehung zur Mutter nicht hinter sich bringen konnte.

Der Vater, als geschlagener »Held« zurückkommend, verstand die ablehnende Haltung seines Sohnes überhaupt nicht. Er reagierte darauf mit mehr oder weniger einfühlungslosen Bestrafungen. Die Folge war, daß Karl seine Vaterbeziehung relativ schnell und endgültig aufgab. Auch als Erwachsener pflegte er mit psychosomatischen Symptomen zu reagieren, wann immer er Grund hatte, sich einsam zu fühlen, oder glaubte, sich selbst entfremdet zu reagieren, oder auch, wenn ihn Schuldgefühle bedrückten. Die Hilfe einer Dreier-Beziehung zwischen Vater, Mutter und Sohn war auch ihm nicht zuteil geworden. Er haßte seinen Vater, doch vor allem hatte er Angst vor ihm.

An der Studentenbewegung in den sechziger Jahren beteiligte er sich intensiv. Seine Beziehungen zu Frauen waren kompliziert. Bei aller Sehnsucht nach inniger Verschmelzung mit ihnen hatte er gleichzeitig Bindungsangst. Auch er, zu Sublimierungen fähig, zog sich auf wissenschaftliche und künstlerische Tätigkeiten zurück, um seine Trennungs- und gleichzeitige Bindungsangst zu umgehen.

Da er ein hohes Ich-Ideal hatte, das heißt große sittliche Anforderungen an sich und andere stellte, verachtete er nicht nur seinen Vater, der gelegentlich kleinere Unehrlichkeiten beging und den er als unaufrichtig erlebte, sondern viele andere Väter, denen er im Laufe seines Lebens begegnete. Gleichzeitig stand er selbst in Gefahr, delinquent zu werden, da er aufgrund seiner fehlenden Identifikation mit dem Vater und dessen Geboten kein ihm Grenzen setzendes Überich oder Gewissen ausgebildet hatte, das ihm bei seinem Kampf gegen die entidealisierte Väterwelt hätte zügeln können. Er war oft nahe daran, einer terroristischen Zelle beizutreten; nur sein Abscheu vor jeglicher Gewalttätigkeit hinderte ihn daran. Dieser Abscheu hatte seine Wurzeln auch darin, daß sein Vater die Verzweiflung über seinen Sohn in mehr oder weniger sadistischer Weise äußerte und ihn auch heftig zu schlagen pflegte. Nicht selten, so scheint mir, ist diese Mischung von hohem Ideal-Ich und fehlender Identifikation mit den Geboten eines geachteten, geliebten Vaters, das heißt das Fehlen eines verpflichtenden Überichs, die Ursache dafür gewesen, daß junge Leute sich in terroristischen Gemeinschaften zusammengefunden haben.

Das Beispiel einer Frau, Anne, hatte trotz vieler Ähnlichkeiten mit dem Erleben der oben geschilderten jungen Männer doch eindeutig, wenn man so will, »weibliche« Besonderheiten. Auch Anne wurde während des Zweiten Weltkrieges geboren; auch ihr Vater war Soldat, und sie sah ihn nur selten. Ihre Erinnerungen an ihn waren positiv; sie fühlte sich in den kurzen Augenblicken ihrer Zusammenkünfte von ihm anerkannt und geliebt. Als er nach dem Kriege als vermißt gemeldet wurde, wollte sie lange nicht wahrhaben, daß er wahrscheinlich tot war und nicht zu seiner Familie zurückkehren würde. Im geheimen gab sie ihrer Mutter die Schuld dafür, denn sie glaubte, daß sie sich dem Vater nicht liebevoll genug zugewendet habe. Andererseits liebte sie ihre Mutter und bewunderte sie, weil sie das Geschäft des Vaters übernommen hatte und die Familie selbständig ernährte.

Auch bei Anne ging es um Abhängigkeitswünsche, die nach ihrem Gefühl nicht genügend erfüllt worden waren und eine heftige Ambivalenz der Mutter gegenüber hervorgerufen hatten. Die neben der Liebe bestehenden Haßgefühle wehrte sie aber ab, denn schließlich war die Mutter für das Kind Anne die wichtigste Beziehungsperson, deren Zuwendung sie nicht entbehren konnte. Sie kämpfte über lange Zeit um die Liebe der Mutter und gleichzeitig um die eigene Selbständigkeit.

Vor ihrer Tätigkeit in der Frauenbewegung hatte sie sich der Studentenbewegung angeschlossen und während dieser Zeit zu mehreren Männern Beziehungen aufgenommen. Im Grunde traute sie aber keinem und war überzeugt davon, verlassen zu werden. Das hatte nicht nur mit ihrer früh unterbrochenen Beziehung zum Vater zu tun, sondern vor allem mit der Beziehung zur Mutter, deren Verhalten Anne gegenüber sehr wechselhaft gewesen war.

Als sie später aktiv an der Frauenbewegung teilnahm, geschah das nicht nur in Identifikation mit der tüchtigen Mutter, die sich gegen viele Widerstände in der Männerwelt hatte durchsetzen müssen, sondern auch, um unabhängiger von ihr und ihrer Zuwendung zu werden. Sie lernte, andere Frauen zu lieben, was für sie eine große Erleichterung bedeutete. Denn die Haßgefühle der Mutter gegenüber hatten bei ihr Angst und Schuldgefühle hervorgerufen und depressive Verstimmungen ausgelöst.

In der Frauenbewegung war es ihr möglich, sich offen und intensiv mit Frauen auseinanderzusetzen, ohne allzu abhängig von ihnen zu werden. Endlich, so sagte sie, sei es ihr gelungen, Frauen lieben zu lernen. Vor ihrer Heirat hatte sie einige Jahre lang eine trotz mancher Ambivalenzen befriedigende lesbische Beziehung.

Diese Skizzierung eines Frauenlebens soll in diesem Zusammenhang nur verdeutlichen, wie allzu große Abhängigkeit von der Mutter bei Abwesenheit oder mangelndem Interesse des Vaters häufig einen psychischen Kampf um die Beziehung zur Mutter auslöst, der zu Depressionen und tiefgehenden Gefühlen der Unsicherheit führen kann. Die Intensivierung der Frauenbewegung in den siebziger Jahren hat zweifellos zahlreiche gesellschaftliche wie private Ursachen, doch manche der Frauen, die sich besonders stark engagieren, haben sicher ein ähnliches Schicksal gehabt wie Anne.

Man darf der Entwicklung der heutigen Frauenbewegung mit Spannung entgegensehen. Wird sie, wie bereits in den fünfziger Jahren, von einer Welle nostalgischer Sehnsucht nach »neuer Weiblichkeit« überschwemmt? Oder hat sich der Zustand kritikfähigen Bewußtseins stabilisiert, so daß man hinter ihn nicht mehr zurückfallen kann? Die Enttäuschung über die unväterlichen Väter kann so stark sein, daß eine Frau lieber weiter nach Autonomie und Selbstverwirklichung drängt, als sich in enttäuschende Abhängigkeit zurückzubegeben.

Immer wieder wird darüber diskutiert, ob sich die psychische Struktur der Frau im Laufe der Zeit verändert hat. Ob sie ichstärker geworden ist, sich von eigenen Urteilen lenken läßt und nicht mehr dem Bild der Frau entspricht, wie es Freud entworfen hat, dem Bild einer Frau, die sich von ihren Affekten und regressiven Bedürfnissen beherrschen und nicht von sachlichen und moralischen Überlegungen bestimmen läßt. Offensichtlich lassen sich Frauen unserer Zeit nicht mehr völlig aus den »männlichen Geschäften« verdrängen, nachdem die Männer sie in den letzten beiden Kriegen zur Teilnahme gezwungen hatten. Doch heute treibt sie nicht mehr der äußere Zwang zur Selbständigkeit, sondern ihr eigenes kritisches Bewußtsein und die eigenen Wünsche nach sinnvoller Lebensgestaltung.

Bei Partnerschaft werden viele Leser nicht an geschäftliche Partnerschaft, an Gruppengemeinschaft, an Beziehungen zwischen gleichgeschlechtlichen Partnern denken, sondern an Ehe oder eheähnliche Beziehung zwischen zwei Menschen unterschiedlichen Geschlechts. Darauf soll sich diese Prognose über die Zukunft der Partnerschaft denn auch beschränken. Vielleicht könnte man genausogut sagen: »Hat die Ehe, hat eine dauerhafte Beziehung zwischen Mann und Frau eine Zukunft oder ist eine solche Zweierbeziehung nur auf Zeit und nicht auf Dauer möglich?« Über Jahrhunderte hat man sich mit dieser Frage beschäftigt, doch heute ist sie aktueller denn je.

Die Liebesehe gibt es, in historischen Dimensionen gesehen, erst seit kurzer Zeit. Durch Jahrtausende beruhte die Institution der Ehe auf dem Besitzrecht des Mannes über die Frau. Im Katalog des sechsten Gebotes rangiert sie als Besitz des Mannes keineswegs an erster Stelle, sondern steht erst hinter dem Haus. Bis über den Beginn des bürgerlichen Zeitalters hinaus bestimmte die patriarchalisch regierte Sippe, wer wen zu heiraten hatte. Im Vergleich zu den Verhältnissen beispielsweise in Indien herrschen bei uns in Mitteleuropa und Nordamerika paradiesische Zustände. Die Neigungsehe hat sich durchgesetzt, und für Mann und Frau besteht individuelle Wahlfreiheit. Ehebruch, seit jeher dem Mann offiziell oder inoffiziell zugestanden, für die Frau über Jahrhunderte gleichzusetzen mit physischer oder gesellschaftlicher Vernichtung, löst bei uns kaum noch dramatische Reaktionen aus. Er ist seit längerer Zeit ein gesellschaftlich anerkanntes Gewohnheitsrecht – für den Mann natürlich immer noch mehr als für die Frau.

Vieles hat sich verändert. Die christliche Liebes- und Treueauffassung spielt nur noch eine geringe Rolle. Aber gibt es deswegen mehr Partnerschaft zwischen Mann und Frau? Können beide gleiche Rechte beanspruchen – ist z. B. der Mann so gebunden an sie wie die Frau an ihn, übernimmt er die gleiche Verantwortung für die Kinder, ist er zur gleichen Einfühlung in den Partner, zu gleicher Dauerhaftigkeit wie sie verpflichtet? Fallen Frauen nicht wieder dem Vorurteil männlicher Überlegenheit zum Opfer, auch im Sexuellen? Wenn sich das männliche Leistungsideal unserer Zeit auch auf den Bereich der Sexualität ausdehnt, besteht die Gefahr, daß Frauen sich diesem Ideal anpassen und aufgrund der »Pille« glauben, sexuell immer zur Verfügung stehen zu müssen, um als leistungsfähig angesehen zu werden.

Frauen neigen zwar weit mehr als Männer zu kritischer Selbstwahrnehmung, doch sie pflegen sich dabei nicht selten mit den Augen eines Mannes zu betrachten, übernehmen seine Urteile und Vorurteile über das Wesen, die Aufgaben und den Wert einer Frau. Trotz sexueller Freiheit bleiben Frauen an die Wertvorstellungen der Männer gebunden und beurteilen sich weitgehend nach den männlichen Kategorien pflichtbewußter, attraktiver Weiblichkeit.

Kann unter solchen Bedingungen überhaupt so etwas wie Partnerschaft entstehen? Die These von der männlichen Überlegenheit, die
immer noch durch die Gehirne von Frauen geistert, muß erst ins
Bewußtsein gehoben werden, wenn Partnerschaft entstehen soll.
Erst wenn Frauen kritischer denken lernen als bisher und ihre
Selbstwahrnehmung von der männlichen Vorstellung von Frauen
befreien, erst dann sind die Vorbedingungen für eine Partnerschaft
zwischen Mann und Frau geschaffen.

Das bedeutet gewiß nicht, daß Frauen wie Männer werden sollen,
sondern vielmehr, daß sie sich auf sich selbst, ihre eigenen Urteils-
und Gefühlsfähigkeiten besinnen. Denn trotz größerer beruflicher
Selbständigkeit, trotz sexueller Freiheit, trotz kritisch-feministi-
scher Einsichten sind junge Frauen bis heute an einen Lebenssinn
gebunden, in dessen Mittelpunkt die »große Liebe«, die Ehe oder
eine eheähnliche Beziehung steht. Da dieser zentrale, den Inhalt des
Lebens ausmachende Wunsch mit der Vorstellung von Schönheit,
Jugend, Gebärfähigkeit eng verbunden ist, erleben sich ältere
Frauen in der Regel als wertlos, sobald ihre Kinder sie nicht mehr
brauchen, und sie glauben den Vorstellungen der Männer von sexueller Attraktivität nicht mehr zu genügen.

Sicher, auch Männer haben die Sehnsucht nach einer auf gegensei-
tigem Verständnis beruhenden partnerschaftlichen Liebesbeziehung, nur wird es ihnen von Anbeginn ihres Lebens beigebracht,
daß Trennungsfähigkeit eine notwendige männliche Tugend ist. Die
Lösung von der Mutter – später von der engen Beziehung zu
Frauen – sehen sie, wie die Gesellschaft, als Notwendigkeit an, um
sich als Mann weiterentwickeln und männliche »Reife« erreichen
zu können. Für Frauen dagegen gilt nach wie vor Bindungs- und
Beziehungsfähigkeit als höchster Wert. Sie sehen den Sinn ihres
Lebens immer noch in der Zweierbeziehung.

Bei solch unterschiedlicher Einschätzung über das, was den »Wert«
eines Menschen, seine »Reife« und auch den »Sinn« seines Lebens
ausmacht, werden sich Mann und Frau auch in Zukunft nicht über
Form und Inhalt einer Partnerschaft einigen können. Sie werden sich weiterhin gegenseitig etwas vormachen. Nur wenn sich
beide ihrer unkritischen, geschlechtsspezifischen Vorurteile, ihrer
Schwierigkeiten des Verstehens und schmerzlichen Verstrickungen
bewußt werden und sich davon befreien, können sie in Zukunft
vielleicht so etwas wie Partnerschaft und Gleichberechtigung
realisieren – und nicht nur auf dem Papier stehenlassen.

7. Müssen wir unsere Mütter hassen?

Die Frauenbewegung hat in den letzten Jahren die Beziehung zwischen Mutter und Tochter häufig diskutiert. Dabei wurde die Mutter wiederholt als hemmender Faktor für die Befreiung der Tochter von Rollenzwängen bezeichnet. Die Mutter, so hieß es, entließe die Tochter nicht aus der Abhängigkeit von ihr und verwehre der Tochter die Verfügung über den eigenen Körper und über die Sexualität, die die Tochter daher nur schuldbewußt oder aufopfernd erleben könne. So behindere die Mutter die Entwicklung der Tochter zur Selbständigkeit: Die Tochter könne sich von der Mutter nicht lösen, weil diese ihr nicht erlaube, die frühkindliche Abhängigkeit aufzugeben, ohne unter Schuldgefühlen und Verlassenheitsängsten zu leiden.

Solche Vorstellungen lassen die Mutter als Hauptschuldige für die Fehlentwicklungen ihrer Kinder erscheinen. Die Emanzipation der Frau wird danach stärker durch die Mütter als durch die von Männern beherrschte Gesellschaft behindert. Auch nach den Theorien vieler Psychoanalytiker (Chasseguet-Smirgel, Horney, Klein, Zilboorg u. a.) stellt der sogenannte »Männerhaß« der Frauen nur eine Abwehr des ursprünglichen Hasses auf die allmächtige Mutter dar, die ihre Tochter nicht aus der Abhängigkeit entlasse und dem kleinen Mädchen die autonome Lustbefriedigung, die Masturbation, verbiete. Jeder Haß, der Frauenhaß der Männer wie der Männerhaß der Frauen, ist für diese Theoretiker letztlich nichts anderes als Haß auf die Mutter und deren Macht über das hilflose Kind. Gesellschaftliche Wertvorstellungen, unbewußte und bewußte Phantasien, geschlechtsspezifische Erziehung sowie spätere Einflüsse und seelische Verletzungen werden weitgehend außer acht gelassen. Diese Neigung zum »Nichts-als«, mit der die Mutter zur Alleinschuldigen für alle Übel gestempelt wird, wirkt sich hindernd auf das Denken aus und erschwert die Analyse der vielfältigen

Einflüsse auf das menschliche Verhalten im allgemeinen und die Entwicklung der Frau im besonderen.

Viele Frauen, sie auch Mütter sind, fühlen sich von der Frauenbewegung angezogen und möchten in ihr Verständnis für ihre Schwierigkeiten finden. Durch die beschriebene negative Haltung fühlen sie sich aber zu »Frauen zweiter Klasse« degradiert und mit ihren Problemen wieder allein gelassen. Wenn die Frau als Mutter bei ihrer Selbstbefreiung keine Hilfe erhält, bleibt sie einsam und kann in ihrer Hilflosigkeit die Kinder nicht anders erziehen, als sie selbst gelernt hat, das heißt, sie drängt ihre Töchter in die gleichen Rollenzwänge, denen sie selber ausgesetzt war.

Es gilt also herauszufinden, warum der Slogan »Allmacht der Mutter – Ohnmacht der Frauen« viele Frauen so beeindrucken konnte. Denn natürlich sind Mütter auch Frauen und sollten als Frauen, die das gleiche Schicksal erleiden, auf Verständnis bei ihren Geschlechtsgenossinnen hoffen dürfen.

Um die Situation von Mutter und Tochter besser verstehen zu können, ist es notwendig, sich zwei Bereichen zuzuwenden: der *psychischen* Wirklichkeit einer Mutter und ihrer *äußeren* Wirklichkeit. Mit anderen Worten: Wenn die Mutter in der Phantasie und im Erleben ihrer Kinder sehr mächtig ist, da die Kinder von ihr abhängig sind, so ist sie hinsichtlich ihrer Stellung in Familie und Gesellschaft doch weitgehend machtlos. So versuchen Mütter ihre Kinder häufig vergeblich gegen die Übergriffe oder Einfühlungslosigkeiten der Väter und später der Autoritäten in Schule und Gesellschaft zu schützen. Gegen besseres Wissen muß sie ihr Kind zur Anpassung an eine nicht selten kinderfeindliche Umgebung anspornen. Wie überaus mühsam, häufig aussichtslos die Versuche einer Mutter sind, sich gegen ihre Umgebung durchzusetzen, um ihrem Kind größere Kränkungen zu ersparen, wird in der Regel nicht erkannt. Der mütterliche Schutz des Kindes ist nie vollständig; kein Wunder, daß die Mutter ihr Kind aufgrund seiner und ihrer Schwäche zur Anpassung anhält, doch das ist dann der Anlaß dafür, daß viele Kinder ihre Mütter mit zunehmender Selbständigkeit ablehnen oder gar hassen. Das gilt für beide Geschlechter und nicht nur für die Töchter. Die Machtlosigkeit der Mutter in der äußeren Realität nehmen Kinder vor allem aus dem Grunde übel, weil die Mutter in den Augen der Kinder, das heißt in der psychischen Realität, je nach dem Grad der Abhängigkeit des Kindes, mächtig bis allmächtig erscheint.

Die Intensivierung der Frauenbewegung in den 60er und 70er Jahren brachte auch in der Psychoanalyse wieder eine Diskussion über die Theorie der weiblichen Entwicklung in Gang. Die Psychoanalyse trifft bei vielen Feministinnen auf Widerstand. Neben einer teilweise berechtigten Kritik an psychoanalytischen Vorstellungen von Weiblichkeit hängt diese Ablehnung der Psychoanalyse aber auch mit einer Verleugnung unbewußter psychischer Vorgänge in der Frauenbewegung zusammen, die häufig in einer rein rationalen und folglich oberflächlichen Diskussion über die Psychologie der Frau verharrt. Frühkindliche Phantasien und kindliche Identifikations- und Triebschicksale haben nun einmal, ob man es wahrhaben will oder nicht, einen wesentlichen Einfluß auf die späteren Verhaltensweisen der Frau. Die verdrängten kindlichen Phantasien von der Allmacht der Mutter bleiben dann unbewußt im Erwachsenenalter bestehen und erzeugen Angst, Unselbständigkeit und Haß.

Bahnbrechend war Freuds Entdeckung, daß nicht nur die äußeren Ereignisse und Erlebnisse sich in der Psyche des Menschen niederschlagen, sondern daß durch Phantasien äußere Ereignisse umgedeutet werden und so eine neue psychische Wirklichkeit geschaffen werden kann, die ihrerseits wieder auf die äußere Wirklichkeit einwirkt und sie verändert. So ist z. B. die Beziehung der Tochter zu ihrer Mutter von Phantasien geprägt und hat nur partiell etwas mit dem realen Verhalten der Mutter zu tun. Daher ist es wichtig, die Mischung von objektiven Ereignissen und deren subjektiver psychischer Erlebnisweise genauer zu verstehen. Das objektive Verhalten der Mutter und ihre Machtlosigkeit nimmt die völlig von ihr abhängige Tochter nicht wahr oder verkehrt sie nicht selten in ihr Gegenteil. Ohne mühevolle Durcharbeitung und Bewußtmachung solcher traditioneller Mißverständnisse zwischen Mutter und Tochter läßt sich diese für die Entwicklung der Frau bedeutsame und einzigartige Beziehung kaum klären, geschweige denn verbessern.

Wenn die Erziehung in den frühen Kinderjahren ausschließlich einer Person, der Mutter, überlassen wird oder die Mutter ihre einzigartige Bedeutung für das Kind als Kompensation benötigt, verspürt das Kind häufig das Gefühl, von der Mutter festgehalten und von ihr beherrscht zu werden. In einer Gesellschaft, in der die Kleinfamilie eine zentrale Rolle spielt, in der die Mutter Schuldgefühle empfinden muß, wenn sie berufstätig ist und ihr Kind

anderen Frauen oder Kindertagesstätten überläßt, und in der der
Vater sich nicht an der frühen Erziehung beteiligt, in einer solchen
Gesellschaft läßt sich die übermäßige Abhängigkeit der Tochter
von der Mutter nur schwer dem Alter entsprechend lösen. Folge
sind die allseits beklagte Unselbständigkeit der Tochter bis ins Erwachsenenalter hinein und deren Haßgefühle auf die Mutter. Von
der Tochter wird außerdem aufgrund der herrschenden Wertnormen erwartet, sich mit der Mutter und deren Verhaltensweisen zu
identifizieren; dagegen wird der Sohn relativ frühzeitig zu einer
Loslösung aus der allzu abhängigen Beziehung zur Mutter ermuntert. Allerdings neigt der Junge später mehr als die Frau dazu,
Gefühle zu verleugnen und zu verdrängen; seine Selbständigkeit ist
weitgehend das Produkt einer Abwehr tiefergehender mitmensch-
licher Beziehungen.

Wenn auch die Beziehung zwischen Mutter und Tochter so häufig
als unheilvoll bezeichnet wird, so darf man doch andererseits nicht
übersehen, daß auch die Beziehung zwischen Mutter und Sohn von
heftiger Feindseligkeit geprägt sein kann. Solange die Mutter allein
für die Erziehung des Kleinkindes zuständig ist, ist es unausweichlich, daß das Kind übergroße Abhängigkeit entwickelt, die ausge-
nutzt werden und folglich Haß erzeugen kann. Der Haß auf die als
allmächtig erlebte Mutter löst freilich Angst- und Schuldgefühle
aus.

Der Knabe gibt die Identifikation mit der Mutter oft zu früh auf,
und so wird die Reifung seiner Gefühlswelt gestört. Das kann jedoch untergründig zu noch größerer Abhängigkeit von der Mutter
führen als beim Mädchen. Denn die Verinnerlichung mütterlicher Funktionen und Verhaltensweisen kann zur Selbständigkeit
des Kindes beitragen; es lernt so Schritt für Schritt, selbst seine
Bedürfnisse zu befriedigen und seine Ängste zu mildern.

Das Recht des Kleinkindes auf Anklammerung an seine Liebesob-
jekte in den verschiedenen Phasen seiner Entwicklung sollte genauso ernstgenommen werden wie das Recht des älteren Kindes
und Jugendlichen auf Ablösung von der Mutter und von der Familie. Auch das Recht des Kindes auf ein ihm entsprechendes
Ausmaß an autoerotischer Befriedigung ist zu beachten. Dem Knaben wird es von der Mutter eher zugestanden als dem Mädchen.
Psychoanalytiker haben darauf hingewiesen, daß das Verbot der
Lust am eigenen Körper den Haß auf die Mutter schüren kann. Als
Folge treten Angstgefühle und erneute Anklammerungstendenzen

auf, weil das Kind die Abwendung der Mutter als Reaktion auf seinen Haß fürchtet.

Daß die Mütter der Sexualität der Töchter, wie sie oft klagen, ablehnend gegenüberstehen, ist sicher nicht nur ein Produkt von Phantasien der Tochter. Diese Ablehnung entspringt den aus der eigenen Kindheit stammenden Ängsten der Mutter selbst. Doch Töchter können auch mütterliche Verbote phantasieren, weil sie sich mit ihrer Sexualität von der Mutter ab- und dem Vater zuwenden. Die von der Tochter phantasierten Verbote können ihren Ursprung auch in einer unbewältigten, übergroßen Abhängigkeit von der Mutter haben, so daß Selbständigkeitsimpulse, vor allem sexueller Art, unerträgliche Angstzustände hervorrufen und Verbote angstmildernd wirken.

Viele Mütter neigen dazu, die Tochter mehr noch als den Sohn als Teil des eigenen Selbst zu sehen, und das führt dazu, daß sie die Eigenart der Tochter und ihre individuellen Bedürfnisse ungenügend wahrnehmen. Aber die Mutter kann in ihrer Tochter auch abgelehnte Teile ihrer eigenen Person unbewußt wahrnehmen, die sie dann in der Tochter bekämpft.

Je klarer die Psychoanalyse erkannte, in welchem Ausmaß Erziehung, Phantasie, aber auch Wertvorstellungen der Eltern auf die psychosexuelle Entwicklung des Kindes einwirken, um so mehr trat die Bedeutung der mitmenschlichen Beziehungen in den Mittelpunkt auch des psychoanalytischen Interesses. Besondere Beachtung fanden die langjährigen Beobachtungen Margaret Mahlers, die auf der Grundlage ihrer Forschungen eine Theorie der stufenweise erfolgenden Loslösung und Individuation des Menschen erarbeitet hat. Wie erwähnt, haben Mahlers Forschungen nachgewiesen, daß die Entwicklung des Kindes davon abhängig ist, daß der Erwachsene dessen Eigenständigkeit seinem Alter entsprechend anzuerkennen vermag.

Um sich von der Mutter lösen zu können, braucht das Kind spätestens am Ende des zweiten Lebensjahres noch andere mitmenschliche Beziehungsmöglichkeiten als nur die zur Mutter. Dafür bietet sich in der Regel der Vater an, der sich nicht früh genug an der Kindererziehung beteiligen kann, soll das Kind die notwendige Selbständigkeit und innere Sicherheit erlangen. Der Prozeß der Individuation kann nur gelingen, wenn der Vater sowohl dem Kinde wie der Mutter einfühlend begegnet und er vom Kind zeitweilig als Brücke zur Mutter erlebt werden kann.

Jahrhundertelange gesellschaftsspezifische Erziehungspraktiken machen es beiden Eltern schwer, sich gegenseitig zu respektieren und sich ohne Vorurteile einander einfühlend zuzuwenden. Beide Eltern müssen zu einer einfühlenden Beziehung zu mehreren Personen gleichzeitig fähig sein, damit sie das Kind mit seinen widersprüchlichen Bedürfnissen verstehen können.

An einem Beispiel möchte ich darstellen, was zu einer mehr oder weniger endgültigen Abwendung von der Mutter führen kann. Martha suchte mich auf, weil sie an Frigidität und Selbstwertstörungen litt. Sie studierte seit vielen Jahren, ohne zu einem Abschluß zu kommen. Als sie ein Kind erwartete, heiratete sie; beides, Ehe und Kind, kamen ihr gelegen. Es bedeutete eine Unterbrechung der belastenden Situation an der Universität. Das Kind war außerdem der erwünschte Beweis dafür, daß sie eine Frau war. Sie zweifelte seit langem insgeheim an ihrer sexuellen Identität und empfand ihren Körper als knabenhaft und minderwertig.
Die sexuelle Beziehung zu ihrem Mann war schlecht; sie ertrug sie nur mit Mühe. Daran änderten auch Ehe und Mutterschaft nichts. Sie fühlte sich leer, unerfüllt und nahm die Studien von neuem auf. Auf Anraten einer Gruppe von Frauen, mit denen sie ihre Probleme diskutierte, ging sie mehrere sexuelle Beziehungen mit anderen Männern ein. Sie suchte sich dabei vor allem Männer aus, die in ihrem seelischen Erleben deutlich eine Vaterrolle spielten.
Ihre Kindheit war, ihrer Erinnerung nach, in den ersten vier Jahren recht glücklich verlaufen. Der Vater war im Krieg, die Mutter in einer kleinen Stadt bei Verwandten. Da die Mutter die Trotzausbrüche ihrer Tochter so wenig aushalten konnte wie die Tochter den Liebesentzug der Mutter, fügte sich Martha bald und wurde ein braves, von ihrer Mutter besonders abhängiges Kind.
All das änderte sich schlagartig, als der Vater aus dem Krieg zurückkam. So wie vorher in der Tochter, so ging die Mutter jetzt ganz im Vater auf. Bald war sie wieder schwanger und gebar einen Sohn, als Martha fünf Jahre alt war. Voll schmerzlicher und wütender Enttäuschung wandte Martha sich von der Mutter ab und suchte Trost bei dem von der Mutter bewunderten Vater. Er vermochte aber die Bedürfnisse der Tochter offenbar nicht als Versuch zu erkennen, zu einem anderen Menschen eine tragfähige Beziehung herzustellen, um sich so aus der Abhängigkeit von der Mutter zu lösen und mit dem Haß auf sie fertig zu werden. Er reagierte

überempfindlich und abweisend auf ihre kindlich-sexuellen Zärtlichkeiten. Die Mutter beantwortete den Rückzug der Tochter mit Liebesentzug. Als Kind konnte Martha häufig den elterlichen Verkehr beobachten, denn sie schlief bis zum 13. Lebensjahr im Schlafzimmer der Eltern. Ihr selbst wurde die Onanie verboten, und so fühlte sie sich hilflos ihren sexuellen Erregungen ausgesetzt.

Von beiden Eltern enttäuscht, aber auch unfähig zur Autonomie, blieb sie dennoch von den Wertvorstellungen der Eltern abhängig. In der Pubertät mit ihren erneuten Trieb- und Abhängigkeitskonflikten fühlte sie sich von der Mutter wieder im Stich gelassen und vom Vater als Frau nicht akzeptiert. Wenn Martha spät nach Hause kam, beschimpften die Eltern sie als Hure und drohten, sie zu verstoßen. Immer wieder versuchte sie ihr Selbstwertgefühl mit Hilfe von sexuellen Beziehungen zu Männern zu heben. Der Erfolg blieb jedoch aus, denn die Männer brachten ihr als Frau genauso wenig Verständnis und Achtung entgegen wie ihre Eltern.

Ihren Mann machte sie im Laufe der Ehe zu ihrer Mutter: Sie konnte ohne ihn nicht leben, war so abhängig von ihm wie als Kind von der Mutter, legte aber auf Sexualität mit ihm wenig Wert. Sie drängte ihren Mann in die Hausfrauenrolle und verachtete ihn gleichzeitig dafür. Die frühen Identifikationen mit der Mutter waren als Folge des Hasses, der Enttäuschung sowie der Unfähigkeit zur altersgemäßen Trennung von ihr weitgehend verlorengegangen. Sie hatte sich mittlerweile von der eigenen Mutter endgültig abgewendet.

Eine solche Entwicklung der Mutter-Tochter-Beziehung trifft die Mutter hart; sie erlebt sich als Schuldige für alle Enttäuschungen im Leben der Tochter. Sie hat dann meist ein Alter erreicht, in dem sie mit ihrer Einsamkeit nur schwer fertig werden kann und tief enttäuscht ist, wenn ihre Kinder sie nicht mehr brauchen oder sie ablehnen. Da sie dazu erzogen worden ist, ihren Lebensinhalt in der Versorgung von Mann und Kindern zu sehen, ist sie in ihrer Desorientierung und Verlorenheit den Vorwürfen ihrer Kinder besonders hilflos ausgesetzt.

8. Lebensmitte und Einsamkeit der Frau

Die meisten Darstellungen der als typisch geltenden Krise der Lebensmitte beziehen sich weit häufiger auf Männer als auf Frauen. Auf ihren einfachsten Nenner gebracht, läßt sich nach Lektüre der Bestseller-Literatur zu diesem Thema feststellen: Die vielzitierte Krise hat zum Inhalt, daß der einigermaßen wohlsituierte Mann unserer Gesellschaft sich mit Ende Dreißig bis Ende Vierzig fragt: »War das nun alles, was mir das Leben zu bieten hatte?« Er löst die Krise und überwindet das Gefühl der inneren Leere und Unzufriedenheit, indem er den Beruf oder die Frau oder beides wechselt. Der neue Beruf soll ihm mehr Erfolg oder mehr Selbstbesinnung bringen; die Frau, die natürlich jünger und schöner sein soll als die bisherige, soll sein Leben mit neuer Spannung erfüllen und möglichst einen gesellschaftlichen Erfolg für ihn darstellen, um die narzißtischen Kränkungen, die mit dem Alter verbunden sind, kompensieren zu können.

Was aber Frauen in dieser Zeit um das vierzigste Lebensjahr und später machen sollen, wenn sie Gefühle der Leere und Sinnlosigkeit überkommen – diese Frage wird selten gestellt. Denn für sie gibt es die Patentlösung der Berufs- oder Ehepartnerwechsels viel seltener als für den Mann der mittleren oder gehobeneren Klasse.

Frauen dieses Alters belastet in unserer Gesellschaft gewöhnlich die Rolle der Hausfrau und Mutter. Damit sollen sie sich nach allgemeiner Auffassung zufriedengeben, ertragen lernen, daß ihre Kinder älter werden und ihre Mütter weniger brauchen und der Mann sich anderen Partnerinnen zuwendet. Wollen sie dennoch erneut berufstätig werden, so finden sie, wie allgemein bekannt, nur selten einen Arbeitsplatz.

Gail Sheehy spricht in ihrem Buch über die Krise der Lebensmitte von der Möglichkeit einer inneren Verwandlung und Entfaltung auch bei Frauen in diesem Lebensalter. Dafür sei die Überwindung bisheriger einengender Überich-Bindungen ausschlaggebend. Mir scheint, daß die Autorin eine etwas hektische Selbstverwirklichungsidee propagiert, die viel mit dem Leistungsideal unserer Gesellschaft gemein hat. Sie zu erfüllen ist im allgemeinen nur möglich, wenn außer der Mutter auch andere Familienmitglieder sich an der Versorgung der Kinder beteiligen. Solche Vorbedingungen sind zweifellos nur für einen geringen Prozentsatz der Frauen gegeben.

Immer stärker geraten die gesellschaftlichen Rollenerwartungen in Fluß. Das Gefühl der Unsicherheit verstärkt sich bei Frauen noch umfassender als bei Männern. Widersprüchliche Forderungen werden erhoben. Von Frauen erwartet unsere Gesellschaft immer fordernder, daß sie sich selbständig machen. Gleichzeitig können sie Freiheitsmöglichkeiten nicht nutzen, weil ihnen die familiären, beruflichen und psychischen Voraussetzungen fehlen. Manche Frau empfindet folglich ein immer stärker werdendes Gefühl der Wertlosigkeit. Sie soll Mutter sein, die sich in die komplizierten psychischen Probleme ihrer Kinder einfühlt, soll eine gute Hausfrau abgeben und darüber hinaus auch die gleichberechtigte Partnerin ihres Mannes sein, die sich auch beruflich durchsetzen kann. Das sind Forderungen, die kaum jemand erfüllen kann.

Gerade weil heute weniger formal fixierte gesellschaftliche Erwartungen an die Menschen herangetragen werden, sehnt sich der desorientierte Erwachsene danach, besser voraussehen zu können, mit welchen Verhaltensweisen er bei sich selber und anderen zu rechnen hat und wie er mit seinen kritischen inneren Zuständen in der Lebensmitte und dem entsprechenden Partnerproblemen fertig werden kann. Da ist die Neigung groß, bei der Psychologie Patentrezepte für die Lösung solcher verwirrender Probleme zu suchen.

Sicherlich ist der Mensch in den verschiedenen Lebensaltern mit unterschiedlichen Fragen und Problemen konfrontiert, die altersentsprechende Antworten und Lösungen fordern. Wir wissen aber auch, daß die Art des Umgangs mit Krisen in der jeweiligen Lebensphase davon abhängig bleibt, wie ein Mensch in seinem bisherigen Leben Probleme und Konflikte zu bewältigen versucht hat. Entwicklungs- und Übergangsphasen, in denen Krisen zu meistern sind, haben wir von Anbeginn des Lebens zu überstehen. Es wäre also abwegig, bei der Beschäftigung mit dem Erwachsenen-

alter die Vergangenheit zu vergessen und deren Bedeutung für das
gegenwärtige Verhalten zu verleugnen. Nur wenn man die Vergangenheit zu verstehen und zu integrieren versucht, ist ein Neubeginn
in der sogenannten Lebensmitte möglich.

Die Phasen der Kindheit und Jugend, typische Entwicklungsfor-
men der Frühzeit des Menschen, sind in der Psychoanalyse intensiv
erforscht worden; hingegen ist das Erwachsenenalter weitgehend
vernachlässigt oder nur als Wiederholung von Kindheitskonflikten
angesehen worden.

Offen bleibt in den Arbeiten zum Thema, wie die entsprechende
Situation aussehen soll bei Frauen, die zwar innerlich selbständig
werden können, aber aufgrund ihrer gesellschaftlichen, ökonomischen und familiären Stellung große Mühe haben, ihr »eigener
Herr« zu werden.

In Untersuchungen am Frankfurter Sigmund Freud-Institut mit Patienten zwischen 35 und 60 Jahren fiel es uns schwer, die Probleme
dieser Lebensphasen unabhängig von früheren Entwicklungsstufen
und ihren Konflikten zu sehen. Wie die Pubertät beeinflußt wird
von der Art der Lösung des ödipalen Konfliktes, so ist dieser wiederum abhängig von dem Verlauf der Individuations-Separations-
phase im zweiten Lebensjahr. Wenn auch alle späteren Konflikt-
situationen in gewisser Weise eine ähnliche Problematik von
Bindungswünschen und Autonomiebedürfnissen widerspiegeln, so
bewegen sie sich doch auf einer anderen Ebene der Ich-Entwicklung und in einer anderen Lebenssituation mit neuen Inhalten und
Konflikten, die in der Kindheit und Jugend noch keine Rolle spielten. So muß ein Mensch, je älter er wird, sich zunehmend mit dem
Tod auseinandersetzen; er entwickelt ein neues Zeit- und Selbstgefühl. Die damit einhergehenden Veränderungen sind für Frauen
noch einschneidender als für Männer. Das Nachlassen der sexuellen Attraktivität und der durch sie bestimmten Objektbeziehungen
sowie der Möglichkeit, Kinder zu bekommen, muß ertragen und
verarbeitet werden. Damit verbinden sich Trennungen, die zu bewältigen sind, was nur möglich ist, wenn sich die Fähigkeit zum
Alleinsein entwickeln konnte.

In jeder Lebensphase unterscheidet sich, jedenfalls in unserer Gesellschaft, das Schicksal von Mann und Frau. Das heißt nicht, daß
es sich hier um ausschließlich biologisch bedingte Entwicklungen
handelt, die sich auf anatomische Unterschiede der Geschlechter
oder angeborene psychische Eigenschaften zurückführen lassen.

Mit Recht hat Simone de Beauvoir darauf hingewiesen, daß man nicht als Frau geboren, sondern zur Frau gemacht wird, das heißt, gesellschaftliche Vorurteile bestimmen, wie eine Frau zu sein hat. Die Erziehung eines Mädchens unterscheidet sich immer noch weitgehend von der des Knaben; die Erwartungen, Hoffnungen, Einschränkungen und Rollenvorschriften, die der Frau von der Gesellschaft, wenn auch in sich widerspruchsvoll, nahegelegt werden, unterscheiden sich grundlegend von den Forderungen, denen sich Männer anpassen müssen.

Eine Selbstverwirklichung, wie sie unsere Kultur als Ideal vom Mann wie von der Frau fordert, steht daher häufig in krassem Gegensatz zu den inneren und äußeren Möglichkeiten einer Frau.

Schon vor dem vierzigsten Lebensjahr sind Frauen mit den Problemen der Lebensmitte konfrontiert, mit der Frage, wie und in welcher Form sie es ertragen sollen, von ihren Kindern nicht mehr gebraucht zu werden und gleichzeitig im beruflichen Leben nicht mehr Fuß fassen zu können. In dieser Situation innere Autonomie zu entwickeln, um nicht von Gefühlen der Wert- und Nutzlosigkeit überwältigt zu werden, scheint oft aussichtslos.

In der Lebensmitte müssen sich viele Frauen auch ernsthaft mit der Tatsache auseinandersetzen, daß ihre heterosexuellen Beziehungen für sie nicht befriedigend waren. Nicht selten fühlen sie sich infolgedessen schuldig und versuchen sich durch masochistische Unterwerfungshaltungen dem Mann gegenüber für ihre Orgasmusunfähigkeit zu bestrafen. Sie führen das, was sie als ihre Unfähigkeit zu lieben interpretieren, auf den eigenen untergründigen Haß auf den Mann zurück. Oft meinen sie, mit Sexualität bezahlen zu müssen, da sie sich als unfähig erleben, allein zu sein und ihr Leben selbst meistern zu können. Sexualität, auf diese Weise erfahren, erzeugt aber nur neue Haßgefühle, die wiederum mit masochistischen Unterwerfungshaltungen beantwortet werden und das Gefühl des eigenen Unwertes stärken.

Ich möchte nun darzustellen versuchen, wie sich Krisen in den verschiedenen Lebensphasen äußern können und wie sie miteinander verbunden bleiben.

Eine Frau von etwa vierzig Jahren kommt in Behandlung, weil sie an depressiven Verstimmungen leidet. Seit vielen Jahren hat sie eine intensive Beziehung zu einem verheirateten Mann, der sich zu einer

Trennung von seiner Frau nicht entscheiden kann. Sie ist beruflich
tätig und auch recht erfolgreich, obwohl sie das Gefühl hat, sich
nicht durchsetzen zu können. Ihr Selbstwertgefühl war von jeher
gestört, Krisen gab es in der Pubertät und im Erwachsenenalter
genug, die im wesentlichen um den Konflikt zwischen Individuation und kindlicher Abhängigkeit, zwischen Liebe und Haß und
den damit verbundenen Schuldgefühlen kreisten.

In der Psychoanalyse werden zwei Ursachen dafür angegeben, daß
die Frau kein ausreichendes Selbstwertgefühl entwickeln kann und
deswegen ihrem narzißtischen Bedürfnis nach Geliebtwerden übermäßig ausgeliefert bleibt: erstens, die fehlende – oder auch ambivalente – Liebe der Mutter zu ihrer Tochter; zweitens, das nicht
überwundene Gefühl eigener körperlicher Minderwertigkeit. Daß
beides weitgehend aus der Erziehung und gesellschaftlichen Höherbewertung des Männlichen folgt, ist häufig übersehen worden.
Bei unserer Patientin war die Selbstwertstörung folgendermaßen
zustande gekommen:

Zur Mutter blieb über lange Zeit eine allzu abhängige Beziehung
bestehen. Der Versuch einer altersentsprechenden Trennung von ihr
hatte heftigere Gefühle als normal geweckt. Mit dem zwei Jahre
älteren Bruder verstand sie sich kaum. Er war eifersüchtig auf sie
und sah in ihr das von der Mutter bevorzugte Kind. Die Mutter
war insofern eine typische Vertreterin unserer Gesellschaft, als sie
dem Mann prinzipiell ein weit höheres Prestige in Fragen der Intelligenz und des sozialen Einflusses zumaß als der Frau. Sie
unterwarf sich daher der Tyrannei der beiden Männer, die sich aber
kaum darüber im klaren waren, in welchem Ausmaß sie ihrerseits
von der Mutter abhängig geblieben waren. Dafür wurden sie insgeheim von der Mutter und Tochter lächerlich gemacht. Faktisch
war beiden Geschlechtern eine ziemlich gleichwertige Verachtung
des anderen Geschlechtes gemeinsam.

Das verhinderte eine vertrauensvolle Beziehung zu Vater und Bruder, die die Abhängigkeit meiner Patientin von ihrer Mutter hätte
mildern können. Auf Versuche, sich dem Vater zu nähern, reagierte
die Mutter eher ablehnend. Auf Onanie und Sexualität lastete ein
strenges Tabu, was zur Folge hatte, daß auch die entsprechenden
ödipalen Phantasien unterdrückt werden mußten und sich keine
lustvolle Autonomie im Verhältnis zum eigenen Körper entwickeln
konnte.

Die tiefen Störungen ihres Selbstwerts hatten viele Ursachen. Einerseits hatte sie sich mit ihrer Mutter identifiziert, die sich selbst wegen ihrer oft unterwürfigen Haltung verachtete, andererseits waren sie die Folge der mehr oder weniger offenen Verachtung alles Weiblichen, die von Vater und Bruder ausging, aber auch von der Mutter geteilt wurde.

Ihre Gefühlsambivalenz beiden Eltern gegenüber bereitete der Patientin schwere Schuldgefühle und stellte für sie ihren eigenen Wert als liebesfähiges Wesen und als Tochter solcher Eltern in Frage. Wenn sie sich später häufig in ähnliche Krisensituationen begab, indem sie sich Männern zuwandte, die bereits verheiratet waren, so war das sowohl Ausdruck eines nicht überwundenen ödipalen Konflikts und des damit verbundenen Schuldgefühls, als auch der Wunsch, sich von allzu großer Abhängigkeit von einer Mutter-Imago zu befreien. Letzteres gelang deshalb nicht, weil sie in jeder intimen Beziehung die frühe Symbiose mit der Mutter und die damit in Konflikt liegenden Wünsche nach Autonomie wiederholte, die sie erneut in Abhängigkeit und Gefühlsambivalenz treiben mußten.

Erst in der Analyse lernte sie, toleranter mit ihren zwiespältigen Gefühlen umzugehen und Schuldgefühle zu ertragen. Das förderte ihre Autonomie und damit auch die positive Seite ihrer Beziehung zur Mutter. Die Liebe überwog jetzt den Haß, so daß ihre Mutter-Repräsentanz zunehmend die Qualität eines »guten Introjekts« annahm. Das »böse Introjekt«, das heißt die Verinnerlichung eines mit Wut, Rache und Entwertung besetzten Objektes, von dem eine Trennung erfolgte, verhindert eine Erweiterung des Ich mit Hilfe neuer und vielfältiger Identifikationen und damit eine Reifung der Person. Folge ist häufig eine dauernde Vorwurfshaltung, gemischt mit unbefriedigten Abhängigkeitsgefühlen und Selbsthaß. Unter diesen Umständen bleiben Möglichkeiten unentwickelt, die die Grundlage altersentsprechender Autonomie sind.

Vielleicht werden wir in unserer Gesellschaft tatsächlich erst in der Lebensmitte, wenn überhaupt, erwachsen. Nach manchen psychoanalytischen Berichten (Martha Wolfenstein) ist Trauerarbeit erst nach der Pubertät möglich. Uns schien es oft so, als ob die Trennung von kindlichen Bindungen oder die Integrierung der verlorenen Objekte in das Selbst erst in der Lebensmitte wirklich vollzogen werden. Wenn in dieser Zeit alte Bindungen, die in der Beziehung zum Partner fortgesetzt werden, nicht aufgegeben, nicht von allzu großer Ambivalenz befreit und verinnerlicht werden können, ist die Chance einer kreativen Nutzung der zweiten Lebenshälfte gering.

Erscheinen uns die Jahre vor der Lebensmitte und diese selbst als eine Zeit, in der es darum geht, Identifikationen zu integrieren, um bisher ungelebte, unentwickelte oder unterdrückte Möglichkeiten neu in Betracht zu ziehen oder überhaupt erst zu entwickeln, so beobachten wir auf der anderen Seite häufig, daß das eigene Ungelebte beim andersgeschlechtlichen Partner als gegeben angesehen und idealisiert wird, aber auch zugleich aus Neid der Entwertung anheimfällt. Neid verhindert oft, Verinnerlichungen vorzunehmen und sie ungestört integrieren zu können. Beide Geschlechter haben die Tendenz, den jeweils anderen aus der eigenen Welt auszuschließen. Die Frauen werden aus der als Domäne des Mannes empfundenen beruflichen Welt ausgeschlossen, die Männer aus der Welt der Familie, des Hauses, der weiblichen und mütterlichen Funktionen. Dahinter steckt oft eine Neidproblematik, die viele Autoren übersehen haben. Das hindert weibliche wie männliche Partner in ihren emotionalen Bindungen daran, Anteile des eigenen Selbst und Möglichkeiten, die im anderen gesehen werden, bei sich selbst zu entdecken und zu entwickeln.

Die Lösung dieser Konflikte ist für die Geschlechter unterschiedlich schwierig. Denn der Mann hätte oft die Möglichkeit, innerhalb der Familie seine mütterlichen Identifikationen einzubringen, wenn er sich aufgrund seiner gesellschaftlichen Vorurteile nicht gegen die Erfüllung solcher Wünsche wehrte. Viele Frauen würden eine solche veränderte Haltung des Mannes mit dem Gefühl der Erleichterung darüber, erzieherische Verantwortung mit ihm teilen zu können, nur allzugern akzeptieren. Umgekehrt hat es die Frau ungleich schwerer, ihre berufliche Selbstverwirklichung durchzusetzen. Denn sie hat nicht nur mit dem Widerstand des Ehemannes, sondern mit dem eines ganzen Gesellschaftssystems zu rechnen.

Die narzißtischen Neurosen stehen heute im Mittelpunkt des theoretischen Interesses vieler Psychoanalytiker. Bei der Lektüre der Autoren, die sich mit den Störungen der narzißtischen Entwicklung befassen, fällt auf, daß wie bei den Problemen der Lebensmitte die narzißtischen Störungen des Mannes weit mehr als die der Frau zur Diskussion stehen. Wohl aus ähnlichen Gründen: denn was als Grundbedingung für die Entwicklung eines gesunden Narzißmus

gilt, die ungeteilte Bewunderung des Kindes durch die Mutter, wird
nach der psychoanalytischen Theorie und den Erfahrungen vieler
Zeitgenossen nur dem Knaben zuteil.

Wenn also stimmt, was der amerikanische Psychoanalytiker
H. Kohut für erwiesen hält, daß nämlich zur Entwicklung eines
gesunden Selbstwertgefühls und zur Integration der psychischen
Strukturen zu einem eigenständigen, kohäsiven Selbst die Bewun-
derung des Kindes durch die Mutter notwendig ist, wird das
Selbstwertgefühl der Frau immer gestört bleiben müssen.

Die psychoanalytischen Theorien über die Frau sind aber in sich
widersprüchlich: Einerseits gilt die Frau als besonders narzißtisch,
weil sie aufgrund der beschriebenen frühkindlichen Kränkungen
kein gesundes Selbstwertgefühl entwickeln kann, andererseits gilt
es als selbstverständlich, daß sie sich wie kein anderes Familienmitglied in das kleine Kind einfühlt. Die Schäden, die durch mütterliche Unfähigkeiten zur Einfühlung entstehen, sind in der psychoanalytischen Literatur eindringlich dargestellt worden. Wie aber
soll eine Frau leisten, was heute von einer Mutter an Liebe und
Einfühlung gefordert wird, wenn ihr selber nie ambivalenzfreie
Liebe gegeben worden ist, wie es doch nach der psychoanalytischen Theorie erforderlich ist? Mit Recht werden Einfühlungsstörungen in der Mutter-Kind-Beziehung große Bedeutung für die
weitere Entwicklung des Kindes zugemessen, aber die Schuldlast,
die der Mutter auf diese Weise aufgebürdet wird, ist erdrückend.
Hier liegt sowohl eine Überforderung als auch eine Idealisierung
der Mutter vor.

Es ist wiederholt darauf hingewiesen worden, daß die Tendenz zur
Entwertung der Frau eine Abwehr gegen die frühkindliche Abhängigkeit von der als allmächtig erlebten Mutter darstellt. Folglich
stellt sich die Fixierung an die Vorstellung vom »typisch« weiblichen Narzißmus oft als Projektion männlicher Liebesunfähigkeit
heraus. Die Frau, die sich vor und in der Lebensmitte als Mutter
und Partnerin überfordert sieht und daher unter Schuldgefühlen
leidet, die im Beruf kaum Selbstverwirklichungschancen hat, mit
wenig Verständnis für ihr Ringen um Selbstachtung rechnen kann,
hat es schwer, »ihr eigener Herr« bzw. »ihre eigene Frau« zu werden, das heißt genügend Selbstsicherheit und Autonomie aufzubauen. Es ist deshalb nicht verwunderlich, daß Frauen stärker als
Männer unter depressiven Reaktionen leiden. Beruflich konnte
und kann die Frau sich nur schwer selbst verwirklichen, wenn zur

gleichen Zeit ihr »Traum« von großer Liebe, Kindern etc. erfüllt
werden soll. Das alles ist bekannt, aber man kümmert sich nur
wenig um die schwerwiegenden Probleme, mit denen sich die Frau
aufgrund dieser ihr aufgezwungenen Ideale in der Lebensmitte
konfrontiert sieht. Im Gegenteil, es gilt als selbstverständlich, daß
sie sich einerseits völlig in die Bedürfnisse der Kinder und des Mannes einzufühlen vermag und dabei glücklich ist und andererseits die
Kinder nach deren Reifung ohne weiteres aus der Abhängigkeit
von ihr entläßt. Ähnlich soll sie sich den Freiheitsbedürfnissen des
Mannes ohne melancholische Verstimmungen unterordnen.

Faktisch gibt es so etwas wie die Erfüllung durch die »große Liebe«
nur für kurze Zeit – womit gewiß nicht abgestritten werden soll,
daß manche Paare zueinander eine starke psychosexuelle Anziehungskraft empfinden und sie, wenn auch selten, aber durchaus
möglich, bis ins Alter aufrechterhalten. Dennoch, wir alle wissen,
wieviel psychische und geistige Arbeit zu leisten ist, um eine mitmenschliche Beziehung durch die verschiedenen Lebensphasen
hindurch lebendig zu halten, wieviel Trauer, das heißt Durcharbeiten von Verlusten, erlebt werden muß, um zu veränderten Haltungen und neuen Einsichten fähig zu sein.

Christa Wolf spricht in ihrem Buch *Kindheitsmuster* davon, daß die
Gefühle sich rächen, die man sich verbieten muß. Mit dem Verlust
der Erinnerung an Gefühle gehe auch der Verlust des inneren Gedächtnisses Hand in Hand. Damit verliert man den Zugang zum
eigenen Selbst, das einem fremd wird. Aber auch die Unfähigkeit,
sich von alten Gefühlen, Idealen und Beziehungen trennen zu können, hat schwerwiegende Folgen. Das starre Festhalten an Einstellungen aus der ersten Lebenshälfte führt oft zur Einsamkeit und
Bitterkeit in der zweiten. Dafür ein Beispiel:

Mit Anna L., einer Frau von etwa 55 Jahren, führte ich einige
Gespräche, weil ihre Tochter es dringend wünschte. Anna hatte
kurz vor dem Krieg geheiratet und gebar im Laufe der folgenden
Jahre zwei Kinder. Sie war Ärztin und blieb mit kurzen Unterbrechungen berufstätig. Ihr Mann war für sie die »große Liebe« und
ihr Ideal. Die Kinder galten ihr als Erfüllung dieser im Mittelpunkt
ihres Lebens stehenden Beziehung.

Als ihr Mann aus dem Kriege zurückkam, fühlte er sich offenbar
durch die Idealisierung seiner selbst und der ehelichen Beziehung
eher bedrängt und eingeengt als beglückt. Jedenfalls hatte er bald

andere Freundinnen, und es vergingen nur wenige Jahre, bis er den Wunsch nach einer Trennung äußerte. Für Anna war das der Schock ihres Lebens, auf den sie mit einem starren Festhalten an der Ehe reagierte. Für sie gab es nur diesen einen Mann, für den sie ihrer Meinung nach auch die einzig richtige Frau war.

Als ihr Mann von zu Hause fortzog, tat sie, was in ihrer Macht stand, um ihn zurückzuholen. Die Kinder wurden in diesen Kampf um den Vater voll mit hereingezogen, so daß sie das Gefühl entwikkelten, für die Mutter eigentlich nur als Bindeglied zum Vater von Bedeutung zu sein. Trotz ihrer Berufstätigkeit konnte Anna sich von der Bindung an ihren Mann nicht befreien; sie blieb in pathologischer Weise an ihn fixiert und war über viele Jahre nicht gewillt, sich scheiden zu lassen. Das beeinträchtigte ihr Leben, vor allem aber auch ihre Beziehung zu ihren Kindern und zu anderen Menschen in großem Maße.

Auch in ihrer Lebensmitte änderte sich diese starre Haltung nicht. Ihre Gefühle und ihre Lebenshaltung blieben vom Älterwerden unbeeinflußt. In ihrem Mann sah sie nach wie vor ihre »große Liebe«, der Zorn auf ihn, der sie verlassen hatte, wurde weitgehend verdrängt oder nur insofern ausgelebt, als sie ihm mit allen ihr zur Verfügung stehenden Mitteln eine Trennung von ihr unmöglich machte.

Ihre Tochter hatte ihr Leben lang darunter gelitten, in diese pathologische Fixierung der Mutter an den Vater mit einbezogen zu werden, wodurch sie sich als Eigenperson weder verstanden noch geliebt gefühlt hatte. Es handelte sich hier also um eine Frau, die wandlungsunfähig war und keine Trauerarbeit leisten konnte. Sie blieb an gesellschaftlichen Vorurteilen von der »großen Liebe« als Lebenssinn und Lebensziel fixiert. Die Folge war, daß sie nicht nur die Beziehung zu ihrem Mann völlig zerstörte, sondern daß sie auch keine Befriedigung in ihrem Beruf erleben konnte und darüber hinaus die Liebe ihrer Kinder verlor. Denn natürlich entdeckten die Kinder, daß die Mutter zu ihnen keine sie und ihre wirklichen Interessen betreffende Beziehung hatte. Sie fühlten sich zwar für die Mutter verantwortlich, aber sie lösten sich innerlich doch weitgehend von ihr. Das Alter dieser Frau war folglich einsam. Ihre starre innere Fixierung an eine phantasierte Beziehung zu ihrem Mann zerstörte langsam, aber unausweichlich jeden lebendigen Kontakt mit den Menschen ihrer Umgebung.

Wenn die Lebensmitte hier mit Trauer in Zusammenhang gebracht wird, dann um zu zeigen, daß diese Phase etwas mit der psychischen Verarbeitung von Verlust und Abschied zu tun hat und haben muß, wenn nicht eine Stagnation in unserer seelischen Entwicklung eintreten und Einsamkeit unser Leben bestimmen soll, wie es bei Anna L. der Fall war.

Ein Teil des Elends unserer Kultur läßt sich auf den Jugendlichkeitskult zurückführen und auf die Abwehr all dessen, was mit Altern, Abnahme von Kraft und Schönheit etc. verbunden ist. Das führt dazu, daß wir dem Leistungs- und Konkurrenzzwang immer mehr verfallen, der alle Bereiche des Lebens, einschließlich der Sexualität, erfaßt hat.

Wenn wir das Alter, das zu Beginn der zweiten Lebenshälfte langsam näherrückt, krampfhaft von uns abzuhalten versuchen, heißt das auch, daß damit der Generationenunterschied verwischt wird und die Generationen sich in ihren Erfahrungen und Bedürfnissen nicht ergänzen und nicht voneinander lernen können. Wenn also das Alter in einer Kultur wie der unsrigen so entwertet wird, kann die zweite Lebenshälfte weder für den, der altert, zu einer Phase der Reifung werden, noch kann der alternde Mensch dem jüngeren eine Orientierungsmöglichkeit bieten. Dabei wäre es von größter Bedeutung, wenn der älter werdende Mensch seine umfassendere Erfahrung, seine Distanz zu Erfolgserlebnissen, seine größere Gelassenheit gegenüber Anerkennungsbedürfnissen etc. an die nächste Generation weiterzugeben vermöchte, um diese so auf das eigene Älterwerden, auf die Lebensmitte und schließlich auf den Tod vorzubereiten. Das Erwachsenwerden bedeutet für jeden Menschen immer auch ein stückweises Abschiednehmen von Gefühlen und Bindungen, mit denen man bisher gelebt hat. Das heißt nicht unbedingt, daß damit der Verlust einer Beziehung verbunden ist, sondern häufig nur die Wandlung der inneren und äußeren Situation, in der man sich mit sich selbst oder mit anderen Menschen befindet.

Die Lebensmitte ist eine Übergangsphase, die, was Gefühlsumstellungen angeht, an Frauen besonders harte Forderungen zu stellen pflegt. Ihnen werden die menschlichen Beziehungen gefühlsmäßiger Art gewöhnlich als Lebensaufgabe zugewiesen, doch deren Wandlung ist in der Lebensmitte unvermeidbar. Oft können Frauen erst nach der Lösung von gefühlsmäßigen Bindungen familiärer Art beruflich tätig und erfolgreich werden. Die meisten

Menschen sind erstaunt, wenn Frauen im fortgeschrittenen Alter eine neue Berufsausbildung beginnen oder den früher erlernten Beruf wieder aufgreifen.

Trauer ist also ein Durcharbeiten und langsames Ertragen von Verlusten mit der Möglichkeit, durch diese Erfahrungen an menschlicher Reife zu gewinnen, das heißt Gefühlsbindungen, die nicht mehr alters- und zeitentsprechend sind, aufgeben oder doch einer Wandlung unterziehen zu können; dazu gehört es auch, weniger narzißtisch um den Erfolg und die »Selbstverwirklichung« zu kreisen. Damit soll nichts gegen Selbstverwirklichung gesagt sein; sie kann gerade mit Hilfe von Trauerarbeit und manchem Verzicht in und nach der Lebensmitte erreicht werden. Doch nur wenn der Jugendlichkeitskrampf unserer Kultur sich langsam löst und sich die über Vierzigjährigen mit ihrem Älterwerden versöhnen sowie sich den damit einhergehenden Problemen und neuen Lebensgefühlen stellen können, besteht meines Erachtens eine Möglichkeit zu weniger Destruktivität durch zuviel Rivalität und zu weniger Depression durch zuviel Selbstentwertung. Mehr Besinnlichkeit in unserem täglichen Leben würde zweifellos erheblich beitragen zu dem, was man heute »Lebensqualität« nennt.

Ein Unterschied zwischen Trauer und Melancholie oder auch Depression besteht darin, daß bei der Trauer der Selbstwertverlust weitgehend fehlt, von dem die Melancholie bestimmt wird. Trauer um ein verlorenes Liebesobjekt, um verlorenes Glück, sei es in einer sexuellen Beziehung, sei es in der Beziehung zum Kinde, kann zeitweilig mit einem Gefühl der Leere, der Ziel- und Sinnlosigkeit verbunden sein, ist aber ein vorübergehender Zustand. Trauer geht auch oft mit dem Gefühl der Reue einher, zum Beispiel darüber, nicht genug für jemanden, den man liebte, getan zu haben, solange das noch möglich und notwendig gewesen wäre. Trotz aller solcher Selbstvorwürfe ist Trauer kein Zustand einer dauerhaften Selbstentwertung. Sogar die Trauer über Verluste von Idealen braucht nicht zur Melancholie zu führen, die eben, im Gegensatz zur Trauer, ein Dauerzustand sich aufdrängender Gefühle der ängstlichen Leere, der Sinn- und Wertlosigkeit darstellt.

In der Lebensmitte und später muß man sich mit der Tatsache beschäftigen, daß es Dinge gibt, die nicht wiedergutzumachen sind. Man hat die Selbstbehauptung, den Erfolg oft zu sehr in den Vordergrund gestellt und den Nächsten darüber vergessen. Das Kind hat sich aus der engen Beziehung zu den Eltern gelöst, und was es damals brauchte und nicht bekommen hat, kann man ihm heute nicht mehr geben. Meinen Erfahrungen nach stellt sich die Frau einer solchen Trauerarbeit gewöhnlich intensiver als der Mann. Der nutzt die psychischen Abwehrmechanismen, z. B. diejenigen der Verleugnung und Verdrängung, meist erfolgreicher als die Frau. Das hängt auch damit zusammen, daß sein Leben von seinem Beruf, seinem Ehrgeiz, seiner gesellschaftlichen Stellung oft stärker bestimmt ist als von der Bedeutung der mitmenschlichen familiären Gefühlsbeziehungen.

Hat die Frau in der Lebensmitte die Möglichkeit, sich zu »entscheiden«? Für das immer noch typische Frauenschicksal unserer Gesellschaft, das um Familie und Kinder kreist, wird das relativ selten der Fall sein. Was den Beruf betrifft, muß sie sich schon vorher entschieden haben, sonst gibt es für sie kaum eine andere Möglichkeit, als sich mit den beruflichen Umständen und Angeboten abzufinden, die sich einer Frau anbieten, die bis dahin ihre Kraft im wesentlichen der Familie widmete. In den meisten Fällen muß sie also in der Lebensmitte vor allem lernen, sich zu bescheiden. Auch das ist unweigerlich mit einem Prozeß der Trauer, wenn nicht der Depression, verbunden. Wenn man in dieser Zeit lernt, falsche Hoffnungen und allzu abhängige Beziehungen langsam aufzugeben, kann dieser Prozeß durchaus produktiv sein. Eine Frau weiß dann, daß sie weitgehend auf sich allein angewiesen ist, langsam dem Lebensende zugeht und meist selbst herausfinden muß, was sie daraus zu machen gedenkt. Das bedeutet in vielen Fällen für die Frau auch eine Befreiung von gesellschaftlich einengenden Vorurteilen, z. B. darüber, wie das Leben einer Frau auszusehen habe.

Levinson spricht in seinem Buch *Das Leben des Mannes* davon, daß der Mann in der Lebensmitte imstande sein muß, selber keine »Mentoren«, das heißt Leitfiguren, mehr zu brauchen, sondern für andere Vorbild und Orientierung abzugeben. Wie kann man diese Vorstellungen auf die Frau übertragen? War sie nicht als Mutter immer schon ein »Mentor«? In unserer Gesellschaft ist das wohl mit Ja und mit Nein zu beantworten. Sie ist zwar frühes Vorbild für die Kinder männlichen wie weiblichen Geschlechts, und mit ihr identifizieren sich anfänglich Mädchen wie Knaben. Aber beide Geschlechter kommen auch nur schwer aus dieser dyadischen Beziehung zu ihr heraus, das heißt, sie ist für sie zu wenig eine dritte, distanzierte Person, an der man sich orientieren kann, vielmehr wird sie zum Teil des eigenen Selbst, indem man ihre Funktionen und Wesensart verinnerlicht.

Aber auch der Vater hat in unserer »vaterlosen Gesellschaft« (A. Mitscherlich) nur noch selten die Rolle des Mentors. Seine »spurlose Arbeit«, sein Verschlissenwerden in Ehrgeiz und Beruf und seine dadurch mangelhafte affektive Bindung zu den Kindern läßt ihn nur noch selten zu ihrem »Mentor« werden.

Dennoch pflegen Mutter und Vater bis zur Pubertät, trotz mancher Mangelzustände, für die Kinder prägend zu sein. Erst mit der Lösung von ihnen pflegen »Mentoren« in der äußeren Gesellschaft eine größere Rolle zu spielen. Liest man Levinson, wird einem klar, daß Mentor zu sein für ihn mehr oder weniger heißt, ein Mann zu sein. Nach der Lebensmitte soll man Mentoren nicht mehr suchen, sondern einer werden. Was aber soll die Frau machen, welche Bedeutung und welchen Inhalt kann sie ihrem Leben geben, wenn sie niemandes Mentor sein kann und die Kinder sie nicht mehr brauchen?

Ein Beispiel soll zeigen, inwiefern das Bewältigen der Probleme der Lebensmitte davon abhängt, daß bisher bestehende gefühlsmäßige Bindungen gelöst oder doch verändert werden und neue Ziele und Aufgaben sich einstellen können.

Karin heiratete ziemlich spät. Über Jahre hatte sie mit einem Mann zusammengelebt, der sie mehr oder weniger in die führende Rolle gedrängt und ihr die Verantwortung für das gemeinsame Leben überlassen hatte. Ihre Gefühle ihm gegenüber waren zwiespältiger Natur. Schließlich trennte sie sich von ihm, obwohl ihr das große Schuldgefühle bereitete. Wenig später heiratete sie einen anderen Mann. Sie war vor und nach der Ehe immer berufstätig gewesen und unterbrach ihre Arbeit nur kurz, als sie ein Kind bekam. Sie liebte ihre Tochter über alles und machte sich später immer Vorwürfe, daß sie sich ihr nicht genügend gewidmet hatte. Mit 47, als sich ihre 15jährige Tochter altersentsprechend von ihr zu lösen begann, trauerte sie heftig darüber, daß sie die Zeit der Abhängigkeit des Kindes von ihr nicht mehr genützt hatte und vielleicht in ihrer Erziehung manches versäumt haben könnte. Allerdings war sie sich auch darüber im klaren, daß ihre Tochter die Lösung von ihr, der selbständigen und mit ihrem Beruf zufriedenen Mutter, leichter vollziehen konnte als manche ihrer Freundinnen, deren Mütter in der Abhängigkeit ihrer Kinder von ihnen den Lebensinhalt sahen.

Dennoch bedrückte sie nach wie vor das Gefühl des »verlorenen Glücks«, und sie hielt daran fest, nicht genügend für die Tochter getan zu haben.

Mit Schmerzen durchlebte sie die notwendigen Abschiedsprozesse und die Konfrontation mit dem Älterwerden. Die gute Beziehung zu ihrem Mann half ihr über vieles hinweg, und mit seiner Hilfe lernte sie die Schuldgefühle über die vermeintliche Vernachlässigung ihrer Tochter auf das angemessene Maß zu reduzieren und soweit zu überwinden, daß sie die Beziehung zu ihrer Tochter und zu sich selber nicht mehr unnötig belasteten.

Einige Jahre später hatte sie sich mit weiteren Abschiedsprozessen auseinanderzusetzen. Sie mußte auf Partnerschaft in der Beziehung zu ihrem Mann weitgehend verzichten, denn eine schwere chronische Erkrankung schwächte ihn zusehends. Wie zu der Zeit, als ihre Tochter noch klein war, sah sie sich wieder zwischen den Pflichten des Berufs, ihrem Bedürfnis nach Selbstverwirklichung und dem Wunsch, sich ganz der Pflege des kranken Mannes zuzuwenden, hin und hergerissen. Erneut traten heftige Schuldgefühle auf, die sich manchmal in depressiven Reaktionen, manchmal in Ungeduld ihrem Mann gegenüber entluden.

Betrachten wir die Kindheit der Frau, stellen wir fest, daß sie sehr an die Mutter gebunden war und schon früh darunter gelitten hatte, daß die Mutter in ihrer Ehe oft unglücklich gewesen war. Auch der Vater war über lange Zeit ein chronisch kranker, oft depressiv verstimmter Mann, der viel Aufmerksamkeit von seiner Frau forderte, selber aber wenig Einfühlung in Frau und Tochter besaß. Karin hatte deswegen schon als Kind das Gefühl, sie müsse der Mutter ersetzen, was sie vom Vater nicht erhielt. Ihr war aber auch klar, daß die Mutter sich zu sehr an sie hängte und selbst zu wenig versuchte, sich selbständig zu machen und sich außerhalb der Familie einen Lebensinhalt zu verschaffen. Das war auch der Grund dafür gewesen, daß Karin selbst, als sie ein Kind bekam, immer bemüht war, beruflich tätig zu bleiben, um nicht allein auf die Familie und deren Zuneigung angewiesen zu sein. Sie hatte lange dazu gebraucht, um das zu erreichen, was die Psychoanalytikerin Margaret Mahler die Loslösung und Individuation eines Menschen genannt hat. Als Voraussetzung für das Gelingen dieses Prozesses gilt, daß der Vater, wenn er sich einfühlend der Mutter und dem Kind zuzuwenden vermag, vom Kind zeitweilig als Brücke zur Mutter erlebt wird. Dadurch erlöst er das Kind aus der dyadischen Beziehung zur Mutter und stellt für das Kind das »Tor zur Welt«, nämlich die Möglichkeit dar, langsam selbständiger zu werden und zu entdecken, daß es neben der Mutter andere mitmenschliche Objekte gibt.

Bei Karin hatte die »Triangulierung« in dem Sinne, daß die Beziehung zum Vater eine Brücke zur Mutter bildete und schließlich eine eigenständige, ihre Weltsicht und Selbständigkeit erweiternde Bedeutung erreichte, nur ungenügend stattgefunden. Damit konnte ihr auch der Vater, oder ihr Bild von ihm, die Verantwortung, die sie für die Mutter fühlte, nicht abnehmen. Obwohl es Karin später, in der Pubertät, mit Hilfe ihrer außerfamiliären Interessen gelang, weitgehend eine Trennung von der Mutter zu erreichen, kam sie von diesen in vielem unangemessenen Schuldgefühlen nicht los. Sie fühlte sich weiter als diejenige, die der Mutter Ersatz für unerfüllte Glückshoffnungen in der Ehe bieten mußte. Gleichzeitig brauchte sie das Gefühl der Unabhängigkeit und hatte ein nicht zu unterdrückendes Bedürfnis, ihr eigenes Leben zu leben. Diese Konstellation wiederholte sich, wenn auch in veränderter Form, in ihrer Beziehung zur Tochter und später zum Ehemann. Sie war oft sehr traurig, nicht beide gleich starken Bedürfnisse so erfüllen zu können, wie sie es von innen heraus glaubte tun zu müssen.

Wenn sie sich in der Pubertät weitgehend von der großen Abhängigkeit zu ihrer Mutter hatte lösen können, so hatte ihr die Mutter dazu viel mehr verholfen, als sie es über lange Zeit hatte wahrnehmen können. Es lag auch mit an der eigenen Haltung und den eigenen Bedürfnissen, daß sie sich von dem sie bedrängenden Gefühl, die Mutter glücklich machen zu müssen, erst so spät lösen konnte. Denn mit Hilfe dieser inneren Konstellation war es ihr gelungen, das Gefühl aufrechtzuerhalten, für einen anderen Menschen »das Wichtigste auf Erden« zu sein.

Ähnlich hat es Helene Deutsch in ihrer Autobiographie dargestellt. Für sie beginnen die Schmerzen des Alters, wenn man für niemanden mehr diese einzigartige Bedeutung hat. In der Lebensgeschichte von Helene Deutsch findet man im übrigen noch andere Probleme, die denen Karins verblüffend ähnlich sind. Auch Helene Deutsch klagt darüber, ihren Sohn vernachlässigt zu haben, weil sie ihrem beruflichen Ehrgeiz zu sehr nachgegangen sei. Die Schuldgefühle und das Gefühl, sich dadurch selber um etwas Lebenswichtiges gebracht zu haben, verlassen sie bis an ihr Lebensende nicht. Ihr

Mann, der über längere Zeit krank war, stirbt, als sie sich auf einer Reise nach Griechenland befindet, zu der er sie ermuntert hatte. Sie selbst kann sich diese Bedürfnisse, diesen Hunger nach »Welt«, wie sie sich ausdrückt, nicht mehr verzeihen, nachdem ihr Mann während ihrer Abwesenheit plötzlich gestorben war.

Schuldgefühle dieser Art lassen sich oft auf eine nur teilweise gelungene Lösung von der engen symbiotischen Bindung an die Mutter zurückführen. Indem man glaubte, für sie »das Wichtigste auf Erden« zu sein, hat man die ursprüngliche Mutter-Kind-Beziehung umgekehrt, macht einen anderen Menschen so abhängig von sich, wie das früher einem selbst in der Beziehung zur Mutter ergangen ist.

Karin gelang also erst in der Lebensmitte die trauernde Durcharbeitung dieser frühen symbiotischen Fixierung, indem sie lernte, die Trennungsbedürfnisse ihrer Tochter langsam zu akzeptieren und Schuldgefühle der Tochter gegenüber auf das angemessene Maß zu reduzieren. Mit der Erkrankung des Mannes geriet sie erneut in den Konflikt zwischen Beruf, eigenem Leben und dem inneren Drang, für den anderen die gute, unersetzliche Mutter zu sein. Es soll damit gewiß nichts gegen den Wunsch, anderen helfen, andere glücklich machen zu wollen, gesagt sein, nur gilt es, sich dabei die eigenen unbewußten und übermäßigen Bindungsbedürfnisse bewußtzumachen. Die Schuldgefühle, die den Wunsch nach dem eigenen Leben, nach der Selbständigkeit begleiten und die Ausdruck schwerwiegender Konflikte zweier widersprüchlicher Bedürfnisse sind und oft zu Depressionen führen, sind allerdings für niemanden von Nutzen.

Nur indem man die Vergangenheit, das bisherige Verhalten einigermaßen durchschauen gelernt hat und Trauerarbeit leistet, um sich davon langsam trennen zu können, kann in der Lebensmitte so etwas wie ein »Neubeginn« einsetzen. Mit solchen inneren Trennungen und einer damit einhergehenden neuen Selbstfindung lassen sich auch die zwiespältigen Beziehungen zwischen Mutter und Tochter, von denen heute so viel gesprochen wird, verbessern. Die Mutter wird oft zur Schuldigen für alle Fehlentwicklungen ihrer Kinder, vor allem ihrer Töchter, erklärt. Der Vorwurf, sie entließe sie nicht altersgemäß aus der Abhängigkeit von sich, trifft die Frau in der Lebensmitte hart, da sie ohnehin nicht weiß, wie sie in dieser Zeit, in der sich ihre Kinder von ihr zu lösen beginnen, mit ihrer Einsamkeit fertig werden soll. Der Mann, der in seinen beruflichen

Interessen voll aufzugehen pflegt, bringt für die Einsamkeit der Frau in dieser Zeit nur selten Einfühlung oder Mitgefühl auf.

Auch innerhalb der Frauenbewegung macht sich eine Tendenz bemerkbar, die Mutter verantwortlich zu machen, wenn ihre Tochter sich nicht altersentsprechend von ihr zu lösen vermag. Die Emanzipation der Frau, so heißt es oft, wird weniger durch die Männer als durch die Mütter und ihr Verhalten behindert.

Wenig Aufmerksamkeit zieht die Tatsache auf sich, daß die kindliche Abhängigkeit, die sich bis ins Erwachsenenalter fortsetzen kann, wesentlich durch die Haltung des Vaters mitbestimmt wird, der sich an der frühkindlichen Erziehung der Tochter nicht genügend beteiligt hat. Das Kind braucht aber diesen »Dritten«, der kein Feind, sondern Freund, ja zeitweilig ein erweiterter Teil der Mutter sein muß, damit es sich in seiner Hilflosigkeit von der als allmächtig erlebten Mutter lösen und sich seinen Selbständigkeitsbedürfnissen einigermaßen angstfrei überlassen kann.

9. Psychoanalyse und Emanzipation

Die Emanzipation der Frau droht zu einem modischen Thema in einer affektiven, von Klischees und Vorurteilen bestimmten Auseinandersetzung zwischen Gegnern und Befürwortern zu werden. Jeder kann sich des Beifalls der eigenen Partei sicher sein, wenn er nur in seiner Polemik die richtigen Signale und bestimmte Reiz- und Schlagworte verwendet. Daß der Kampf um die Befreiung der Frau mancherorts zu einer Groteske entartet, sollte zu ernsthafter Sorge Anlaß geben. Die Lage der Frau in weiten Teilen der Welt ist nach wie vor nicht nur beklagenswert wie bei uns, sondern sie ist auch eindeutig menschenunwürdig. Von Gesten wie dem »Jahr der Frau« können wir nur wenig Änderung erwarten, da Institutionen die Neigung haben, zum Selbstzweck zu werden.

Im konservativen Deutschland ist man immer mehr der Meinung, das ganze Emanzipationsthema sei bis zum Überdruß ausdiskutiert. Hier können antifeministische Bücher von geringem Wahrheits- und Erkenntnisniveau – ich erinnere nur an *Der dressierte Mann* von Esther Vilar – zum Bestseller werden. Die amerikanische Zeitschrift *The New York Review of Books* hat solchen Büchern attestiert, in ihnen würde ein Bild der Frau gezeichnet, das stark an antisemitische Berichte der Nazizeit erinnere. Wie der Jude als betrügerischer Händler und gewissenloser Ausbeuter denunziert wurde, so werden bestimmte Reaktionen der Frau auf Gewohnheitsunrecht in grotesker Verzerrung als »typisch weiblich« abgestempelt. Beide, der Antisemit wie der Antifeminist gehen bedenkenlos über die historisch-gesellschaftlichen Verhältnisse hinweg, die unterdrückte Bevölkerungsteile nur zu bestimmten Berufen Zugang gestatten oder ihnen Verhaltensweisen aufzwingen, die dann eigene Verketzerungen, Unterdrückungs- und Verachtungsneigungen legitimieren sollen.

Auf der Welle konservativer, um nicht zu sagen reaktionärer, Nostalgie treiben wir in der Bundesrepublik offenbar nicht nur in die zwanziger und dreißiger Jahre zurück – die »Tendenzwende« geht noch weiter. Ein deutscher Kultusminister verglich im Fernsehen die von ihm geleistete Arbeit mit den »Qualitäten« der bürgerlichen Hausfrau: Je weniger von ihr gesprochen werde, um so besser sei sie. Von offizieller Seite wird also bekräftigt, daß der gute Ruf einer Frau nach wie vor nur dann gewährleistet ist, wenn sie sich möglichst schweigend, das heißt unpolitisch, verhält und sich passiv und gehorsam der gesellschaftlichen Unterdrückung fügt.

Frauen im Berufsleben konnten bisher erwarten, daß eine solche öffentlich geäußerte Rückkehr zur verlogenen doppelten Moral der Jahrhundertwende Empörung auslösen werde. Sie sind eines anderen belehrt worden: Die Partei des Kultusministers hat nicht nur in seinem Bundesland die absolute Mehrheit gewonnen, sie ist auch in anderen Bundesländern zur größten Partei geworden. Da die stimmberechtigten Frauen weiterhin die Mehrheit der Wähler bilden, kann man sich der Einsicht nicht verschließen, daß die Frauen wieder einmal gerade die Partei gewählt haben, die die Befreiungsversuche der Frau am heftigsten zu unterbinden trachtet.*

Freilich kann man nicht umhin einzugestehen, daß auch in den sogenannten fortschrittlichen Parteien und in den sozialistischen Teilen der Welt die Frauen sich politisch kaum haben durchsetzen können. Helge Pross wies in einer großangelegten Untersuchung an 7000 Arbeitnehmerinnen in der Europäischen Gemeinschaft nach, daß in den westlichen Ländern mangelnde Aufstiegschancen der Frauen, Differenzen zwischen Männer- und Frauenlöhnen, Doppelbelastungen durch Haus und Beruf etc. in ihrem Ausmaß unverändert sind. Doch die Reaktion darauf besteht in Gleichgültigkeit. Die Frauen selbst setzen sich in ihrer Identifikation mit der gesellschaftlichen Geringschätzung des eigenen Geschlechts kaum für bessere Aufstiegsmöglichkeiten ein; ihre Wünsche gehen allenfalls

---

* Das jedoch scheint sich zu ändern. Ein Bericht der *Frankfurter Rundschau* vom 12. 11. 1984 zeigt, daß sich die politischen Reaktionen der Frauen zu ändern beginnen. In den sechziger Jahren erzielte die CDU bei den Frauen einen Wahlvorsprung bis zu 10 Prozent; bei der letzten Bundestagswahl nur noch von 1,5 Prozent. In fast allen Bundesländern verfügten SPD und Grüne bei Frauen bis zum Alter von 30 Jahren über eine absolute Mehrheit.

nach einer »gründlicheren Berücksichtigung der durch die Familienrolle geschaffenen Sondersituation«.

Noch einmal zur Äußerung des oben zitierten Kultusministers. An die Angleichung der Geschlechter zumindest im äußeren Habitus der heutigen Jugend haben wir uns gewöhnt. Doch daß ein Kultusminister die Qualitäten einer bürgerlichen Frau zum Maßstab seines eigenen Wertes macht, ist eine Novität. Sie fordert uns nicht nur zum Nachdenken über die heutige politische Situation der Frau heraus, sie bringt uns auch zu unserem eigentlichen Thema, zur Beziehung von Psychoanalyse und Emanzipation der Frau.

Bekanntlich ist der psychoanalytische Begriff des Penisneides von den Feministinnen heftig angegriffen worden. Sie sahen in dieser Theorie Freuds die Inkarnation eines männlichen Vorurteils, das dazu beitrage, die patriarchalischen Verhältnisse in der Gesellschaft aufrechtzuerhalten. Viele Feministinnen machten der Psychoanalyse überhaupt den Vorwurf einer reaktionären, gegenrevolutionären Haltung gegenüber den Befreiungsversuchen der Frau. Frauen beneideten die Männer nicht um ihren Penis, sondern um ihre größere gesellschaftliche und berufliche Freiheit. Daß hier bewußte oder unbewußte Folgen von jahrhundertealten gesellschaftlichen Verkrustungen durcheinandergeraten, liegt auf der Hand.

Welche Bedeutung hat das Beispiel unseres Kultusministers? Warum vergleicht er sich mit einer Frau, noch dazu mit einer Frau aus der Jahrhundertwende? Könnte diese Frau seine Mutter darstellen? Hat er sich vielleicht gar mit seiner Mutter, das heißt weiblich, identifiziert? Wenn das der Fall wäre – und das ist natürlich nur eine Hypothese; es liegt mir fern, einen Kultusminister *in absentia* auf die Couch »zerren« zu wollen –, so wäre das durchaus kein seltenes psychisches Phänomen.

Wir kennen in der Psychoanalyse nicht nur den unbewußten Penisneid der Frau, sondern auch den Gebärneid des Mannes, und wir werden immer häufiger mit der Tatsache konfrontiert, daß nicht nur die Frau ein Mann sein möchte, sondern auch umgekehrt, daß der Mann den unbewußten Wunsch hegt, eine begehrenswerte Frau zu sein. Dieser Wunsch weckt Neid auf die Frauen, die sein können, was dem Mann versagt bleibt. Männer, die vaterlos aufwuchsen, wie es während der beiden letzten Kriege fast die Regel war, haben sich besonders häufig über die ersten Kinderjahre hinaus weiblich identifiziert. Der Neider gönnt dem Beneideten bekanntlich keine Achtung oder Erfolge. Nicht selten werden die aus unbewußtem

Neid geborenen Meinungen und Verhaltensweisen rationalisiert, z. B. mit Hilfe der gängigen Vorurteile von der körperlichen und geistigen Minderwertigkeit der Frau. Die jungen Leute der linken studentischen Subkultur waren von 1968 bis 1970, zur Zeit ihrer kritischen Auseinandersetzung mit der bestehenden Gesellschaft, in dieser Hinsicht keine Ausnahme. Bei ihnen bestanden die gleichen Mißachtungs- und Erniedrigungstendenzen gegenüber der Frau wie in allen anderen Schichten auch. Das ist verblüffend, denn zu ihrem politischen Glaubensbekenntnis gehörten doch die Befreiung von antifeministischen Vorurteilen und der Kampf gegen Unterdrückung auch der Frau.

Ein Beispiel: Ein Student sucht psychoanalytische Behandlung, weil er an Angstzuständen und Depressionen leidet. Er ist Mitglied einer linken Vereinigung und lebt in einer Wohngemeinschaft von mehreren Männern und Frauen. Die Genossinnen, die sich um die Verbesserung der politischen und gesellschaftlichen Lage der Frau bemühen, werden von ihm voll unterstützt. Er ist, wie sie, zutiefst empört, wenn er mit gesellschaftstypischer Ungerechtigkeit und Geringschätzung der Frau konfrontiert wird.

Seine eigenen Beziehungen zu Frauen sind aber höchst kompliziert. Er ist außerstande, sich an eine Frau zu binden, mag sie ihm anfänglich auch noch so liebenswert erscheinen. Wenn er sich wieder von einer Frau trennt, die er für einige Zeit intensiv an sich binden konnte, fehlt ihm jedes Gefühl für die Grausamkeit seines Verhaltens. Bei genauerer Betrachtung seiner Liebesbeziehungen ließ sich erkennen, daß bei ihm immer wieder Erniedrigungswünsche durchbrachen. Er konnte sich offenbar gegen Neidgefühle nicht wehren. Er verspürte ein untergründiges, ihm selbst unerklärliches Bedürfnis, sich an seinen Freundinnen zu rächen, und empfand es als Triumph, wenn er sich gerade dann von ihnen trennen konnte, wenn ihre Bindung an ihn besonders stark war.

Im Laufe der Analyse stellte sich heraus, daß er sich neidisch und rachsüchtig verhielt, weil sein unbewußter Wunsch, selber eine begehrenswerte Frau zu sein, sich nicht erfüllen ließ. Der Ausweg in die Homosexualität war ihm versperrt – vielleicht weil es ihm nicht gelungen war, die Liebe seines Vaters zu gewinnen und von ihm wie ein Mädchen geliebt zu werden.

Auch die Impotenz des Mannes kann die Folge solch unbewußter Wünsche und der damit verbundenen Neid- und Rachegefühle sein. Zu diesem Thema fällt mir ein Patient ein, der seinen Vater erst mit sieben Jahren kennengelernt hatte. Sehr an seine Mutter gebunden, heiratete er relativ spät eine um einige Jahre ältere, aber sehr attraktive Frau. In der Ehe war er unfähig, den sexuellen Verkehr auszuüben, onanierte aber täglich. Er mißgönnte, so offenbarte die Analyse, seiner Frau die Befriedigung, die er sich selbst wünschte. In seiner Phantasie war er die geliebte Tochter einer als omnipotent-phallisch erlebten Mutter geblieben. Diese Mutterbindung entsprach im Grunde einem negativen Ödipus-Komplex. Die Mutter war der Mann, er das Mädchen. Die Macht, die er seiner Mutter und später seiner Frau zuschrieb, den Frauen, von denen er sich völlig abhängig fühlte und die er um ihre Attraktivität beneidete, hatte in ihm das reaktive Bedürfnis entfacht, diese Frauen zu erniedrigen, indem er sie sexuell vernachlässigte.

Solche in sich widersprüchlichen Gefühlseinstellungen, einerseits die Frau zu mißachten, sie als etwas naturgegeben moralisch und geistig Minderwertiges anzusehen, sich aber andererseits mit ihr und ihrer Lage zu identifizieren und für ihre Befreiung von sexueller Unterdrückung und doppelter Moral zu kämpfen – diese Gefühlseinstellungen finden wir nicht selten. Karl Kraus war ein typisches Beispiel für diesen Konflikt. Auch Freud teilte zwar diese typisch männlichen Vorurteile über Wesen und Bestimmung der Frau, aber er hat mit der Psychoanalyse wie kein Wissenschaftler vor ihm zu ihrer Befreiung von der heuchlerischen Sexualmoral seiner Zeit beigetragen. Mit Hilfe seiner Methode gelang es erstmals, die Motive hinter der männlich-egoistischen Idealisierung und gleichzeitigen Infantilisierung sowie Degradierung der Frau systematisch zu durchleuchten. Indem Freud das Denkverbot auf sexuellem Gebiet durchbrach, das den Frauen seiner Zeit und seiner Gesellschaft auferlegt war, hat er eine der wichtigsten Vorbedingungen dafür geschaffen, daß bisher als spezifisch weiblich angesehene Eigenschaften sich geändert haben und als kulturell bedingt anerkannt werden konnten.

Die Forderungen heutiger Feministinnen weichen in vielem von denen ihrer Vorläuferinnen zu Beginn des Jahrhunderts ab. Chancengleichheit in Ausbildung und Beruf, gleicher Arbeitslohn für Mann und Frau, Kindertagesstätten für berufstätige Mütter etc. werden zwar nach wie vor gefordert, doch solche Forderungen erscheinen mittlerweile als altmodisch, vergleicht man sie mit den weitergehenden Kampfansagen und Aufrufen zur »Revolution der Frau«. Diese Frauen kämpfen für eine Systemveränderung durch die Frau, eine Veränderung, die sich ausrichtet an spezifisch weiblichen Bedürfnissen, Gefühlen und Denkweisen: Sie fordern Befreiung vom Gebärzwang und vieles mehr. Nicht selten ziehen sich feministische Gruppen auf lesbische Beziehungen zurück und halten den Mann für unfähig, die Psyche der Frau zu verstehen. »Es kann zur Zeit«, so Margret Sloane, schwarze Vertreterin der radikalen Feministinnen in den USA, »keine gesunde Beziehung zwischen Mann und Frau geben; vielleicht in zwanzig Jahren, nicht jetzt« (Gabriele von Arnim in der FAZ vom 9. 11. 1974). Natürlich streben nicht alle Feministinnen eine feministische Revolution unter lesbischem Vorzeichen an, doch unter den Intellektuellen finden wir immerhin so prominente Vertreterinnen wie Simone de Beauvoir, Frauen, die der Auffassung sind, daß erst eine lesbische Beziehung zur vollen Erlebnisfähigkeit der Frau führt und wesentlich zur Befreiung von männlicher Herrschaft beiträgt.

Die Ehe als Institution wird von den meisten der Feministinnen in Frage gestellt; sie entspreche nur den Bedürfnissen des Mannes nach Unterwerfung und Besitznahme der Frau. Die Geschichte der Ehe scheint die Auffassung zu bestätigen. Durch Jahrtausende beruhte die Institution Ehe auf dem Besitzrecht des Mannes bzw. der patriarchalisch regierten Familie über die Frau. Das sechste Gebot »Was Gott verbunden hat, das soll der Mensch nicht scheiden« war eine dem Herrschaftsanspruch entsprechende Umschreibung der aufgrund ökonomischer und patriarchalisch-politischer Interessen getroffenen Vereinbarung des Familienverbandes (A. und M. Mitscherlich, 1975). Ein Teil der Menschheit lebte in Sklaverei beim anderen Teil. Die Frau war Besitz des Mannes oder dessen Tauschobjekt. Im Ehebruch machte sich die Frau einer Veruntreuung männlichen Eigentums schuldig, eines Vergehens, das noch heute in manchen Teilen der Welt in nicht nachvollziehbarer Brutalität bestraft wird.

Die Verhältnisse haben sich geändert, die Neigungsehe hat sich, wenn auch historisch gesehen erst seit kurzem, in unserer Gesellschaft weitgehend durchgesetzt. Und gerade zu diesem Zeitpunkt, da auch in der Ehe eine neue Beziehung der Geschlechter möglich sein sollte, wird die Ehe in einer bisher nicht gekannten Heftigkeit bekämpft. Wenn die Frau sich ihrer Erniedrigung und seelischen

Deformierung bewußt wird, läßt sich ihr Zorn offenbar nicht so leicht unterdrücken. Die weiterhin aufrechterhaltene These von der männlichen Überlegenheit, über Jahrhunderte von beiden Geschlechtern fraglos hingenommen, macht einen Zusammenstoß mit männlichen Vorurteilen immer unausweichlicher.

Gewiß, seelische Deformationen, durch Jahrhunderte eingeprägt, lassen sich, wenn überhaupt, nicht so leicht auslöschen. Soweit mir bekannt, haben sich die Frauenrechtlerinnen zu Beginn dieses Jahrhunderts überhaupt nicht mit einer so aufregenden Wissenschaft wie der Psychoanalyse und deren Plädoyer für größere sexuelle Freiheit auch der Frau beschäftigt. Gertrud Bäumer und ihre Generation waren typische Repräsentantinnen der bürgerlichen Anschauung ihrer Zeit; sie kämpften für individuelle Autonomie der Frau, interessierten sich aber wenig für deren sexuelle Bedürfnisse, noch zeigten sie Interesse für die deterministische Kraft, die das Unbewußte auf das Verhalten des Menschen ausübt. Für sie war die Psychoanalyse offenbar zu revolutionär. Ihre Identifikation mit den Vorurteilen ihrer Gesellschaft erlaubte ihnen kein ernsthaftes Interesse an dieser Wissenschaft.

Das hat sich geändert; doch die Ablehnung der Psychoanalyse ist um so heftiger geworden. Viele Feministinnen halten Freud für den Feind Nummer eins: Von allen Faktoren, die dazu beigetragen haben, eine männlich orientierte Gesellschaft aufrechtzuerhalten, messen sie der Freudschen Vorstellung über die psychosexuelle Entwicklung der Frau die größte Bedeutung bei (Eva Figes, 1974). Was ist richtig an dieser Kritik? Wir sollten die Nachdenklichen unter den Kritikern ernst nehmen. Denn nicht nur die Feministinnen haben Freuds Theorien über die Frau angegriffen, auch unter den Psychoanalytikern sind die Ansichten darüber bis heute kontrovers.

»Die große Frage, die nie beantwortet ist und die ich trotz meiner dreißigjährigen Erforschung der weiblichen Seele noch nicht habe beantworten können, ist: Was will das Weib?« Dieser Ausspruch Freuds in einem Gespräch mit der Psychoanalytikerin Marie Bonaparte spiegelt eine Ratlosigkeit wider, die unverständlich erscheint, hatte Freud doch damals seine Vorstellungen über die weibliche Entwicklung bereits ausführlich dargelegt.

Was aber wollte Freud mit seiner Frage sagen? Konnte er wirklich nicht verstehen, was das Weib anderes wollen könnte als einen Ehemann, einen Repräsentanten des patriarchalischen Vaters nach den Vorstellungen seiner Zeit, und ein Kind, also vermeintlichen Ersatz für die eigene körperliche Minderwertigkeit? Das scheint wenig wahrscheinlich, denn obwohl er sich öfter in seinen Schriften und Briefen abfällig über die Frauen geäußert hat – sie seien narzißtisch, unfähig zur Kultur und zur wirklichen Objektliebe; ihre Abhängigkeit von der Meinung des Mannes triebe sie sogar dazu, dessen Geringschätzung für das weibliche Geschlecht zu übernehmen –, war Freuds Denken andererseits von so unbestechlicher Wahrheitssuche geprägt, daß er sich gewiß mit solchen Klischees nicht zufriedengegeben hätte. Sicher hat er die Wirkung soziokultureller Vorurteile und Zwänge auf die familiäre Atmosphäre und die von ihr geprägte Erziehung unterschätzt.

Aus den berühmten Diskussionen, die Freud in Wien über viele Jahre jeden Mittwochabend mit seinen Kollegen, Schülern und Freunden geführt hat, geht hervor, daß er die gesellschaftliche Stellung der Frau als unveränderbar ansah. Die Mutterschaft verbiete es der durchschnittlichen Frau, einen Beruf zu haben. Der Kampf der Feministinnen für eine bessere Stellung der Frau komme daher, wenn überhaupt, nur einigen wenigen ausgewählten Frauen zugute. Freud hatte offensichtlich keinen Blick für die im Wandel begriffene Situation der Frau und sah daher nicht deutlich genug, daß seine These vom weiblichen Penisneid zum Teil auf reale, aber durchaus veränderbare familiäre und gesellschaftliche Benachteiligung und nicht *nur* auf die kindliche Wahrnehmung des anatomischen Geschlechtsunterschiedes beruhte. So bleiben seine Vorstellungen von der weiblichen Entwicklung einseitig.

»Man zögert es auszusprechen, kann sich aber doch der Idee nicht erwehren, daß das Niveau des Sittlich-Normalen für das Weib ein anderes wird. Das Über-Ich wird niemals so unerbittlich, so unpersönlich, so unabhängig von seinen affektiven Ursprüngen, wie wir es vom Manne fordern. Charakterzüge, die die Kritik seit jeher dem Weibe vorgehalten hat, daß es weniger Rechtsgefühl zeigt als der Mann, weniger Neigung zur Unterwerfung unter die großen Notwendigkeiten des Lebens, sich öfter in seinen Entscheidungen von zärtlichen und feindseligen Gefühlen leiten läßt, fänden in der oben abgeleiteten Modifikation der Über-Ich-Bildung eine ausreichende Begründung. Durch den Widerspruch der Feministinnen, die uns eine völlige Gleichstellung und Gleichschätzung der Geschlechter aufdrängen wollen, wird man sich in solchen Urteilen nicht beirren lassen ...« (S. Freud, 1925).

Diese Bemerkungen Freuds sind zeitbedingt, und das ist leicht nachzuweisen. Mittlerweile kämpfen die Feministinnen zwar noch für berufliche und ökonomische Gleichstellung, einige verwechseln auch nach wie vor den Kampf um die Gleichberechtigung mit einem irrationalen Kampf um Gleichheit der Geschlechter, aber die führenden Vertreterinnen kämpfen schon lange nicht mehr um Gleichschätzung. Ihrer Meinung nach haben die letzten Kriege gezeigt, daß eine männlich regierte Welt zur endgültigen Zerstörung allen Lebens führen muß. Die »feministische Revolution« kämpft heute dafür, daß die Frauen mit ihren kritischeren, objektbezogeneren Einschätzungen dessen, was bisher unter »Werten« verstanden worden ist, stärkeren Einfluß und größere Macht auf gesellschaftliche Meinungsbildungen und auf politische Entscheidungen gewinnen. Frauen brauchen diese Macht, um die destruktiven Tendenzen der Männergesellschaft mildern und Verhältnisse ändern zu können, die zum Haß herausfordern müssen. Diese Auseinandersetzung um die Selbstentfremdung der Menschen steht im Mittelpunkt ihres Kampfes.

Bei aller Einseitigkeit und zuweilen unübersehbaren Vorurteilen Freuds sollten wir seine geniale und subtile Beurteilungsfähigkeit nicht unterschätzen. Wie kein anderer erforschte er die komplizierte psychische Konstellation der Frau, wie sie sich durch Jahrhunderte der Unterdrückung ausgebildet hat.

Wo aber stellen Freuds Vorstellungen von der Sexualität der Frau ein umfassendes tiefenpsychologisches Bild ihrer inneren Situation dar? An welchen anderen Stellen sind seine Theorien fragwürdig? Wo geben sie sich als überzeitliche Aussagen, obwohl sie doch nur Ausdruck einer durch zeitgebundene Vorurteile eingeschränkten Wahrnehmung sind? Um eine Grundlage für die Einschätzung seiner Theorien über die Frau zu bieten, möchte ich die umstrittenen Teile noch einmal zusammenfassen und sodann auf die davon abweichenden Vorstellungen einiger anderer Psychoanalytiker eingehen.

Nach der Ansicht Freuds erlebt die Frau sich in den ersten, für die spätere Entwicklung ausschlaggebenden Kinderjahren psychologisch als Knabe. Erst die Wahrnehmung des anatomischen Geschlechtsunterschiedes zwinge sie zur Anerkennung dessen, was er als »Realität« bezeichnet. Die Einsicht, ein von der Natur benachteiligtes Wesen zu sein, sei der Grund, daß sie sich schließlich für die Weiblichkeit entscheide. Eine Frau, die solche Ersatzwünsche

nicht akzeptiere und in ihrer Phantasie an der eigenen Vollständig-
keit festhalte, noch dazu als »phallisch« bezeichnete klitoridale
Empfindungen nicht aufzugeben bereit sei, gelangt nach Freud
nicht zu einer reifen Weiblichkeit, die sich nicht nur im Kinderwunsch, sondern auch in der vaginalen Orgasmusfähigkeit äußere.

Mit anderen Worten, Freud nimmt an, daß die psychische Verarbeitung des anatomischen Geschlechtsunterschiedes der Frau nur
die Wahl lasse, sich als zerstört zu erleben. Er wertet es als Zeichen
der Reife, wenn es ihr im Laufe der Pubertät gelingt, die von diesem
Organ ausgehenden sexuellen Reize völlig zu unterdrücken.

Diese Theorien von der unreifen klitoridalen und reifen vaginalen
Sexualität haben meiner Ansicht nach tatsächlich dazu beigetragen, die Minderwertigkeitsgefühle der Frau zu intensivieren und
ihren Neid auf den Mann zu verstärken. Denn unter solchen Umständen muß die Frau den Mann nicht nur wegen seiner bevorzug-
ten gesellschaftlichen Stellung beneiden, sondern auch dafür, daß
er ohne Minderwertigkeitsgefühle seinen genitalen Bedürfnissen
nachgeben darf und seltener als sie unter Orgasmusschwierigkeiten
leidet. In unserer auf Hochleistung – auch im sexuellen Bereich –
getrimmten Zeit trifft dieser Mangel das Selbstgefühl besonders
empfindlich.

In der Psychoanalyse gehen wir von libidinösen Leitzonen aus, um
an ihnen die psychischen Entwicklungsstadien und die damit verbundenen Objektbeziehungen und Bedürfnisse darzustellen. Das
Festhalten an bestimmten Befriedigungsarten wird als Fixierung
oder Regression verstanden. Als Ursache dafür pflegen wir unge-
löste kindliche Konflikte, Mißverständnisse zwischen dem Erwachsenen und dem Kind, Verwöhnungen oder Versagungen etc.
anzunehmen.

Wie in der Kindheit bei einer fortgeschrittenen, sagen wir der ödipalen, Reifungsstufe sexuelle Befriedigungsformen analer oder
oraler Natur mit Ekel abgewehrt werden, so wendet sich (nach der
Meinung Freuds in einem Brief an Fließ vom 14. 11. 1897) das
junge Mädchen in der Pubertät gegen seine klitoridale Sexualität,
die ein Überbleibsel seiner männlich-phallischen Phase darstellt.
Liest man diesen Text wieder, so ist man verblüfft, daß ein so kritischer Denker wie Freud die Scham des pubertierenden jungen
Mädchens und seine Verdrängung sexueller Regungen nicht als
Folge gesellschaftlicher Forderungen und Moralvorstellungen,

sondern als psycho-biologischen Reifungsvorgang ansieht. In der Pubertät eine Zunahme der Libido beim Knaben und eine frische Welle der Verdrängung ihrer Sexualität beim Mädchen –: solche noch dazu völlig unbiologischen Vorstellungen sind in der Tat erstaunlich. Seine analytischen und ärztlichen Beobachtungen hätten ihn unschwer belehren können, daß der pubertäre Sexualschub beim Mädchen ebenso vorhanden ist wie beim Knaben.

In den *Drei Abhandlungen zur Sexualtheorie* erklärt Freud die weibliche Sexualverdrängung in der Pubertät, die er als naturgegeben ansieht, folgendermaßen: »Die bei dieser Pubertätsverdrängung des Weibes geschaffene Verstärkung der Sexualhemmnisse ergibt dann einen Reiz für die Libido des Mannes und nötigt dieselbe zur Steigerung ihrer Leistungen: mit der Höhe der Libido steigt dann auch die Sexualüberschätzung, die nur für das sich weigernde, seine Sexualität verleugnende Weib in vollem Maße zu haben ist« (S. Freud, 1905). Gerade weil Freud sich darüber im klaren war, welchen Einfluß die Einstellung der Gesellschaft zur Sexualität und ihre verlogene doppelte Moral auf die freie Entfaltung der Frau haben, ist es um so befremdlicher, daß er andererseits die Meinung vertritt, die gehemmte Sexualität der Frau sei die Voraussetzung dafür, daß der Mann ein volles sexuelles und seelisches Verlangen für sie entwickeln könne. Daß es eine solche zwischen den Geschlechtern herrschende Gesetzmäßigkeit nicht gibt und daß zumindest die sexuelle Erregbarkeit des Mannes von der abweisenden Haltung der Frau nicht abhängig ist, dafür haben wir mittlerweile genügend Belege. Die Versuche an Rhesusaffen des englischen Forschers Dr. Michael haben nachgewiesen, daß die sexuelle Aktivität der männlichen Tiere von dem hormonalen Zustand des Affenweibchens abhängig ist (W. Gillespie, 1975). Die menschlichen Beziehungen sind zwar komplizierter und störbarer, doch wir wissen, daß im Laufe länger dauernder sexueller Beziehungen die Potenz des Mannes häufig von den sexuellen Wünschen der Frau abhängig wird. Nur in einer Gesellschaftsordnung, in der die Herrschaft des »starken« Mannes als Naturgesetz hingenommen wird, können, so scheint es, Vorstellungen von der Eroberung und Überwältigung sich wehrender Frauen als sexuell besonders anregend empfunden werden und sich entsprechend auch in den Phantasien der Frauen niederschlagen.

Neuere Forschungen haben eindeutig erwiesen, daß die embryologische Theorie, die Klitoris sei ein verkümmertes männliches Organ, nicht zutrifft. Die sogenannte Induktor-Theorie der primären sexuellen Differenzierungen konnte durch Untersuchungen des Embryos erhärtet werden. Dabei stellte sich heraus, daß der Embryo in der ersten Woche weder undifferenziert noch bisexuell, sondern anatomisch weiblich ist (M. J. Shertey, 1966).* Um die ursprünglich weiblichen Fortpflanzungsorgane zu maskulinisieren, benötigt der genetisch männliche Embryo das Hormon Androgen. Die Entwicklung der Weiblichkeit dagegen ist eine autonome weitere Reifung der angeborenen Anlage. Beide Geschlechter scheinen also in ihren ersten embryonalen Entwicklungsstadien phänotypisch weiblich zu sein; die Klitoris gehört von Anfang an zum weiblichen Genital.

Um Mißverständnissen vorzubeugen: Wir überschätzen die Rolle der Biologie bei der psychosexuellen Entwicklung keineswegs, sie muß nur klar definiert werden, damit theoretische Vorstellungen Freuds, die sich von zeitgebundenen biologischen Vorstellungen herleiten, als irrig erkannt werden können. Um es zu wiederholen: Da die Klitoris also kein verkümmertes männliches Organ ist, sondern vielmehr anzunehmen ist, daß der Phallus eine vergrößerte Klitoris ist, gibt es, auf biologischer Grundlage, keine phallische Phase des Mädchens, was natürlich nicht heißen soll, daß Existenz und symbolische Bedeutung des Phallus beim kleinen Mädchen keine typischen Reaktionen auslösen. Welche Rolle die psychische Verarbeitung der Geschlechtsunterschiede und deren Symbolik im Leben beider Geschlechter spielen, ist von vielen Autoren beschrieben, wenn auch unterschiedlich gedeutet worden.

Es kann auch nicht als Zeichen biologischer oder psychischer Reifung angesehen werden, wenn die Frau im Laufe ihrer Entwicklung die klitoridale Erregbarkeit zugunsten der vaginalen aufgibt. Die Erregbarkeit der Klitoris gehört physiologisch zur vollen sexuellen Befriedigung der Frau. Wie mittlerweile allgemein bekannt sein dürfte, ist der rein vaginale Orgasmus ein Mythos. Das heißt allerdings nicht, wie heute oft fälschlich behauptet wird, daß es keinen vaginalen Orgasmus gibt – viele Frauen erleben ihn –, nur sind am Zustandekommen eines Orgasmus physiologisch auch die Klitoris,

---

* Der Forscher K. L. Moor kam zu anderen Schlüssen. Danach sind die von ihm untersuchten Embryos von Säugetieren anfänglich geschlechtlich undifferenziert, weder männlich noch weiblich. Siehe Eissler, 1977.

bestimmte Muskelkontraktionen, Gefäße, Nerven etc. beteiligt. Dennoch sollten die psychische Bedeutung des Sexualaktes und die Art des Orgasmus nicht unterschätzt werden. Mag sich in der sexuellen Vereinigung die gute symbiotische Beziehung zur Mutter wiederholen, mögen sich dadurch Ängste hinsichtlich der Intaktheit des eigenen Körpers oder des Körperinneren beruhigen oder steigern, Schuldgefühle mindern oder neu beleben – es ist nicht zu leugnen, daß das Lustgefühl des genitalen Aktes nicht nur von physiologischen, sondern weitgehend auch von psychischen Faktoren abhängig ist.

Die kindliche Wahrnehmung des genitalen Geschlechtsunterschiedes wird von vielen Forschern früher angesetzt als zu Freuds Zeiten, das heißt vor der phallischen Entwicklungsphase. Man nimmt an, daß sie spätestens Ende des zweiten Lebensjahres eintritt. Auch haben viele Beobachter kindlichen Verhaltens festgestellt, daß sich die Verhaltensweisen von Knaben und Mädchen bereits vor der phallischen Phase zu unterscheiden beginnen. Dennoch wird bezweifelt, ob ein solches geschlechtsspezifisches Verhalten als Folge der psychischen Verarbeitung der Wahrnehmung des anatomischen Unterschiedes anzusehen sei. Dagegen sprechen zum Beispiel Forschungen von Stoller u. a. (1968; 1974), aus denen hervorgeht, daß Mädchen und Knaben sich ihrer Erziehung gemäß entwickeln, das heißt danach, wie ihr Geschlecht nach der Geburt bestimmt wird, auch wenn das ihrem biologischen Geschlecht nicht entspricht.

Der Ursprung der Geschlechtsidentität ist im Gefolge neuerer Untersuchungen über Transsexuelle, Transvestiten und Homosexuelle vielfach erörtert worden und hat manche bisherige Ansichten in Frage gestellt. Die Geschlechtsidentität soll nach Ansicht dieser Forscher davon abhängen, wie sich das Kind aufgrund seiner Erziehung und dem Verhalten seiner Umgebung ihm gegenüber selbst bestimmt, und nicht von seinem biologischen Geschlecht, einschließlich seiner äußeren Geschlechtsmerkmale. Diese geschlechtliche Selbstbestimmung des Kindes bilde sich im Laufe der ersten Lebensjahre aus. Das sogenannte »Core gender« des Kindes, das heißt sein Gefühl, männlich oder weiblich zu sein, entwickelt sich offenbar in Übereinstimmung mit dem ihm bei der Geburt zugesprochenen Geschlecht. Die Entwicklung zur geschlechtlichen Selbstbestimmung soll nach Meinung einiger Autoren im Alter von 18 Monaten, nach Meinung anderer bis zum dritten Lebensjahr abgeschlossen sein. Danach sei sie kaum noch reversibel, und es sei mit psychischen Fehlentwicklungen zu rechnen, wenn man nach diesem Alter versuche, ein Kind mit einer falschen Geschlechtsbestimmung seinem biologisch richtigen Geschlecht entsprechend umzuerziehen.

Mit der geschlechtlichen Selbsteinstufung sollen auch die psychischen Einordnungsfähigkeiten, Identität und Selbstrepräsentanzen des Kindes in engem Zusammenhang stehen. Denn, so argumentieren Stoller (1975) u. a., mit der Geschlechtsidentität gehe die Objekt- und Identitätswahl Hand in Hand, das heißt, der Geschlechtsidentität entsprechend werden mitmenschliche Objekte zur Imitation und Identifikation ausgesucht (s. a. Person, 1974).

Daß die Symptome der Transsexualität und des Transvestitismus bei Männern häufiger anzutreffen sind als bei Frauen, gilt als Zeichen für die großen Schwierigkeiten des Knaben, sich ungebrochen männlich zu identifizieren. Das erste Identifikationsobjekt ist für beide Geschlechter die Mutter – die Umstellung auf ein anderes Objekt muß vor allem der Knabe leisten. Das widerspricht allerdings manchen Forschungen der genannten Autoren, in denen es heißt, daß Knabe und Mädchen sich schon kurz nach der Geburt ihrem diagnostizierten Geschlecht entsprechend entwickelten. Das würde bedeuten, daß von Anfang an mehrfache Identifikationsmöglichkeiten vorhanden sind oder unterschiedliche Arten der Identifikation mit der Mutter stattfinden. Denn es ist etwas anderes, ob Knabe oder Mädchen sich mit dem Körper der Mutter identifizieren und mit dessen geschlechtsgebundenen Fähigkeiten wie Stillen, Menstruieren, Gebären etc., oder mit Verhaltensweisen, die keineswegs geschlechtsgebunden sein müssen und nur von der jeweiligen Gesellschaft als solche angesehen werden. Eigenschaften wie Einfühlungs- und Liebesfähigkeit etc. müßten z. B. nicht mit dem »Core gender« des Kindes in Konflikt geraten. Wenn sich die »Core-gender-Identität« innerhalb der Eltern-Kind-Beziehung herausbildet, sind es vor allem die Einstellungen der Eltern zu bestimmten Eigenschaften und Verhaltensweisen, die das Kind veranlassen, sie als männlich oder weiblich anzusehen.

Bei vielen Menschen entstehen gelegentliche Verwirrungen über ihre Geschlechtsidentität, ohne daß sie prinzipiell in Frage gestellt wird, wie das bei den Transsexuellen oder auch bei einigen Homosexuellen und Transvestiten der Fall ist. Das heißt, bereits in den ersten Lebensjahren besteht eine Vielfalt von menschlichen Beziehungen und deren Verinnerlichungsmöglichkeiten, eine Vielfalt, die keineswegs die Geschlechtsidentität berühren muß und die nur dann zu Verwirrungen führt, wenn die Eltern oder die Gesellschaft geschlechtsspezifische Beschränkungen erzwingen.

Auch die Beobachtungen von René Spitz über die frühe Idealisierung der Mutter und die damit verbundene Sozialisation des Kindes sprechen für die Annahme einer durch Identifikation entstehenden ersten »Weiblichkeit«. Erst im Laufe der weiteren Entwicklung und aufgrund immer größerer Fähigkeit, die Realität wahrzunehmen, sei es die des anatomischen Geschlechtsunterschiedes oder die der unterschiedlichen gesellschaftlichen Bewertung der Geschlechter, kann das Kind die Tatsache, daß es zwei verschieden bewertete Geschlechter gibt, nicht mehr übersehen und muß sie entsprechend verarbeiten.

Die Theorien Freuds entsprangen den Deutungen, die er den Erinnerungen seiner Patienten, ihren Phantasien, Träumen, neurotischen Symptomen und Verhaltensweisen etc. gab. Er ging von oft verwirrenden psychologischen Beobachtungen aus und versuchte sie zu verstehen, indem er sie genetisch einordnete und mit verschiedenen biologischen Reifungsstadien in Beziehung setzte. Für ihn ist die Wendung der Tochter zum Vater nicht der Ausdruck natürlicher weiblicher Bedürfnisse, sondern ist Folge komplizierter, konfliktauslösender psychischer Verarbeitungen bestimmter Wahrnehmungen und konflikthafter Erlebnisse mit der Mutter.

In der Psychoanalyse Freuds geht es um die *psychische* Verarbeitung konflikterzeugender psycho-biologischer Reifungsvorgänge. Das vergessen die psychoanalytischen Revisionisten wie Horney, Sullivan und andere, wenn sie Freud den Vorwurf machen, er sei »biologistisch«. Sie selber aber, z. B. Horney, sprechen von »natürlicher« Weiblichkeit, »natürlicher sexueller Anziehungskraft« etc.; sie denken also in engeren biologischen Kategorien als Freud. Für Freud war nichts natürlich, das heißt beim Menschen nichts von Natur aus einfach und konfliktfrei gegeben. Daß er manches anders sah und interpretierte als wir heute, darf nicht erstaunen.

Die angebliche Verlagerung sexueller Reizbarkeit von der Klitoris auf die Vagina als Zeichen psychosexueller Reifung zu sehen, war z. B. ein Irrtum; er beruhte nicht nur auf zeitbedingten falschen

Kenntnissen von Physiologie, Biologie und embryonaler Entwicklung des weiblichen Genitals, sondern auch auf der Vorstellung von der Vorherrschaft des Mannes in seiner Gesellschaft, die sozusagen als Pendant Passivität der Frau erfordert. Wenn sich die sexuellen Bedürfnisse der Frau nicht von denen des Mannes unterscheiden und sie sich nicht nur passiv oder in masochistischer Unterwerfungslust befriedigen lassen, gerät das Denken in Kategorien männlicher Vorherrschaft ins Wanken.

Die Theorie Freuds über Entstehung und Entwicklung des Penisneides wird auch nicht von allen Psychoanalytikern geteilt. Die Ansichten Karen Horneys unterscheiden sich von denen Freuds. Nach ihrer Meinung entsteht der primäre Penisneid einmal durch die narzißtische Überschätzung der Ausscheidungsprozesse in der analen Phase, zum anderen durch die infantile Schau- und Zeigelust, bei der der Knabe im Vorteil ist, und schließlich dadurch, daß dem Knaben erlaubt, ja gelehrt wird, beim Urinieren sein Glied anzufassen, und das kleine Mädchen dies als Onaniererlaubnis deutet. Die Entdeckung des anatomischen Geschlechtsunterschiedes allein könne den Penisneid nicht erklären. Im übrigen hält sie den Begriff des Penisneides für überflüssig, um die Wendung des kleinen Mädchens von der Mutter zum Vater zu erklären. In diesem Wechsel äußere sich nur ein elementares Naturgeschehen, nämlich die gegengeschlechtliche Anziehung. Dazu Freud: »Eine Lösung von idealer Einfachheit«, die aber leider mit Ergebnissen mühevoller psychoanalytischer Untersuchungen nicht übereinstimme.

Aufgrund meiner klinischen Erfahrungen bin ich zu der Auffassung gekommen, die der phallischen Phase beim Knaben entsprechende Phase beim Mädchen als klitoridal zu bezeichnen, um damit zum Ausdruck zu bringen, daß die Klitoris ein eigenständiges Organ und kein verkümmerter Phallus ist und auch nicht primär als solcher empfunden zu werden braucht. Wenn wir beim Mädchen eine phallische Phase beobachten, was häufig der Fall ist, so stimme ich mit Jones und Horney überein, daß es sich hier um Abwehr eines Ödipus-Komplexes handelt, der Angst erweckte und zur Identitifikation mit dem Vater führte. Dabei kann der Vergleich mit dem Vater Neid hervorrufen, aber die Identifikation mit dem Vater kann auch Gefühle der Wertlosigkeit auslösen, wenn der Vater von der Mutter oder der sozialen Umwelt nicht anerkannt wird.

Daß die phallische Phase des Knaben von vornherein eine defensive sein soll, wie Jones meint, scheint mir nicht zuzutreffen. Gewiß können die Konzentration auf den Phallus und dessen Bedeutung sowie die Angst vor seinem Verlust später zu einem phallischen Narzißmus führen, der sicherlich defensiven Charakter hat und der sich besonders dann äußert, wenn ein starker unbewußter Wunsch nach Weiblichkeit abgewehrt werden muß. Doch die Reifung vom oralen und analen zum phallischen oder klitoridal-vaginalen Geschehen stellt meiner Ansicht nach eine Entwicklung der Libido dar, die bei jedem Kind zu beobachten ist. Die Hypophyse, so haben neuere Untersuchungen ergeben, produziert zwischen dem vierten und sechsten Lebensjahr die höchste Menge an Sexualhormonen in der Kindheit, allerdings ohne daß die Genitalorgane mit sichtbaren Veränderungen darauf reagieren, wie das in der Pubertät der Fall ist. Nur Körpergefühle, das heißt Reizungen phallischer und klitoridaler Art, nehmen in dieser Zeit zu. Mit der jeweiligen biologischen und psychosexuellen Reifungsstufe ändern sich auch die Wünsche den primären Objekten gegenüber.

Die phallische Stufe des Knaben ist mit ödipalen Wünschen an die Mutter verbunden, die klitoridale des Mädchens mit Wünschen nach der Liebe des Vaters. Es handelt sich hier nicht nur um eine unkomplizierte Anziehung der Geschlechter, sondern um ein kompliziertes Resultat der geschlechtsspezifischen, präödipalen Beziehung zur Mutter, jedenfalls nach den Erfahrungen und Beobachtungen der meisten Analytiker.

Ich stimme mit Jones und Horney überein, daß die phallische Phase des Mädchens, seine Wünsche, ein Mann zu sein, wie auch sein sekundärer Penisneid eine Folge defensiver Ereignisse darstellen, während die klitoridale oder auch klitoridal-vaginale Entwicklungsstufe mit ihren Enttäuschungen über die Mutter und ihren positiv ödipalen Wünschen als eine dem Mädchen entsprechende Phase der Objektbeziehungen anzusehen ist, die Hand in Hand mit einem Höhepunkt kindlicher genitaler Körpergefühle geht. Ich beschreibe diese Vorgänge so genau, um deutlich zu machen, wie schwierig es ist, Klarheit über die komplizierte weibliche Entwicklung zu gewinnen. Unbewußt gewordene, verdrängte Folgen kindlicher Erlebnisse auf das Verhalten der erwachsenen Frau werden von manchen Feministinnen leicht übersehen oder als bedeutungslos behandelt.

Die Erfahrungen mit erwachsenen Patientinnen und die Deutung ihrer Phantasien, Erinnerungen und Verhaltensweisen sprechen dafür, daß das kleine Mädchen trotz seiner intensiven Wünsche, die

Mutter für sich allein zu besitzen, sich nicht primär als kleiner Mann empfindet. Andererseits kann man mit angeborener Weiblichkeit und gegengeschlechtlicher Anziehung allein die Wendung zum Vater nicht erklären. Die Enttäuschung über die Mutter trägt dazu bei, daß sich das kleine Mädchen auf der ödipalen Stufe nach einem neuen Objekt umsieht, von dem sie mehr Befriedigung erhofft. Erst im Laufe dieser Entwicklung und aufgrund der doppelten Angst, der vor Liebesverlust und der vor Zerstörung des Körperinneren, kann es geschehen, daß das kleine Mädchen seine genitalen Wünsche gegenüber dem Vater aufgibt.

Ob die ursprüngliche Enttäuschung über die Mutter tatsächlich darauf zurückzuführen ist, daß die Mutter als Person angesehen wird, die dem Mädchen den Penis vorenthalten hat, wie Freud meint – diese Frage kann man nicht eindeutig beantworten. Zu dem Erleben minderwertiger Weiblichkeit müssen noch viele andere Enttäuschungen und Entidealisierungen oder eigene Entwertungserlebnisse hinzukommen, um die Abwendung von der Mutter und Zuwendung zum Vater herbeizuführen. Chasseguet-Smirgel scheint in vielen Fällen recht zu haben: Mit zunehmender Realitätskenntnis wird der Besitz des Penis unbewußt als Möglichkeit angesehen, der allmächtigen, beneideten Mutter einen eigenen narzißtischen Wert entgegenzusetzen.

Zweifellos ist es wichtig, die frühkindlichen Faktoren zu kennen, um die Verhaltensweisen der erwachsenen Frau zu verstehen. Dennoch darf die Eltern-Kind-Beziehung nicht so aufgefaßt werden, als wenn sie in keiner Verbindung mit den vielfältigen Einflüssen der Umwelt stände. Denn gerade diese Mischung der Folgen kindlicher Phantasien und Erlebnisse mit dem Einfluß des Gruppenstils, der Gruppenideale und der zeitgenössischen Moral liegt dem Verhalten der Frau in ihrer Gesellschaft zugrunde.

Der Vorwurf, die Frau sei nie frei von Ambivalenz, so wenig wie die Mutter es ihr gegenüber gewesen sei, und sie unterscheide sich darin grundlegend vom Mann, scheint nur teilweise stichhaltig zu sein. Der Mann kann, so wird gesagt, sowohl lieben als auch hassen, weil er Liebe und Haß besser auf zwei Personen verteilen kann: Die Mutter wird geliebt, der Vater gehaßt. Auch das ist nur eine Teilwahrheit. Beiden Geschlechtern bleiben Enttäuschungen in der oralen, analen und phallisch-klitoridalen und späteren genitalen Phase nicht erspart; bei beiden bleiben daher Ambivalenzen, Projektionen, Haßgefühle etc. den Eltern gegenüber bestehen.

Für die Generation von Helene Deutsch war es höchstes Glück, zu heiraten, eine von der Gesellschaft anerkannte Ehe zu führen und Kinder zu gebären. Lange Zeit schämte man sich in der Frauenbewegung, Mutter oder doch mütterlich sein zu wollen. Feministinnen sahen in solchen Bedürfnissen ein verächtliches Überbleibsel voremanzipatorischer Zeiten. Heute hat sich auch in Teilen der Frauenbewegung eine »Wende« vollzogen. Nostalgie und »neue Mütterlichkeit« sind Trumpf. »Selbstverwirklichung« als Ausleben von »Mütterlichkeit« hat wieder eine Chance.

Heute hat man häufig den Eindruck, daß beide Geschlechter weit über die Pubertät hinaus kindliche Bedürfnisse nachholen müssen. Kaum jemand scheint bereit zu sein, eine mütterliche oder väterliche Haltung zu übernehmen und für den anderen Verantwortung und Sorge zu tragen. Mann wie Frau sehnen sich offenbar nach der Rolle der »begehrenswerten Frau«, die, wie der Liebling der Mutter oder des Vaters, im Mittelpunkt der Aufmerksamkeit steht. Im Zeitalter des Fernsehens ist es nicht verwunderlich, wenn sich narzißtisch-exhibitionistische Wünsche verstärken. Aber die tieferen Ursachen dafür möchten wir Analytiker doch in den Beziehungen zu den Primärobjekten der Kindheit, zu den Eltern, sehen.

Viele junge Menschen leben heute in Gruppen. Um Bestätigung zu bekommen, ohne die sie sich verloren und ausgestoßen fühlen, müssen sie sich mit deren Inhalten identifizieren. Wenn Eltern die Idealisierungsbedürfnisse ihrer Kinder nicht befriedigen können, finden die Kinder solche Befriedigungen häufig in einer Gruppe, nach deren Wertvorstellungen sie sich richten können. So sehr Gruppen der emanzipativen Stabilisierung der Frau dienen können und es der berufstätigen Mutter erlauben, ihrer Arbeit in Ruhe nachzugehen, und so sehr sie von den negativen, egozentrischen, einengenden Bindungen typischer Kleinfamilienstrukturen befreien können, so können sie offenbar nicht die Intensität und Kontinuität mancher geglückter familiärer Beziehungen und deren strukturbildende Verinnerlichungen ersetzen. Manche Gruppen haben Ideale, aber kein Überich, das sie von innen heraus zwingt, diese Ideale zu erfüllen. Dazu brauchen sie äußeren Druck. Häufig ist das Reizbedürfnis ihrer Mitglieder so groß, daß Ideale vielfach gewechselt werden müssen. Um die Macht über die Gruppenmitglieder nicht zu verlieren, greifen »Führer« solcher Gruppen nicht selten zu manipulativen Maßnahmen. Darüber hinaus scheinen die sexuellen Beziehungen solcher Gruppen weniger der Befriedigung genitaler Bedürfnisse zu dienen als der Befriedigung frühkindlicher Idealisierungs- und Liebeswünsche.

Für die von diesen Wertvorstellungen manipulierten Frauen, die wir beobachten konnten, war es besonders wichtig, eine verpönte Besitzideologie überwunden zu haben. Wenn sie glaubten, in der Lage zu sein, alles mit anderen teilen zu können, auch den Körper und oft die intimsten Gedanken, hatten sie quasi-religiöse Forderungen an sich selbst erfüllt. Ihre Form der »Selbstverwirklichung« bestand darin, bürgerlich-subjektivistische Bedürfnisse – wie sie es nannten – aufgeben zu können. Sie verlangten von sich, keine »Geheimnisse« mehr untereinander zu haben. Die Fähigkeit, allein zu sein, wurde weder entwickelt, noch galt sie als erstrebenswert. Die im Inneren entstehenden Denkimpulse, die Beschäftigung mit eigenen inneren Empfindungen, Gefühlen und Werten hatten für sie nur geringen oder gar keinen Wert. Daß sie sich dennoch einem – bewußt abgelehnten – sexuellen Leistungsideal nicht hatten entziehen können – sie mußten unbedingt »gut« in der sexuellen Darbietung sein und forderten einen Mann nach dem anderen dazu heraus, dieses zu bestätigen –, das war ihnen zumeist völlig entgangen.

So wie zu Freuds Zeiten die rigide doppelte Sexualmoral dazu geführt hatte, daß die Frau ihre sexuellen Bedürfnisse verdrängte, stehen die Frauen jetzt unter einem sexuellen Leistungsdruck, durch den sie nicht weniger ausgebeutet werden als ihre in monogamer Ehe lebenden Mütter. Sie erlauben es sich nicht, ihre tatsächlichen Bedürfnisse zu entdecken; Gefühle wie Eifersucht, Scham, der Wunsch, allein mit einem Partner zu sein und nur mit ihm ihre sexuellen Erlebnisse zu teilen, sind zu neuen Tabus geworden.

Dafür ein Beispiel: Nora ist das einzige Kind kleinbürgerlicher Eltern. Es war ihr schon immer bewußt, daß sie die Aufgabe hatte, die innerlich brüchige Ehe der Eltern zusammenzuhalten. Vater und Mutter sind beide berufstätig. Erst wurde der Vater idealisiert, dann aber hatte die Mutter mehr Erfolg, und sie ist, so meint Nora, überhaupt der aktive und bestimmende Teil der Familie. Nora war bis zu ihrem 18. Lebensjahr sehr abhängig von ihr. Nachdem sie die Mittelschule abgeschlossen hatte, erlernte sie ein Kunsthandwerk.

Sie kam mit Künstlern in Berührung, die viel mehr von Kunst und

Literatur verstanden als sie, und schämte sich ihrer Unwissenheit. Als sie darum bat, ihr Abitur nachzuholen, waren ihre Eltern einverstanden und unterstützten sie später auch darin, ein Studium zu beginnen. Hier traf sie mit politisch engagierten Studenten zusammen, machte sich bald von deren Idealen und Ansichten gänzlich abhängig.

Sie lebte in einer Wohngemeinschaft und trat einer Gruppe bei, die den sogenannten »harten Kern« der politisch tätigen Studenten darstellte. Sie nahm zahlreiche sexuelle Beziehungen zu solchen Studenten auf, die sie, wenn auch oft nur für kurze Zeit, bewundern und idealisieren konnte. Die Entidealisierung, die meist nach kurzer Zeit auf der einen oder anderen Seite einzutreten begann, führte aber nicht allein zu dem schnellen Wechsel ihrer Freundschaften. Vielmehr schien ein unbewußtes Strafbedürfnis ihr eine befriedigende sexuelle Beziehung nicht zu gestatten. Es durfte ihr offenbar nicht bessergehen als ihren Eltern, deren wenig befriedigende Ehe ja nur ihretwegen aufrechterhalten worden war. In ihren jetzigen Freundschaften spielt die Patientin mal die Rolle der begehrenswerten Frau und läßt sich bewundern, mal diejenige des Vaters und fühlt sich minderwertig. Sie bewundert oder wird bewundert; schließlich finden alle diese Beziehungen ein unbefriedigendes Ende. Sie leidet unter Schuldgefühlen, die sie verdrängt, aber in ihren unglücklich endenden Freundschaften ausagiert, weil auch Schuldgefühle Eltern oder Elternfiguren gegenüber in ihrer Gruppe tabu sind.

Der ödipale Konflikt und die präödipale Beziehung zur Mutter variieren individuell; außerdem sind sie von der jeweiligen Kultur oder schichtenspezifischen Erziehung geprägt. Die sogenannten weiblichen Eigenschaften sind ein Erziehungsprodukt der jeweiligen Gesellschaft und ihrer vorherrschenden Wertvorstellungen; diese Vorstellungen bestimmen, was als »Weiblichkeit«, weibliches Rollenverhalten, Mutterpflicht etc. zu gelten hat. Dafür gibt es genügend Beispiele aus der Geschichte und aus der Ethnologie. Parin und Morgenthaler, Margaret Mead und andere Psychoanalytiker und Ethnologen konnten beobachten, daß bei den verschiedenen primitiven Volksstämmen Frauen die unterschiedlichsten sozialen Rollen ausfüllen. Den meisten Frauen unserer Kultur ging es wie jeder verachteten oder erniedrigten Gruppe: Sie besaßen lange Zeit ein nur schwach entwickeltes Solidaritätsgefühl. Das

scheint sich langsam zu ändern. Den Frauen wird außerdem kritik-
lose Anpassung, Mangel an Kampfgeist und an entschlossenem
Einsetzen für die eigenen Rechte vorgeworfen. Auch dabei handelt
es sich um Identifikationen und Verhaltensweisen, die der Frau als
schwächerem Teil der vom Mann beherrschten Gesellschaft über
Jahrtausende aufgezwungen worden sind. Vorbedingung für die
Befreiung von solchen Verhaltenszwängen ist die Befreiung der
Frau von sozialer, ökonomischer und familiärer Unterdrük-
kung.

10. Narzißmus und Masochismus – typisch weiblich?

Die Psychoanalyse beschäftigt sich von Anfang an mit unbewußten Vorgängen im Menschen, die seinen bewußten Motivationen zugrunde liegen. Mit seiner Metapsychologie versuchte Freud eine Theorie des Unbewußten zu formulieren, eine Theorie, die sich weitgehend von der bis dahin herrschenden Psychologie unterschied.

In ihrer Praxis erkannten Psychoanalytiker schon bald, daß sie nur wenig erreichten, wenn sie den Patienten die unbewußten Inhalte und Bedeutungen hinter ihren Worten und Handlungen oder neurotischen Symptome direkt mitteilten. Die Patienten konnten oder wollten nicht verstehen, was ihnen da Unbequemes, Kränkendes, Angsterregendes oder Unverständliches mitgeteilt wurde und was außerdem die Meinung und Wertschätzung, die sie bisher von sich selbst gehabt hatten, in Frage stellte.

Ihr »Ich« wehrte sich mit aller Kraft gegen solche Deutungen. Die Patienten hatten schließlich ein Leben lang ein System der Abwehr gegen Wahrnehmungen und Erkenntnisse errichtet, die erhebliche Angst oder seelische Schmerzen auslösen können. Jeder Mensch hat solche für ihn typischen Abwehrsysteme, die seine Reaktionsweisen grundlegend beeinflussen.

Der praktizierende Psychoanalytiker war also gezwungen, sich mehr mit dem Ich und dessen Abwehrmechanismen zu beschäftigen, um seinen Patienten helfen zu können, sich selbst besser zu verstehen. Der Analytiker lernte auf diese Weise, wie er sich seinen Patienten seelisch nähern darf, um ihnen verständlich zu machen, was sie krank macht oder ihr Leben neurotisch erschwert. Die Psychologie des Unbewußten oder des Es wurde durch die Psychologie des Ich und seiner – meist auch unbewußten – Abwehrmechanismen erweitert.

In jüngerer Zeit sieht sich der Psychoanalytiker immer häufiger mit sogenannten narzißtischen Neurosen konfrontiert, das heißt mit Menschen, deren Gefühl des eigenen Wertes erschüttert ist oder deren Beziehungsfähigkeit verkümmert ist, weil ihr Interesse sich fast ausschließlich auf die eigene Person und deren Probleme richtet.

Bei vielen Psychoanalytikern steht heutzutage die Bedeutung des Aufbaus eines stabilen Selbstwertgefühls für die Entwicklung des Menschen im Vordergrund. Es wird viel darüber diskutiert, ob die Krankheit des modernen Menschen, sein Gefühl der Sinn- und Beziehungslosigkeit, nicht vor allem in einer Störung seines Selbstgefühls und seiner Selbstachtung zu suchen ist. In der Psychoanalyse spricht man heute weniger als zu Freuds Zeiten davon, daß dort, wo Es war, Ich werden solle (was immer auch ein starkes Überich oder Gewissen im Sinne traditioneller kulturtragender Faktoren bedeutet); man zieht es vielmehr vor, von »authentischer« oder »Basis-Persönlichkeit«, von »Identität« und vor allem vom »Selbst« zu sprechen.

Der amerikanische Psychoanalytiker Heinz Kohut ist in mehreren Büchern der komplizierten Entwicklung eines »wahren« oder »falschen« Selbst nachgegangen. Kohut weist auf die Folgen hin, die eintreten können, wenn ein Mensch in der Kindheit seine Eltern nicht phasenspezifisch zu idealisieren vermochte. Wenn die Fähigkeit, die Eltern zu idealisieren, sie zu introjizieren und so zu einer sicheren Basis für die Überich-Bildung zu benutzen, in der Kindheit unterdrückt wird, leiden die betroffenen Menschen später unter Folgen eines Überich- und Selbstwert-Defizits. Wir haben es dann mit der inneren Unsicherheit einer narzißtisch desorientierten Persönlichkeit zu tun. Zwar ist sie befreit vom sogenannten negativen Gewissen, das heißt von unbewußten und bewußten Schuldgefühlen und Strafbedürfnissen, dafür überfallen sie Gefühle der Scham, der Derealisation, der Leere und Ziellosigkeit.

Was aber ist narzißtisch? Der Begriff geht zurück auf die Sage von Narzissus, der sich in sein Spiegelbild im Wasser verliebte. Liebe also, die man nicht einem anderen Menschen, sondern dem Bild von sich selbst entgegenbringt, ist Narzißmus – ein Begriff, der oft im entwertenden Sinne benutzt wird. Dabei vergessen viele, daß nur Menschen, die sich auch selbst lieben und achten, dazu fähig sind, andere zu lieben. Ein gesunder Narzißmus, das heißt die Möglichkeit, sich selbst einen Wert zu geben, ist darum von seinen pathologischen Verzerrungen zu unterscheiden, in denen zum Beispiel mitmenschliche Beziehungen ausschließlich dem Zweck der eigenen Selbsterhöhung oder Selbstbestätigung dienen oder, im schlimmsten Fall, kaum noch eine Rolle spielen.

Die Entwicklung eines stabilen Selbstwertgefühls beim Mädchen ist aber bei unserer Art der Erziehung sowie der bewußten und unbewußten Einstellung der Eltern und der Gesellschaft ihm gegenüber nach wie vor in Frage gestellt. Wenn Frauen als narzißtisch bezeichnet werden, ist damit so gut wie immer etwas Abwertendes gemeint. Wer so argumentiert, hält Frauen für unfähig, mit ihrem übermäßigen Bedürfnis nach Bewunderung fertig zu werden. Aufgrund ihrer egozentrischen Haltung seien Frauen zur Solidarisierung mit dem eigenen Geschlecht kaum in der Lage.

Auch nach Freud ist die Frau narzißtischer als der Mann, weil sie die Kränkung, keinen Penis als Symbol der Macht und Vollkommenheit zu besitzen, nicht überwinden könne. Er schreibt: »Wir schreiben also der Weiblichkeit ein höheres Maß von Narzißmus zu, das noch ihre Objektwahl beeinflußt, so daß geliebt zu werden dem Weib ein stärkeres Bedürfnis ist als zu lieben. An der körperlichen Eitelkeit des Weibes ist noch die Wirkung des Penisneides mitbeteiligt, da sie ihre Reize als späte Entschädigung für die ursprüngliche sexuelle Minderwertigkeit um so höher einschätzen muß« (1933, S. 141 f.). Diese Meinung Freuds teilen immer noch die meisten Psychoanalytiker.

Obwohl Psychoanalytiker sich darüber im klaren sind, welche Bedeutung der Aufbau eines stabilen Selbstwertgefühls für die Entwicklung jedes Menschen besitzt, ist in ihren Kreisen immer noch vom »typisch« weiblichen Narzißmus in abwertendem Sinn die Rede. Man hält Frauen für liebesunfähig, weil sie mit ihrem übermäßigen Bedürfnis nach Bewunderung und Geliebtwerden egozentrisch um ihr eigenes Bild kreisen. Was aber als Narzißmus der Frau und als Beziehungsfähigkeit des Mannes gilt, ist in den Argumenten wenig überzeugend. So liest man zum Beispiel bei Grunberger (1964), daß die »narzißtische« Frau sich hingibt, um geliebt zu werden, während der (nichtnarzißtische) Mann eine sexuelle Triebbefriedigung sucht und seiner Partnerin eine narzißtische Bestätigung nur gewährt, um sein Triebziel zu erreichen. Mit anderen Worten: Die liebesuchende Frau ist narzißtisch, der Mann, für den die Frau nur ein Sexualobjekt darstellt, ist es nicht. Die Neigung der Frau, ihre Liebesbeziehungen dauerhaft zu gestalten und sich nicht, wie der Mann, nach kurzfristiger Verliebtheit wieder »ernsteren Dingen« zuzuwenden, wird weiterhin als typisch weiblich-narzißtisch bezeichnet.

Die Psychoanalyse sieht im wesentlichen zwei Gründe dafür, warum die Frau angeblich ihren narzißtischen Bedürfnissen ausgeliefert bleibt: erstens das erwähnte unüberwindbare Gefühl der eigenen anatomischen Minderwertigkeit, zweitens die ambivalente Liebe der Mutter ihrer Tochter gegenüber. Grunberger meint, das kleine Mädchen sei niemals imstande, sich seine narzißtische Bestätigung selbst zu geben, da die Mutter ihm die uneingeschränkte Anerkennung versage. Der Grund liege in der Triebnatur des Menschen: Mutter und Tochter könnten keine adäquaten Sexualobjekte füreinander sein, deswegen sei die Liebe zwischen beiden niemals eindeutig, sondern immer ambivalent.

Grunberger wie Freud betrachten also unabänderliche Gegebenheiten – bei dem einen biologisch-sexuelle, bei dem anderen anatomische – als Ursache der tiefgehenden Minderwertigkeitsgefühle und der daraus sich entwickelnden narzißtischen Selbstbezogenheit der Frau. Nur die Geburt eines Sohnes gilt als Kompensation für das Selbstwertdefizit der Frau. Das Verhältnis von Mutter und Sohn wird als vollkommenste menschliche Beziehung angesehen. Freud schreibt dazu: »Daß das alte Moment des Penismangels seine Kraft noch immer nicht eingebüßt hat, zeigt sich in der verschiedenen Reaktion der Mutter auf die Geburt eines Sohnes und einer Tochter. Nur das Verhältnis zum Sohn bringt der Mutter uneingeschränkte Befriedigung; es ist überhaupt die vollkommenste, am ehesten ambivalenzfreie aller menschlichen Beziehungen« (1933, S. 143). Hier erhält die Mutter einen Wert, den Freud den Frauen sonst abspricht. Er sagt: »Das ist alles, was ich Ihnen über die Weiblichkeit zu sagen hatte. Es ist gewiß unvollständig und fragmentarisch, klingt auch nicht immer freundlich« (a. a. O., S. 145).

Die Bedeutung der Mutter für die Entwicklung ihrer Kinder, ob Junge oder Mädchen, ist mittlerweile von zahlreichen Psychoanalytikern genau erforscht worden. Von der Einfühlung der Mutter in Bedürfnisse der Kinder ist die Entwicklung des Selbstwertgefühls bei Sohn und Tochter abhängig. Die psychoanalytischen Theorien über die Frau sind in sich widersprüchlich: Einerseits gilt die Frau als besonders narzißtisch, weil sie aufgrund der beschriebenen frühkindlichen Kränkungen kein gesundes Selbstwertgefühl entwickeln könne, andererseits wird es als normal angesehen, daß die

Mutter wie kein anderes Familienmitglied sich in das kleine Kind einfühlen kann. »Die Mutter als Schicksal« (Schottlaender, 1946) – diese These hat für die meisten Psychoanalytiker immer noch Gültigkeit. Von der Mutter wird Unmögliches verlangt. Wie soll eine Frau dem genügen können, was heute von der Mutter an Liebe und Einfühlung gefordert wird, wenn sie selbst nie ambivalenzfreie Liebe erhalten hat, wie es die psychoanalytischen Theorien nahelegen? Mit Recht wird den Einfühlungsstörungen in der Mutter-Kind-Beziehung große Bedeutung für die Entwicklung des Kindes zugemessen, aber die Bürde an Schuld, die der Mutter auf diese Weise auferlegt wird, ist erdrückend. Die Mutter ist sowohl überfordert und wird gleichzeitig idealisiert.

Untersuchungen darüber, warum die Mutter dennoch häufig erstaunlich viel Einfühlung für ihre Kinder aufzubringen vermag, obwohl sie doch selbst in ihrem Selbstwertgefühl so frühzeitig gestört worden sein soll, solche Untersuchungen stehen noch aus. Vermutlich setzen sich Verinnerlichungen der angstmildernden und trostspendenden Mutter beim Mädchen von Generation zu Generation dauerhafter fort als beim Knaben, der durch die Wert- und Verhaltensnormen seiner Gesellschaft mehr oder weniger gezwungen wird, sich von seinen ersten Verinnerlichungen zu lösen. Diese Art von Verinnerlichungen, die erste psychische Strukturen aufbauen, scheinen beim Mädchen die spätere Entwertung der Mutter, als Abwehr gegen das Gefühl der Abhängigkeit und Enttäuschung, nicht selten zu überdauern und werden offensichtlich selbst durch die gesellschaftliche Entwertung der Frau, die von der Mutter meistens geteilt wird, nicht ausgelöscht.

Möglicherweise tragen die frühen Verinnerlichungen der mütterlichen Funktionen wie auch die Beziehung zu ihr dazu bei, ein strukturierteres Selbstbild aufzubauen, als es dem Knaben vergönnt ist; ihm wird die Des-Identifizierung mit den Funktionen der Mutter in ganz anderer Weise, von außen wie auch von der Mutter selbst, abverlangt als dem Mädchen. Die Fähigkeit, ein Gedächtnis für frühe Erlebnisse und Gefühle zu entwickeln, ist beim Knaben durch den aufgezwungenen Identifikationsabbruch häufig verkümmert. Die evokative Möglichkeit des Gedächtnisses, Objekte, das heißt mitmenschliche Beziehungen und deren tröstende und angstmildernde Funktionen, nach Bedarf vor seinem inneren Auge zu wecken, könnte aus den genannten Gründen beim Mädchen ausgeprägter sein als beim Knaben, auch trotz aller späteren Störungen durch die Identifikation mit den selbstentwertenden Einstellungen der Mutter.

Bei manchen Autoren, die dafür plädieren, dem Kind wie dem Erwachsenen mehr narzißtische Bestätigungen zu geben, fällt auf, daß sie den Störungen in der Entwicklung des Narzißmus beim Mann weit mehr Aufmerksamkeit widmen als entsprechende Störungen bei der Frau.

Kohut hält es für erwiesen, daß für die Entwicklung des Selbstwertgefühls und für die Integration psychischer Strukturen zu einem eigenständigen Selbst die mütterliche Bewunderung des Kindes ausschlaggebend ist. Die Mutter müsse Verständnis für das Bedürfnis des Kindes haben, sich selbst zur Schau zu stellen, angestaunt zu werden und Begeisterung für seine Fortschritte zu erregen. Von genauso großer psychischer Bedeutung sei es, daß das Kind die Möglichkeit erhalte, einen Erwachsenen zu idealisieren. Dafür sei vor allem der Vater zuständig; er habe seinem Kind gegenüber eine entsprechende Rolle einzunehmen.

Nur kurz streift Kohut die Problematik der weiblichen Entwicklung und kommt zu dem Schluß, daß das kleine Mädchen ähnliche Bedürfnisse wie der Knabe habe. Gelegentlich könne auch die Mutter die Idealisierungsbedürfnisse des kleinen Mädchens befriedigen. Auf jeden Fall sei mit einer pathologischen Entwicklung des Selbst zu rechnen, wenn es an Vorbildfiguren fehle, die idealisiert werden könnten.

Die bewundernde Mutter und der bewunderte Vater sollen im Laufe der Entwicklung verinnerlicht werden, damit das Kind Gefühle der Selbstachtung und der inneren Sicherheit erwerben kann, Gefühle, die als Grundlage für den Aufbau einer gefestigten Persönlichkeitsstruktur gelten.

Der »Glanz im Auge der Mutter«, das heißt die Bewunderung ihres Kindes, wird, jedenfalls nach den psychoanalytischen Theorien, hauptsächlich dem Knaben zuteil. Was aus dem Mädchen werden soll, das von der Mutter nur Ambivalenz – siehe Freud, Grunberger und viele andere Analytiker – zu erwarten hat, diese Frage bleibt auch bei Kohut unbeantwortet.

Durch Kohuts Modell werden männliche Vorstellungen von einer patriarchalischen Gesellschafts- und Wertordnung erneut wissenschaftlich legitimiert. Danach kommt die Gesellschaft den kindlichen Bedürfnissen nur dann entgegen und erfüllt somit die Vorbedingungen für den Aufbau eines gesunden Selbstwertgefühls, wenn der Vater idealisiert werden und die Mutter ihr Kind, das heißt natürlich vorwiegend ihren Sohn, bewundern kann.

Wie Analytiker immer wieder betont haben, muß man die Abwehr der frühkindlichen Abhängigkeit von der als allmächtig erlebten Mutter sowie die Abwehr des Gebärneides als tiefere Ursachen für die allgemeine Entwertung der Frau ansehen. Zu dieser Entwertung trägt wahrscheinlich auch das Festhalten an der Vorstellung vom »typisch« weiblichen Narzißmus bei, hinter der sich Angst vor der eigenen Liebesunfähigkeit und Abwehr des aus zu großer Abhängigkeit und Neid geborenen Hasses verbirgt.

Der Mann pflegt auf sein Bedürfnis nach Verwöhnung und Bewunderung durch eine mütterliche Frau nur selten zu verzichten und drängt daher auch in der Ehe die Frau in die mütterlich-fürsorgende Rolle. Er macht sie zur Mutter, nicht sie ihn zum Kind, wie Freud meinte, als er schrieb: »Selbst die Ehe ist nicht eher versichert, als bis es der Frau gelungen ist, ihren Mann auch zu ihrem Kind zu machen und die Mutter gegen ihn zu agieren« (1933, S. 143).

Die Entwicklung eines stabilen Selbstwertgefühls beim Mädchen ist bei der bewußten und unbewußten Einstellung der Eltern nach wie vor höchst unsicher. Sobald die Wahrnehmung des Mädchens sich so weit entwickelt hat, daß es die unterschiedliche gesellschaftliche Bewertung der Geschlechter bewußt oder unbewußt erkennen kann, wendet es sich häufig von der entwerteten und ihr gegenüber meist ambivalenten Mutter ab, beginnt seinen Vater zu idealisieren und versucht seine Anerkennung zu gewinnen. Zugleich erkennt das Mädchen das häufig kindlich abhängige Verhalten ihres Vaters, der die eigenen Kinder nicht selten als Rivalen erlebt und behandelt. Einerseits identifiziert das Mädchen sich mit dem gesellschaftlich höher bewerteten Vater, andererseits verachtet es ihn insgeheim wegen seiner kindlich-egoistischen Abhängigkeit. Da aber der Vater auch ein »Selbst-Objekt« ist, das heißt ein Teil der eigenen kindlichen Person, bedeutet sein Wert oder Unwert zugleich auch ein Urteil über das eigene Selbst. Zur zwiespältigen Einstellung der Mutter gegenüber gesellt sich eine ähnliche Ambivalenz im Verhältnis zum Vater. Da sie auch ihn nur halbherzig bewundern kann, kommt es auch auf diese Weise zu einer Verringerung des eigenen Wertes als Frau.

Heftiger defensiver Narzißmus ist bei der Frau bisweilen Folge ihrer kindlichen Selbstwertstörung. Dann trachtet sie vor allem danach, Neid des eigenen Geschlechtes sowie Bewunderung und Aufsehen beim anderen Geschlecht zu wecken. Sie kann so zur Karikatur einer Frau werden, wie die Männer-Presse sie seit eh und je mit besonderem Vergnügen darstellt. Sie zieht sich auffällig an, kokettiert mit jedem Mann, interessiert sich vorwiegend für Kleider, Kosmetik und Konsum etc. Auch die Beziehung zu den Kindern und zum Ehemann dient ihr hauptsächlich zur Kompensierung des Mangels an eigenem Selbstwertgefühl. Ehemann und Kinder müssen um jeden Preis dort gesellschaftlich erfolgreich sein, wo ihr Erfolg versagt geblieben ist.

Ist die Frau narzißtischer als der Mann? Oder ist sie liebesfähiger als er? In unserer Kultur trifft vielleicht beides zu. Ihr Selbstgefühl wird zu oft gekränkt, als daß es nicht der narzißtischen Kompensation bedürfte, das heißt, sie muß mehr als der Mann gegen Gefühle der eigenen Minderwertigkeit ankämpfen und deswegen oft mehr als er darum bemüht sein, geliebt und anerkannt zu werden. Das »durchschnittliche Verhalten« der Geschlechter in unserer Kultur läßt aber erkennen, daß die Frau die Interessen der anderen eher als der Mann über die eigenen stellen kann; das ist ihr auch von früh an eingeprägt worden. Außerdem neigt sie nicht dazu, den Geschlechtspartner zum Sexualobjekt zu erniedrigen.

Die meisten Frauen wissen nicht, warum sie sich häufig nur so gering einschätzen. Sie wissen nicht, daß sie sich immer noch mit männlichen Vorstellungen vom »Wert« der Frau identifizieren, Vorstellungen, nach denen sie vor allem schön, jung und erfolgreich oder mütterlich und aufopferungsvoll zu sein hat. Nur wenn Frauen sich solcher »Ideale« von Weiblichkeit entledigen, können sie auch in der Erziehung ihrer Kinder das eigene Geschlecht aufwerten und als erstrebenswert hinstellen.

Über die Frage, ob der Masochismus eine typisch weibliche Eigenschaft ist, haben sich viele Kontroversen entzündet. Im Zusammenhang mit männlicher Gewalt gegen Frauen, im besonderen der sexuellen Vergewaltigung von Frauen, ist häufig die Behauptung zu hören, die Frauen provozierten solche Handlungen, sie forderten aufgrund ihrer masochistischen Wünsche nach sexueller Unterwerfung die Gewalttätigkeit der Männer geradezu heraus. Wie es in Gerichtsprozessen zugeht, in denen über Vergewaltigungen von Frauen verhandelt wird, ist häufig Gegenstand von Gerichtsberichten und ist uns in einem Vergewaltigungsprozeß, den eine Ärztin gegen zwei Kollegen angestrengt hat, wieder drastisch vor Augen geführt worden. Es ist nur zu bekannt, welche Demütigungen und Verdächtigungen Frauen in der Regel ausgesetzt sind, wenn sie sich nach einer Vergewaltigung dazu entschließen, Anzeige zu erstatten. Deshalb bleiben Vergewaltigungen in den meisten Fällen unbekannt und ungesühnt. Die Glaubwürdigkeit der Frauen wird häufig um so stärker in Frage gestellt, je emotional betroffener sie auf erniedrigende Untersuchungsmethoden reagieren. Nach wie vor halten die meisten Männer an ihrer Meinung fest, Frauen provozierten durch ihr Verhalten eine Vergewaltigung.

Schon Freud, so heißt es, habe behauptet, daß die Frauen typischerweise Phantasien entwickelten, in denen sie es lustvoll erfahren, von Männern vergewaltigt zu werden. Wahr ist, in der Psychoanalyse ist oft die These vertreten worden, Frauen seien von Natur aus masochistisch, das heißt, sie zeigten eine Tendenz zur Selbstquälerei und zur Leidenslust. Freud meinte, Erziehung und Einstellung der Gesellschaft wie auch die psychischen Folgen ihres biologisch-anatomischen Schicksals ließen der Frau keine andere Wahl, als die Aggression gegen sich selbst zu wenden und dabei masochistische Leidenslust zu entwickeln. Darüber hinaus müsse ihr Masochismus als Vorbedingung dafür gelten, daß sie den Geschlechtsverkehr überhaupt genießen könne.

Masochismus wurde in der Psychiatrie zunächst als Perversion verstanden, bei der die sexuelle Befriedigung an Schmerz und Demütigung gebunden ist. In der psychoanalytischen Theorie wurde dieser Begriff erweitert. Freud unterschied zwischen dem moralischen, dem erogenen und dem femininen Masochismus. Beim moralischen Masochismus stehen unbewußtes Schuldgefühl und Strafbedürfnis im Vordergrund. Ein solcher Mensch begibt sich zwanghaft in Situationen, die für ihn nachteilig sind und in denen er zum Opfer wird, ohne daß sein Verhalten sexuelle Lust in ihm erregt oder ihn sexuell befriedigt. Der moralische Masochist gehört zum Menschentyp, »der am Erfolg scheitert«.

Im erogenen Masochismus ist sexuelle Lust mit Schmerz verknüpft. Diese Form des Masochismus stellt sicher eine Perversion sexuellen Erlebens dar.

Der feminine Masochismus ist, jedenfalls in der Psychoanalyse, Ausdruck des femininen Wesens. Wer an ihm leidet, versetzt sich in seinen Phantasien in eine für die »Weiblichkeit charakteristische Situation«. Damit ist im allgemeinen die passive Haltung eines

Menschen gemeint, der besondere Freude am Dienen und am Sich-Aufopfern erlebt. Diese Lust am Leiden kann eine sexuelle Färbung haben, braucht es aber nicht. Der Unterschied zwischen erogenem und weiblichem Masochismus ist in der psychoanalytischen Theorie weitgehend ungeklärt. Freud meinte immerhin, die Frau könne ohne masochistischen Leidensdruck den Geschlechtsverkehr nicht genießen.

Diese Form des Masochismus als feminin zu bezeichnen, ist Folge eines typischen Vorurteils, denn nach klinischer Erfahrung ist er auch beim Mann anzutreffen. Dieser Widerspruch soll mit der Theorie der Bisexualität gelöst werden; das heißt, man nimmt an, daß Bisexualität bei der psychischen Entwicklung aller Menschen eine Rolle spielt. Nur: Was bei der Frau als natürlich angesehen wird, gilt beim Mann als Perversion.

Wenn es zutrifft, daß alle Frauen durch Erziehung oder von Natur aus masochistisch sind, müßten alle Frauen auch besonders phantasiereich sein. Das wäre zumindest die logische Konsequenz, wenn jene Psychoanalytiker recht haben, die davon ausgehen, daß Menschen mit geringem Phantasieleben nicht zu Masochismus neigen. Doch so einfach kann man es sich nicht machen, wie uns viele Erfahrungen lehren. Wie Psychoanalytiker zwischen Symptomneurose und Charakterneurose zu unterscheiden lernen, so müssen sie auch zwischen masochistischen Phantasien, masochistischen Symptomen und masochistischem Charakter unterscheiden. Bei dem masochistischen Charakter ist, wie bei allen Charakterneurosen, das Phantasieleben meist erheblich eingeschränkt; starre Aufopferungshaltungen bei Frauen sind in der Regel verbunden mit einer Hemmung ihrer Phantasie. Auch muß man wissen, daß Patientinnen mit Vergewaltigungsphantasien nur höchst selten Freude an der Realisierung ihrer Phantasien haben, wie das häufig fälschlich behauptet wird.

Sexuell stimulierende Vergewaltigungs- und Erniedrigungsphantasien lassen sich bei Frauen häufiger beobachten als bei Männern. Genauere Beobachtungen solcher Phantasien lassen jedoch erkennen, daß es sich dabei um qualitativ unterschiedliche Vorgänge handelt, denn: Die real erlebten Vergewaltigungen werden so gut wie nie als lustvoll empfunden. Sie gehen häufig mit bleibenden psychischen Schäden einher. Phantasierte und real erlebte Vergewaltigung lassen sich nicht gleichsetzen. Phantasien über sexuelle Vergewaltigungen sind weder so brutal noch so einfühlungslos wie wirkliche. Sie machen auch, im Gegensatz zur tatsächlichen Vergewaltigung, nicht hilflos, im Gegenteil: Wer phantasiert, ist kein Opfer, er ist Schöpfer und Beherrscher der Situation, die er phantasiert.

Solche Phantasien können also dem Zweck dienen, passiv erlittene Unterdrückungen in kontrollierbare Situationen zu verwandeln und aus Unlust Lust zu machen. Dennoch können Phantasien über Vergewaltigungen als Vorbedingung für sexuelle Befriedigung auch das Gefühl erzeugen, Sklave seiner Phantasien zu sein. Dann dienen Phantasien nicht mehr zur Beherrschung seelischer Situationen, sondern sie beherrschen den Phantasierenden. Die Tatsache, daß bei Frauen so viele masochistische Phantasien auftreten, dürfte auf ihre jahrhundertelange soziale und familiäre Unterdrückung zurückzuführen sein. Hilflosigkeit kann nicht mehr schrittweise überwunden werden, wenn sich die Phantasien dem eigenen Ich und seiner Kontrolle entziehen.

Dennoch, wenn Frauen dem Analytiker über Phantasien von passiver sexueller Unterwerfung berichten, dann geschieht es häufig, daß sich in das Gefühl der Scham ein Element untergründigen Triumphes mischt, mit Hilfe der Phantasien Herrin ihrer selbst und ihrer Lustmöglichkeiten zu sein. Andererseits empfinden viele Frauen ihrer Sexualität gegenüber Angst, Schuld und Scham, vor allem dann, wenn sie die sexuelle Erregung in eigener Initiative herbeiführen und erleben. Sexualität darf nach ihrer Meinung offenbar nur durch den Mann ausgelöst werden.

Die Identifizierung mit dem Rollenbild von der schwachen und abhängigen Frau geht einher mit dem Bedürfnis, im Mann den Mächtigen zu sehen, der Lebenshilfe bietet und Lebensziel ist. Die erotische Unterwerfung dient mancher Frau dazu, Einfluß auf den Mann zu gewinnen und dadurch an seiner Macht teilzuhaben.

Psychoanalytiker werfen feministisch orientierten Frauen häufig vor, sie betrachteten die masochistischen Bedürfnisse, Phantasien und Verhaltensweisen der Frau ausschließlich als Folge gesellschaftlicher Verhältnisse, das heißt der patriarchalischen Herrschaftsstrukturen, welche die Beziehung der Geschlechter bestimmen. Damit würden, so die Psychoanalytiker, die psychischen Folgen der unterschiedlichen Geschlechtsmerkmale und Körpergefühle unterschätzt, die zwangsläufig das Geschlechtsverhalten beeinflussen müßten.

Untersuchungen von Stoller u. a. haben ergeben, daß sich nicht allein aus der psychischen Verarbeitung von Anatomie und Physiologie eine Geschlechtsidentität entwickelt, sondern daß sie entscheidend auch davon abhängt, wie sich das Kind aufgrund seiner Erziehung und der Einstellung seiner Umgebung zu sehen gelernt hat, selbst wenn diese Erfahrungen nicht mit seinem biologischen Geschlecht übereinstimmen. Da Mädchen, die ohne Vagina geboren wurden, und Knaben, denen der Penis fehlte, wie auch blinde Kinder sich entsprechend dem Geschlecht entwickelten, das ihnen bei der Geburt zugesprochen worden war, kann die Erkenntnis des anatomischen Geschlechtsunterschiedes nicht die große psychologische Bedeutung haben, die Freud ihr zuschrieb. Die geschlechtliche Selbstbestimmung des Kindes erfolgt, so Stoller, weitgehend in Übereinstimmung damit, welches Geschlecht ihm bei der Geburt zugesprochen worden ist.

In jüngerer Zeit haben einige psychoanalytische Autoren (Kleemann, 1976; Stoller, 1968) hervorgehoben, daß die kognitiven Erkenntnisse, das heißt die Lernerfahrungen, zur Bildung der Geschlechtsidentität beitragen. Dieser Meinung nach ist die Wirkung der Identifikation sekundär, denn sonst ließe sich nicht erklären, warum zum Beispiel ein kleiner Junge, dessen primäre Identifikationsfiguren weiblich sind, sich dennoch mit etwa drei Jahren eindeutig als Junge fühle. Dieser Effekt sei die Folge zahlreicher Handlungsanweisungen und Verhaltensmuster, mit denen ihm vermittelt wurde, daß er als Junge angesehen wird. Das soll psychisch stärkeren Einfluß ausüben als die primären Identifikationen mit weiblichen Vorbildfiguren.

Meines Erachtens besteht auch hier die Gefahr, komplizierte psychische Mechanismen zu vereinfachen. Identifikationen mit weiblichen Vorbildfiguren und Verinnerlichung Sicherheit gebender Funktionen der Mutter wirken sich allgemein strukturbildend und keineswegs nur im geschlechtsbestimmenden Sinne auf die Psyche des Kindes aus. Vielleicht ist aber die Entwicklung der Geschlechtsidentität mehr, als bisher angenommen, von der jeweils von außen vorgenommenen geschlechtsspezifischen Etikettierung des Kindes abhängig. Wiederholt haben Psychoanalytiker aus ihrer Praxis berichtet, es gehöre zu den normalen Phantasien eines dreijährigen Knaben, wie die Mutter Kinder zu bekommen, ohne daß dadurch sein Gefühl, ein Junge zu sein, gestört würde. Zwischen Identifikationen mit den Funktionen der Mutter und denen mit ihrem Körperbild sollte außerdem unterschieden werden.

Verwirrungen über das eigene Körperbild und die Geschlechtszugehörigkeit stammen auch bei Mädchen aus vielfältigen Quellen und lassen sich nicht nur auf Identifikation mit der Haltung der Mutter und ihren Verhaltensweisen zurückführen. In der Psychoanalyse ist man sich auch im allgemeinen darin einig, daß menschliche Triebe der Bestimmung durch Versagungs- und Befriedigungserfahrungen, das heißt der Bestimmung durch mitmenschliche Beziehungen bedürfen, um eine psychische Repräsentanz zu entwickeln. Das bedeutet auch, daß die spezifische Art der Triebentwicklung vom Verhalten der Eltern dem Kind gegenüber, von deren bewußten und unbewußten Phantasien, bewußten und unbewußten Erwartungen, Erziehungsmethoden, kognitiven Anleitungen etc. abhängig ist. Psychoanalytiker haben immer deutlicher erkannt, wie groß die Lern- und Wandlungsfähigkeit der Triebe ist. Die Destruktivität, gerichtet gegen die eigene Person oder gegen andere, hängt wie die Liebesfähigkeit von der Qualität früher Objektbeziehungen ab, die ihrerseits durch gesellschaftliche Rollenerwartungen und durch zeitspezifische Erziehungsmethoden und die dadurch ausgelösten Phantasien geprägt sind.

Von früh an sehen viele Frauen aufgrund des Vorbildes der Mutter ihr Lebensziel darin, geliebt zu werden, einen Mann zu lieben, ihn zu bewundern, ihm zu dienen sowie sich ihm anzupassen und seine Kinder in mütterlicher Aufopferung großzuziehen. Heterosexuelle Liebe als ausschließlichen Lebenssinn legt unsere Gesellschaft auch heute noch der Frau nahe. Unvermeidliche Folge dieser von Kindheit an aufgezwungenen und verinnerlichten Ideale ist die Entwicklung eines »weiblichen Masochismus«. Das war auch Freud durchaus bewußt.

Der Ehemann »erbt« nach Freud die ursprüngliche Beziehung zur Mutter, das heißt, an die Stelle der mächtigen Mutter wird der mächtige Mann gesetzt. Die lebenslange abhängige Zweierbeziehung, in der es einen Beherrscher und eine Beherrschte gibt, ist typisch für die sadomasochistische Beziehung; aus ihr kann sich ein Mädchen vielleicht noch schwieriger lösen als ein Knabe, weil beim Mädchen das Trennungsbedürfnis, der Trotz, das »Nein-Sagen« und damit die notwendige Lösung aus der ausschließlichen Zweierbeziehung weniger gefördert werden als beim Knaben. Die Trennungsängste sind beim Mädchen besonders stark, aber auch seine Verschmelzungsbedürfnisse bereiten dem Mädchen gewöhnlich Ängste, da sie die Gefühle der Hilflosigkeit in der symbiotischen

Einheit mit der Mutter noch steigern. Der Knabe wird dazu ermuntert, sich an den Vater zu wenden, sich mit ihm zu identifizieren, kein Mutterkind zu sein. Für das Mädchen bleibt die Mutter nicht selten ein Selbstobjekt, das es zu hassen beginnt, weil die nötige Distanz nie hergestellt werden konnte.

Die Psychoanalytikerin Anni Reich sprach von narzißtischer Objektwahl bei Frauen, die zu einer starken unbewußten Überschätzung alles Männlichen neigen und bei denen der Mann ihrer Wahl das Gefühl des eigenen Mangels beheben soll. Die Trennung von einem Partner, der als Ergänzung des als mangelhaft empfundenen eigenen Ich dient, muß als unerträglich empfunden und mit allen Mitteln verhindert werden. Die ökonomische Abhängigkeit, unter der die Frau in unserer Gesellschaft vor allem dann leidet, wenn sie Kinder hat oder bei steigender Arbeitslosigkeit als erste ihre Stellung verliert, wird aufgrund solcher psychischen Abhängigkeit vom Mann häufig ins Unerträgliche gesteigert. Wenn Ehescheidung nicht nur ökonomische Unsicherheit bedeutet, sondern darüber hinaus noch als eine Art Selbstverlust erlebt wird, muß eine Frau sie mit allen ihr zur Verfügung stehenden Mitteln verhindern. Masochistische Verhaltensweisen sind die unausweichliche Folge.

Freiheit findet ihre Beschränkung stets in der Rücksicht auf andere. Wenn jedoch das Mädchen bereits in frühester Kindheit zu besonderer Rücksicht und zu Anpassung erzogen wird, ist auch ihre Freiheit in besonderem Ausmaße eingeschränkt. Zu große Abhängigkeit weckt unweigerlich Haß gegen den, von dem man abhängig ist. Das wiederum macht angst, so daß Haßgefühle durch masochistische Verhaltensweisen abgewehrt werden und zu sadomasochistischen Beziehungen führen. Je abhängiger ein Kind und später der Erwachsene ist und je mehr er auf die Zweierbeziehung angewiesen ist, um so wahrscheinlicher sind Beziehungsformen sadomasochistischer Natur, in denen das Bedürfnis nach Beherrschung und Beherrschtwerden die zwischenmenschliche Situation bestimmt.

Aufgrund der vielfältigen Verknüpfungen von Realität und Phantasie ist es notwendig, masochistische Phantasien von Strafbedürfnissen und masochistischen Charakterzügen zu unterscheiden. Übertrieben sich aufopferndes Verhalten, die Frau als demütige Dienerin, die Neigung der Mutter, für alle in der Familie stets verfügbar zu sein, wodurch die übrigen Familienmitglieder unselb-

ständig und infantil bleiben – solche masochistischen Charakterzüge sind die Folge falscher Ideale, wie sie der Frau unserer Kultur
seit Jahrhunderten aufgezwungen worden sind. Letztlich haben
diese Charakterzüge ihr aber mehr Verachtung als Bewunderung
eingetragen. Sie stellen generationenalte Identifikationsketten dar,
die so leicht nicht zu beseitigen sind. Der Kampf um neue Ich-
Ideale ist unvermeidbar; das Bemühen der Frau um Bewußtmachung der ihrem Verhalten zugrunde liegenden unbewußten Motive und das Überwinden ihrer Vorstellung, quasi von Natur aus
den Männern unterlegen zu sein, werden zu neuen Orientierungen
und neuen Verhaltensweisen führen.

Das unbewußte Strafbedürfnis des moralischen Masochisten und
seine Neigung, für ihn nachteilige Situationen aufzusuchen, finden
wir bei beiden Geschlechtern in gleichem Maße. Die Wurzeln dieses
Verhaltens sind in der frühen Kindheit zu suchen. Die als allmächtig empfundene Mutter der ersten Kinderjahre wird von beiden
Geschlechtern für unvermeidbare Enttäuschungen verantwortlich
gemacht und folglich gehaßt. Da sie aber gleichzeitig geliebt wird
und nicht nur Kinder, sondern auch Erwachsene oft unbewußt von
ihr abhängig bleiben, muß der Haß verdrängt werden. Als Reaktion darauf entwickeln sich angstvolle Schuldgefühle, die im Leben
des moralischen Masochisten als Strafbedürfnis auftauchen.

Männer erleben sexuell stimulierende masochistische Phantasien
als besonders beschämend; sie fühlen sich diesen Phantasien mehr
als Frauen ausgeliefert, weniger als Schöpfer ihrer Phantasien. Offenbar haben sie viel mehr Angst als Frauen, die eigene Geschlechtsidentität zu verlieren, wenn sie sich Vergewaltigungsphantasien gestatten. Sie erleben sie als pervers. Doch es ist bekannt,
daß Männer, wie zum Beispiel Kafka und Proust, ihre masochistischen Phantasien und Haltungen kreativ zu nutzen vermochten.
Die verschiedenen Biographen Prousts schildern übereinstimmend,
daß er nach einem Abend mit einem Freund die Gewohnheit hatte,
die folgende schlaflose Nacht damit zu verbringen, alles, was am
Abend zuvor gesagt oder nicht gesagt worden war, auf das subtil-
ste zu analysieren und dem Gesprächspartner über die ihm während des Abends zugefügten Kränkungen lange Briefe zu schreiben.
Aus der Umsetzung solcher Erlebnisse entstanden wichtige Teile
seiner Werke. Proust war auch der Schriftsteller detaillierter Schla-
geszenen sadomasochistischer Homosexueller und ihrer psychischen Verarbeitung. Selbst die sadomasochistischen Allmachts-

phantasien der negativen Helden in den Werken Kafkas kompensieren die Ohnmacht ihrer Opfer. Beide, Proust wie Kafka konnten sich ein Leben lang nicht von ihrer ödipalen Mutterfixierung lösen.

Wenn der Haß in der Beziehung verleugnet wird und man sich für alle Enttäuschungen durch die Mutter verantwortlich macht, um so das Gefühl hilflosen Ausgeliefertseins zu überwinden, dann ist nicht selten der Grund dafür gelegt, daß sich masochistische Verhaltensweisen entwickeln. Die traumatisch wirkenden narzißtischen Kränkungen der frühen Kindheit werden kompensiert, indem der Masochist sie sich selbst zufügt (vgl. Eidelberg, 1934).

Die Rollenerwartungen an die Frau haben sich im Laufe dieses Jahrhunderts wesentlich gewandelt. Freud, nach dessen Auffassung das kleine Mädchen als Ersatz für seine genitale Minderwertigkeit ein Kind vom Vater wünscht, hielt es noch für selbstverständlich, den Wunsch nach sexuellem Verkehr und den Kinderwunsch als Einheit anzusehen. Das entsprach der damaligen Situation der Frau. Für die heutige Frau besteht diese Einheit nicht mehr. Klinische Erfahrungen zeigen, daß auch die masochistischen Verhaltensweisen der Frau, genau wie die hysterischen Symptome, einem zeitbedingten Wandel unterworfen sind. Sie stellen komplizierte psychische Antworten auf gesellschaftliche Phänomene und die ihnen entsprechenden Erziehungsmethoden dar. In der masochistischen Aufopferungshaltung der Frau ein weibliches Ideal zu sehen, wie es traditionellen Wertnormen entsprach, erscheint uns heute absurd. Psychischer Masochismus ohne die andere Seite der »Medaille«, das heißt ohne den psychischen Sadismus, ist nicht vorstellbar. Analytikern ist die passive Aggressivität masochistischer Frauen wohlbekannt, von Frauen, die ständig dazu neigen, sich vorwurfsvoll zu verhalten und mit ihrer Aufopferungs- und Demutshaltung anderen Schuldgefühle zu bereiten oder sie in permanenter Abhängigkeit zu halten. Jeder sensible, von seiner Kultur nicht gänzlich deformierte Mensch wird auch bei Frauen offene Auseinandersetzung und Selbstbehauptung einer solchen Haltung vorziehen.

11. Antisemitismus – eine Männerkrankheit?

Der Antisemitismus ist eine soziale Krankheit; sie gehört in den größeren Zusammenhang der irrationalen Verfestigung von Vorurteilen. Doch Antisemitismus ist nicht gleich Antisemitismus. Er hat sich im Laufe der Jahrhunderte verschiedener Inhalte bedient, wurde für unterschiedliche Zwecke benutzt und nahm vielfältige Formen an. Erst Ende des 18. Jahrhunderts, nach der Französischen Revolution, versickerte der »klassische« religiöse Antisemitismus; damit endete für die Juden das Mittelalter.

Der hauptsächlich für politische Zwecke genutzte Antisemitismus begann in Deutschland etwa seit 1880 virulent zu werden. In diesem Zusammenhang machten sich der Hofprediger Adolf Stoecker und der Historiker Heinrich von Treitschke einen Namen. Von Treitschke stammt der Ausspruch: »Die Juden sind unser Unglück« (zitiert nach Boehlich, 1965). Der moderne Antisemitismus, der sich unter Hitler vorwiegend rassistischer Argumente bediente, unterscheidet sich weitgehend vom religiösen Antisemitismus des Mittelalters.

Solange die Vorwürfe gegen die Juden religiösen Inhalt hatten und sie beschuldigt wurden, Gottes Sohn getötet zu haben, konnten die Juden sich durch die christliche Taufe der Verfolgung entziehen. Der rassistische Antisemitismus bietet solche Möglichkeiten des Ausweichens nicht; für ihn liegt der »Fehler« im »Blut«, in der Rasse, die es zu tilgen gilt. Das führte letztlich zu Hitlers massenmörderischen Aktionen, zur »Endlösung« der »Judenfrage«.

Rassistischer Antisemitismus ist jedoch nicht ohne weiteres mit Rassendiskriminierung gleichzusetzen, denn der Kampf gegen die Juden verbindet sich immer mit einem kulturellen Antisemitismus, das heißt, die spezifische Kultur der Juden, wie sie sich von der des frei oder unfrei gewählten Heimatlandes unterscheidet, ist gleichzeitig mit der Verfolgung ausgesetzt. In den Ländern der christlich-abendländischen Kultur waren Juden häufig Fremde, weil sie an ihrer Religion, ihren Gebräuchen, ihrer Sprache festhielten, ihr Anderssein betonten und dadurch Religion, Sitten und Gebräuche ihrer christlichen Umgebung in den Augen ihrer Verfolger entwerteten. Die in der Diaspora lebenden Juden waren zugleich Teil der Kultur des Landes, in dem sie lebten. Fremd zu sein, sich abzuschließen oder in Gettos eingeschlossen zu werden und doch eng mit der christlich-abendländischen Kultur verbunden zu sein – dies hatte einen Rassismus ganz anderer Art im Gefolge als der gegenüber Menschen mit eindeutig fremden Kulturen wie Negern, Mongolen, Indianern etc., mit denen kaum direkte Rivalitäten bestanden, da sie in europäischen Ländern als Minderheiten erst seit kurzem eine untergeordnete Rolle spielen.

Läßt sich die neue Ausländerfeindlichkeit in der Bundesrepublik, die in der jüngsten Zeit viel Aufsehen erregt hat, mit dem uns bekannten Antisemitismus vergleichen? Sind Türken heute unsere »Juden«? Antisemitismus hat, wie wir wissen, mit Realität nichts zu tun. Xenophobie kann auch ohne Fremde im eigenen Lande entstehen. Aber virulent und gefährlich werden diese Projektionskrankheiten doch erst dann, wenn destruktive Aggressionen gegen eine tatsächlich vorhandene Minderheit gerichtet werden können.

Die wenigen Juden, die heute in der Bundesrepublik leben, sind nicht mehr die mehr oder weniger assimilierten deutschen Juden der Vornazizeit. Sie stammen meist aus den östlichen Teilen Europas; mit der deutschen Kultur verbindet sie wenig, oft sprechen sie gebrochen oder gar nicht deutsch, wollen es auch gar nicht, fühlen sich ganz bewußt als Fremde in diesem Lande, in dem so viele ihrer Angehörigen ermordet worden sind. Sie pflegen ihre jüdischen Traditionen und die jiddische Sprache. Sie werden von Deutschen im allgemeinen auch als Fremde wahrgenommen.

Die Deutschen und die Juden haben eine lange und komplizierte gemeinsame Geschichte, mögen sie sich heute auch noch so fremd gegenüberstehen. Das ist beispielsweise bei den Deutschen und Türken nicht der Fall. Aber ob Türken oder Juden – jede Vorurteilskrankheit besteht aus Projektionen und Verschiebungen eigener abgelehnter psychischer Impulse. Immer werden die Schwächsten im Lande Opfer der Projektion eigener verdrängter und verpönter Eigenschaften, Wünsche und Gefühle.

Das »Heidelberger Manifest«, abgedruckt in der *Zeit* vom

5. 2. 1982, ist nur von Männern unterschrieben. Dort heißt es:
»Mit großer Sorge betrachten wir die Unterwanderung des deutschen Volkes durch Zuzug von vielen Millionen von Ausländern
und ihren Familien, die Überfremdung unserer Sprache, unserer
Kultur und unseres Volkstums.« Weiter heißt es: »Viele Deutsche
sind aus diesem Grunde ›Fremdlinge in der eigenen Heimat‹ geworden.« Das ist eine Sprache, die uns aus unserer jüngsten Vergangenheit nur allzu bekannt ist.

Die politischen Zwecke, denen Antisemitismus wie Ausländerfeindlichkeit dienen, ähneln einander weitgehend. Beide werden als
»Blitzableiter« benutzt, wenn die gesellschaftlichen Verhältnisse
Veränderung erfordern, revolutionäre Impulse aber gedrosselt und
auf Ersatzprojekte hingelenkt werden sollen. Zu diesem Zweck hat
beispielsweise die zaristische Polizei die berüchtigten »Protokolle
der Weisen von Zion« erfunden, mit denen antisemitische Pogrome
im zaristischen Rußland gerechtfertigt werden sollten.

Daß Hetzschriften dazu dienen, von Mißständen abzulenken und
Sündenböcke zu finden, erleben wir häufig. Der Antisemitismus
ist, psychologisch gesehen, eine Verschiebung, für die es Begründungen braucht; dennoch ist es verblüffend, daß die genannten
»Protokolle« und ähnliche offensichtliche Fälschungen von vielen,
auch gebildeten Menschen bis weit ins 20. Jahrhundert hinein kritiklos hingenommen und als »Wahrheit« betrachtet worden sind
(vgl. dazu Silbermann, 1981).

Welche Schichten der Bevölkerung besonders anfällig für den Antisemitismus sind, dieser Frage ist wiederholt nachgegangen worden. Fetscher (1965) stimmt mit Engels (1890) darin überein, daß
der Antisemitismus vor allem eine Reaktion der kleinbürgerlichen
Schichten war, die sich aufgrund der industriell-kapitalistischen
Entwicklung in ihrer Existenz bedroht sahen. Sie setzten die Juden
mit dem Bank- und Börsenkapital gleich, sahen im Juden einen
konkreten Vertreter der ihnen im ganzen unverständlichen, ihre
Existenz zerstörenden kapitalistischen Wirtschaftsentwicklung.

Der politische Mißbrauch wie auch die psychologischen und ökonomischen Ursachen des Antisemitismus sind komplex. Es ist ein
Unterschied, ob ein jüdischer Professor, Arzt oder Rechtsanwalt
von seinen Kollegen als Rivale abgelehnt wird oder ob ein Bauer
den Juden als Geldverleiher haßt oder sich das Kleinbürgertum
durch den Kapitalismus bedroht fühlt und diese Bedrohung im
Juden verfolgt.

Welches sind nun die seelischen Motive für den Antisemitismus? Es gibt nicht viele psychoanalytische Arbeiten, die sich mit der Psychologie des Antisemiten beschäftigen. Neben den Beiträgen in dem von Ernst Simmel herausgegebenen Buch *Anti-semitism; A Social Disease* ist vor allem Loewensteins *Psychoanalyse und Antisemitismus* (1951) bekannt geworden. 1960 hielt F. Schupper (1962) Vorlesungen zum Thema am Berliner Psychoanalytischen Institut. 1962 fand in Wiesbaden ein Symposion über »Die psychologischen und sozialen Voraussetzungen des Antisemitismus« statt, das von Alexander Mitscherlich (1962) initiiert und eingeleitet wurde. Von psychoanalytischer Seite kamen Béla Grunberger und Martin Wangh zu Wort (s. A. Mitscherlich, 1962).

Schon Freud setzte sich in seinem berühmten Essay *Der Mann Moses und die monotheistische Religion* (1939) mit dem religiösen Antisemitismus auseinander. Die psychologische Grundlage des immer wiederholten Vorwurfs der Christen gegenüber den Juden (»Mit Christus habt ihr unseren Gott getötet«) sieht er in einer Verschiebung vatermörderischer Wünsche auf die Juden. Eifersucht und Geschwisterrivalität dem jüdischen Volk gegenüber, das sich als das erstgeborene und bevorzugte Kind Gottes ansah, sind im Antisemitismus nicht zu übersehen. Die Beschneidung der Juden wird, so Freud, unbewußt als Kastration erlebt. Sie ist unheimlich und erregt Angst; sie führt aber auch dazu, den Juden zu verachten. Im religiösen Antisemitismus erkennt Freud außerdem den Ausdruck von Geschwisterrivalität, Neid und Eifersucht. Die gleichen psychischen Abwehrmechanismen finden wir auch beim rassistischen Antisemitismus, der überdies noch ein Abwehrsystem gegen Inzestwünsche und Selbstwertstörungen darstellt. Indem man die Juden als schlecht und vernichtenswert bezeichnete, konnte man alles Böse auf sie projizieren und seinen Neidgefühlen ihnen gegenüber freien Lauf lassen.

Mit Freud sehen die meisten psychoanalytischen Autoren (vgl. Fenichel, 1940; Menninger, 1938) im Antisemitismus des einzelnen eine Folge ungelöster ödipaler Konflikte. Die Autoren beschränken sich bei ihren Untersuchungen allerdings auf die psychosexuelle Entwicklung des Mannes. Aufgrund welcher psychischen Konflikte Frauen zu Antisemiten werden, auf diese Frage ist bisher weder in psychoanalytischen noch in soziologischen Untersuchungen näher eingegangen worden. Projektion des Vaterhasses, Verschiebung der Inzestwünsche auf den Juden (»Rassenschändung«),

Rivalitätsaggressionen etc. – diese unbewußten psychischen Motive für die Entwicklung des Antisemitismus sind vor allem für die männliche Psyche relevant.

Die Entwicklung von Antisemitismus wird von Psychoanalytikern auch als Folge einer Überich-Deformation angesehen. Das Überich des Antisemiten bildet sich nicht aus der Verinnerlichung der mitmenschlichen Objekte und Beziehungen, sondern besteht mehr oder weniger aus Dressaten (Grunberger, 1962; Wangh, 1962). Für ein solches Überich, das nur äußere Verbote und Pflichten kennt, zählt vor allem die Macht, die ein einzelner, auch ein Volk oder eine Gruppe besitzen. Unterschiedliche moralische Inhalte und Werte spielen für einen solchen Menschen eine weit geringere Rolle.

Eine Verinnerlichung der Gebote und Verbote des Vaters, mit deren Hilfe der ödipale Konflikt sein Ende findet, wird in solchen Fällen nicht hergestellt. Vielmehr bleibt die Angst vor der Macht des Vaters in primitiver Weise bestehen und bestimmt so das Verhalten des Antisemiten. Der ödipale Mißerfolg des kleinen Jungen, das heißt die Nichterfüllung seiner sexuellen Wünsche an die Mutter, wird nicht der eigenen sexuellen Unreife und dem Verhältnis zur Mutter zugeschrieben, sondern bleibt im Unbewußten des späteren Erwachsenen eine Folge der machtvollen väterlichen Rivalität. Dadurch entwickelt sich eine schwere narzißtische Kränkung, eine seelische Wunde, die nicht heilen kann. Um mit ihr leben zu können, werden Abwehrmechanismen der Projektion und Verschiebung eingesetzt, die sich beim Antisemiten auf den Juden konzentrieren. So schreibt Grunberger (1960, S. 262):

»Ist die Projektion auf den Juden gelungen, so hat er sein manichäisches Paradies verwirklicht: all das Böse befindet sich von nun an auf der einen Seite (da, wo der Jude sich befindet), und all das Gute auf der anderen Seite, wo er sich befindet ... Sein Ich-Ideal ist narzißtischer Natur, und die Befriedigung entspricht einer vollständigen narzißtischen Integrität, die er durch die Projektion auf den Juden gewonnen hat ... Uns ist weiterhin bekannt, daß die außerordentliche Geschicklichkeit, mit der Hitler das deutsche Volk auf seine Seite zu bringen vermochte, darin bestand, den Juden die Verantwortung für die militärische Niederlage von 1918 zuzuschieben und so die schreckliche narzißtische Wunde des auf die Macht seiner Armee so stolzen deutschen Volkes zu heilen.«

Frenkel-Brunswik und andere, die an den von Adorno (1950) herausgegebenen Untersuchungen über die autoritäre Persönlichkeit mitgearbeitet haben, kamen zu der Auffassung, daß der Antisemit häufig dazu neigt, seine Eltern zu idealisieren. Wenn die altersentsprechende Entidealisierung der Eltern in der Pubertät ausbleibt, führt das zu erheblichen Störungen des Realitätssinns. Eltern, die sich ihren Kindern bis in die Pubertät und über sie hinaus als Ideal anbieten und ihnen nicht erlauben, sie einigermaßen realitätsgerecht wahrzunehmen, hemmen die psychische Reifung ihrer Kinder. Wer die Realität über sich nicht erträgt, ist meist auch unfähig, gesellschaftliche Wirklichkeit wahrzunehmen. Der Antisemit scheint die Realität ständig zu verleugnen.

Martin Wangh (1962) vertritt die These, daß die jugendlichen Hitler-Anhänger, die 1914 bis 1918 Kleinkinder waren, auf die ökonomische Notlage Ende der zwanziger Jahre mit Regression reagierten, weil sie während des Weltkrieges ohne Väter aufgewachsen waren und die Notlage die Mutter in ängstliche Spannung versetzt habe, die sich auf die Kinder übertragen und den Aufbau stabiler, innere Sicherheit vermittelnder Objektbeziehungen gestört habe. Da die Söhne jahrelang mit der Mutter allein waren, verstärkten sich ihr Ödipus-Komplex und (entsprechend) ihre Kastrationsangst. Eine Spaltung trat ein: Der abwesende Vater wurde glorifiziert, und die negativen Gefühle ihm gegenüber wurden dem Feind zugeschoben. Ein siegreicher Vater kann bei seiner Rückkehr aus dem Krieg leichter vom Sohn anerkannt werden als ein besiegter, »wertloser« Vater, der dennoch als Rivale erlebt wird. Ein solch »wertloser« Vater löst bei seinem Sohn nicht nur Triumphgefühle aus, sondern bedeutet für das Kind auch eine schwere narzißtische Kränkung, da der Vater Teil des eigenen Selbst ist. Alles in allem: die durch die Mutter vermittelten Ängste, die ödipalen Schuldgefühle, die narzißtische Kränkung durch den entidealisierten Vater, der dennoch als Rivale seinen Platz an der Seite der Mutter wieder einnahm, waren Konflikte, die schwer zu bewältigen waren. Wieder wurden Abwehrmechanismen der Verschiebung und Projektion eingesetzt: Nicht der Vater oder man selbst war schuld, vielmehr wurde dem Juden die Schuld an allen Niederlagen zugeschrieben, der zum Außenseiter gemacht, dann angstfrei verachtet und verfolgt werden konnte. Wangh (1962) äußerte die Befürchtung, bald könne wieder eine Zeit kommen, in der die durch Krieg und Nachkriegszeit geschädigte Jugend zu ähnlichen Abwehrmechanismen greife wie nach dem Ersten Weltkrieg. Ein neuer heftiger Antisemitismus stünde uns dann bevor.

»Die Beschneidung ist der symbolische Ersatz der Kastration, die der Urvater einst aus der Fülle seiner Machtvollkommenheit über die Söhne verhängt hatte, und wer dieses Symbol annahm, zeigte damit, daß er bereit war, sich dem Willen des Vaters zu unterwerfen, auch wenn es ihm das schmerzlichste Opfer auferlegte«, schreibt Freud (1939, S. 230). Bettelheim (1954), der die Pubertätsriten primitiver Völker untersuchte, kommt zu anderen Schlüssen. Er meint, der Penisneid des Mädchens wie die Kastrationsangst des Knaben würden in der Psychoanalyse überbetont und die viel tiefere seelische Schicht des Neides auf die Mutter, vor allem beim Jungen, vernachlässigt. Penisneid in einer Gesellschaft, in der Männer die vorherrschende Rolle spielen, könne viel offener geäußert werden als die im Gegensatz zu den gesellschaftlichen Normen stehenden Neidgefühle des Mannes auf die Frau; solche Gefühle würden im allgemeinen, wenn nicht als pervers, so doch zumindest als anomal angesehen.

Psychoanalytische Autoren wie Melanie Klein (1932) und Gregory Zilboorg (1944) haben bereits vor vielen Jahren darauf hingewiesen, daß der Weiblichkeitskomplex der Männer um vieles ungeklärter und dunkler sei als der Kastrationskomplex der Frauen. Der Neid des Mannes auf die Frau wird von ihnen als phylogenetisch älter und fundamentaler angesehen als der Penisneid.

Bettelheim sieht in manchen Pubertätsriten primitiver Völker eine gesellschaftlich anerkannte Möglichkeit, die weiblichen Züge und Wünsche der Männer darzustellen oder symbolisch erfüllen zu können und auf diese Weise mit unbewußtem Haß und Neid auf die Frau besser fertig zu werden als der »aufgeklärte« Mann der westlichen Hemisphäre.

Männer unserer Kultur, denen eine solche ritualisierte Form, ihre Phantasien zu äußern, nicht geboten wird, können den unterdrückten Haß auf den Vater wie den Neid gegenüber der Mutter auf den Juden verschieben. Es stellt sich die Frage, ob und wann Rituale und welcher Art ein Gegengift gegen den Antisemitismus bilden könnten.

Auch andere Psychoanalytiker wie Fenichel, Wangh, Grunberger sehen als weitere wichtige Komponente im Antisemitismus die Abwehr des unbewußten Hasses auf die allmächtige Mutter, deren angsterregenden Aspekte nach der Verschiebung der »unheimliche

Jude« verkörpere. Dem Juden kann man alle nur denkbaren negativen Verhaltensweisen und Eigenschaften zuschieben, ohne Angst oder Schuld zu empfinden, denn der Jude gehört einer von vielen verachteten Minderheit an.

Wenn die psychoanalytische Auffassung zutrifft, daß Frauen nur selten vatermörderische Wünsche hegen, von Rivalität dem erstgeborenen Sohn gegenüber nicht sonderlich geplagt sind und weniger unter Kastrations- und Inzestangst leiden als Männer – welche abgewehrten Gefühle und Bedürfnisse mögen sie dann, psychoanalytisch gesehen, verschieben und projizieren, um zu Antisemiten zu werden?

Beiden Geschlechtern scheinen intensive Gefühle untergründigen Hasses und Neides auf die allmächtige, als phallisch erlebte Mutter der frühen Kindheit gemeinsam zu sein, Gefühle, die später auf weniger gefährliche Sündenböcke verschoben werden können, um so allzu große Ängste zu vermeiden. Hinzu kommt, daß auch Frauen Angst vor ihren inzestuösen Wünschen haben, da sie den Zorn der Mutter fürchten und Angst haben, ihre Liebe zu verlieren.

Die Juden waren immer ein sowohl nahes wie fremdes Element in der westlichen christlichen Kultur; von ihnen ging für viele Nichtjuden eine Art Reiz des Verbotenen aus. Sich mit ihnen einzulassen, war deswegen für manche Frauen so verlockend und gleichzeitig so angsterregend wie die inzestuösen Wünsche dem Vater gegenüber. Die Verdrängung solcher Wünsche und deren Projektion mögen bei Frauen gelegentlich dazu beigetragen haben, den Juden als »Rassenschänder« und als »unser Unglück« zu diffamieren. Dennoch sind solche psychologischen Versuche, die Entwicklung antisemitischer Vorurteile bei Frauen zu klären, wenig überzeugend.

Möglicherweise läßt sich der Antisemitismus bei Frauen besser mit Hilfe der psychoanalytischen Theorien der Überich-Entwicklung begreifen. Antisemiten haben, wie gesagt, durchgängig die Neigung, die Realität zu verleugnen, und zeigen ein erheblich gestörtes Überich. Dieses »antisemitische Überich« unterscheidet sich aber von dem – nach Freud – typisch »weiblichen« Überich. Das »schwache« Überich der Frau wird als Ergebnis ihrer kaum vorhandenen Kastrationsangst angesehen, und daher habe sie keine dem Manne entsprechende seelische Nötigung erlebt, Verbote und Gebote der Eltern zu verinnerlichen. »Diese Veränderung (d. h. die Errichtung des Überichs durch Introjektion elterlicher Verbote)

scheint weit eher als beim Knaben Erfolg der Erziehung, der äußeren Einschüchterung zu sein, die mit dem Verlust des Geliebtwer-
dens droht« (Freud, 1924, S. 401).

Freud hat gegen Ende seines Lebens erklärt, die von ihm erwähnten
Verführungsphantasien seiner Patientinnen seien nicht auf den Vater, sondern auf die Mutter gerichtet.»Die präödipale Phase des
Weibes rückt hiermit zu einer Bedeutung auf, die wir ihr bisher
nicht zugeschrieben haben« (1931, S. 518). Nach dieser Theorie
bleibt die Frau weitgehend auf die inzestuöse Beziehung zum Vater
oder auf die Haßliebe zur Mutter fixiert.

Der Antisemitismus hat aber andere seelische Probleme als nur die
ungelösten Bindungen und Ambivalenzen den Eltern gegenüber.
Ihn zeichnet vor allem seine Neigung zu grobschlächtigen Projektionen aus, eine Neigung, die seine Fähigkeit stört, die Realität
adäquat wahrzunehmen. Er ist seinen Triebbedürfnissen gegenüber
unkritisch und blind.

Abgewehrte Analität in Form von Zwängen oder als moralischer
Sadismus findet sich in unserer Kultur beim Mann ausgeprägter als
bei der Frau. Frauen, so scheint es, können Schuldgefühle und eine
gewisse Unordnung häufig besser ertragen als Männer. Vor »Law-
and-order«-Fetischismus bewahrt sie ihr »schwaches« Überich.
Deswegen neigen sie auch weniger zur Verleugnung und Verdrängung ihrer Gefühle als Männer.

Wenn das mehr von der Angst vor Liebesverlust als von Kastrationsangst bedrängte Überich der Frau andersgeartet ist als das des
Mannes und anders als das von anal-sadistischen Zügen und
»Sphinktermoral« (Ordnung, Sauberkeit, Gehorsam etc.) geprägte
Überich des massiv projizierenden Antisemiten, wie ist es dann zu
erklären, daß auch Frauen sich den Meinungsbildungen der von
Männern beherrschten Gesellschaft anpassen? Denn sie neigen
dazu, die politischen und sozialen Vorurteile ihrer Väter, Brüder
und Männer zu übernehmen. Daraus läßt sich schließen, daß
Frauen weniger aufgrund eigener Kastrationsängste, psychischer
Konflikte und Projektionen dem Antisemitismus verfallen, sondern
vielmehr als Folge ihrer Identifikationen mit männlichen Vorurteilen. Diese Neigung, sich anzupassen, hängt wiederum mit ihrer
großen Angst vor Liebesverlust zusammen, einer Angst, wie schon
Freud sie beschrieben hat. Diese Angst wird zuerst der Mutter gegenüber erlebt – einer Mutter allerdings, die sich ihrerseits aus den
gleichen Gründen der Männergesellschaft anzupassen pflegt.

Filme über das Dritte Reich, die uns die beinahe schon vergessenen Verhaltensweisen vieler Frauen in dieser Zeit in Erinnerung rufen, lassen erkennen, wie kritiklos Frauen ihre »Zweitrangigkeit« akzeptiert und wie begeistert sie der »Moral« und den perversen Idealen der Nazizeit zugestimmt haben. Ergeben fügten sie sich den widersprüchlichen Anforderungen, die ihnen im Laufe des Dritten Reiches zugemutet wurden, vom Weibchen am Herd, das dem Führer Söhne gebären sollte, bis zur BDM-Führerin, Munitionsarbeiterin oder gar KZ-Wächterin. Viele waren bereit, alles mitzumachen, was von ihnen gefordert wurde.

So distanzierten sich auch nur wenige Frauen vom Antisemitismus jener Zeit; zumindest ist Widerstand von Frauen gegen das öffentliche Meinungsdiktat der Nazis nur selten bekannt geworden. Frauen neigen natürlich, wie alle Schwachen und Unterdrückten einer Gesellschaft, dazu, sich mit dem Aggressor zu identifizieren, sich seiner Meinung zu unterwerfen und sie zu teilen, auch – oder gerade – wenn sie dadurch selbst entwertet werden.

Manche Psychoanalytiker, wie über Jahrhunderte auch Philosophen und Literaten (z. B. Aristoteles, Schopenhauer, Gottfried Keller, Strindberg und viele andere), haben der Frau standfeste Moral und die Fähigkeit zur Objektivität abgesprochen. Dabei haben sie offensichtlich übersehen, daß es mit der Fähigkeit zu objektiver Urteilsbildung bei Männern auch nicht weit her ist. Männer mögen zwar besser gelernt haben, ihre Affekte zu isolieren und dadurch »objektiver« zu erscheinen. Doch das hängt mit den beim Mann häufiger auftretenden zwangsneurotischen Zügen zusammen, die mit Gefühlsabwehr allgemein verbunden sind. Eine solche neurotische Tendenz als »Moral« zu bezeichnen, ist abwegig (vgl. Schafer, 1974).

Die psychoanalytische Theorie sieht beim Mann die Kastrationsangst, bei der Frau die Angst vor Liebesverlust als zentrales Motiv an. Kastrationsangst, die sich auf die eigene Person und deren Zerstörung bezieht, ist folglich als narzißtisch zu bezeichnen. Bei der Angst vor Liebesverlust bleibt hingegen die Beziehung zu den mitmenschlichen Objekten von größter Bedeutung. Auch das beeinflußt die Bildung der psychischen Instanz des Überichs.

Die Entwicklung des Überichs ist nicht mit der Entwicklung moralischer Fähigkeiten gleichzusetzen. Ein Überich, das sich aus infantilen Ängsten und Schuldgefühlen, anal-sadistischen Impulsen und deren Abwehr zusammensetzt, ist eine irrationale, rigide, kor-

rumpierbare, für »Dressate« empfängliche Instanz. Ihre größere
Objektbezogenheit sollte es der Frau eher ermöglichen, ein weniger
rigides, weniger gefühlsabwehrendes Überich aufzubauen und eine
Moral zu entwickeln, die liebevoller, beweglicher und humaner ist
als die des Mannes – kein »schwaches«, sondern ein anderes, mehr
auf die Erhaltung der Beziehung zu nahestehenden Menschen be-
zogenes Überich.

Je mehr sich die Psychoanalyse mit ihren vielfältigen klinischen
Erfahrungen auseinanderzusetzen hatte, desto komplizierter ent-
faltete sich ihre Theorie. Sie umfaßt heute mehr als nur die Gesetz-
lichkeiten einer triebbestimmten, unbewußten psychischen Dynamik; sie geht davon aus, daß alle Aspekte der Entwicklung, auch
die triebbestimmten, durch die mitmenschlichen Objektbeziehungen und durch Lernen beeinflußt werden.

Freud änderte und ergänzte im Laufe seines Lebens seine Theorie
mehrmals. Er war sich darüber im klaren, daß neben den Schick-
salen des Penisneides die frühe Beziehung des Mädchens zu seiner
Mutter einen tiefgehenden Einfluß auf dessen spätere Entwicklung
hat (Freud, 1931). Neben dem Haß als Folge der frühen totalen
Abhängigkeit von der Mutter und den daraus entstehenden
Schuldgefühlen ist auch eine erotisch betonte Liebesbeziehung des
Mädchens zur Mutter nicht zu verkennen.

Zugleich identifiziert sich das kleine Mädchen bereits in früher
Kindheit mit seiner Mutter. Diese primäre Identifikation entspricht
der Abhängigkeit, führt aber auch aus dieser heraus zu einer
schrittweisen Reifung der kindlichen Gefühlswelt.

Es gilt daher zwischen den unterschiedlichen Folgen der frühen
kindlichen Abhängigkeit zu unterscheiden: Einerseits findet man
Abwehrmechanismen und Reaktionsbildungen wie Haß, Ablehnung, Verleugnung, Verdrängung, Trotz, Masochismus und vieles
mehr; andererseits werden positive Fähigkeiten der Realitätsbe-
wältigung und angstmildernde, trostspendende mütterliche Funktionen verinnerlicht, die für den Aufbau des kindlichen Ichs von
zentraler Bedeutung sind. Die Identifikation mit dem Aggressor, im
Sinne der Möglichkeit, »nein« sagen zu lernen, kann nach René
Spitz eine der wichtigsten Voraussetzungen für die Eigenständigkeit
des Menschen sein und hat nicht nur Aspekte des »Brainwashing«,
der kritiklosen Anpassung. Der Knabe wird früher als das Mädchen zu einer Entidentifizierung mit der Mutter gezwungen. Von
ihm wird verlangt, »männlich« zu sein. Mit dieser Art »Männlich-

keit« geht nicht selten die beschriebene Störung seiner Gefühlswelt Hand in Hand. Die Folgen solcher frühen Unterbrechungen einer Verinnerlichung mütterlicher Haltungen und Funktionen beobachtet man bei erwachsenen Männern häufig, z. B. wenn sie ihre Gefühle abwehren, um besonders sachlich und affektfrei, das heißt ihrer Erziehung entsprechend »männlich«, zu erscheinen.

Obwohl beide Geschlechter sich anfänglich mit der von ihnen als allmächtig erlebten Mutter identifizieren, erscheint das kleine Mädchen, bei dem die allmähliche Verinnerlichung mütterlicher Funktionen weniger von außen gestört wird als beim Jungen, bereits in dieser Entwicklungsperiode oft weniger ängstlich und hilflos als der Knabe. Was immer der Knabe dennoch an Verinnerlichungen aufrechterhält, es hilft ihm später, sich den eigenen Kindern gegenüber »väterlich« zu verhalten. Wenn auch die Angst vor Liebesverlust die oft fatale Anpassungsneigung der Frau bestärkt, so fördert auch das offen gezeigte Bedürfnis, geliebt zu werden, die Humanität eines Menschen mehr als die auf Männlichkeit zentrierte narzißtische Orientierung des Mannes.

Wenn es zutrifft, daß Antisemitismus vorwiegend eine Überich-Krankheit ist, so hat sie weit mehr mit der typischen Entwicklung des männlichen als mit der des weiblichen Überichs zu tun. Ihre Überich-Strukturen prädestinieren die Frau nicht zum Antisemitismus. Ihre Abhängigkeit von der Anerkennung ihrer Umwelt, von den herrschenden männlichen Wertorientierungen, können sie allerdings dazu veranlassen, gängige Vorurteile zu übernehmen.

Nur Frauen, die lernen, eigene Wertsysteme zu entwickeln und zu verteidigen, können dazu beitragen, unmenschliche Vorurteilskrankheiten wie den Antisemitismus, aber auch alle anderen Formen der Diskriminierung von Minderheiten zu verhindern. Mit der Stärkung der Position von Frauen in der Gesellschaft würde die Herrschaft der mit einem rigiden, zwanghaften, narzißtischen, gefühlsabwehrenden Überich ausgestatteten Männer geschwächt.

Der Antisemitismus ist, so sagten wir, eine soziale Krankheit, das heißt eine Krankheit der jeweiligen Gesellschaft und nicht des einzelnen. Wenn, andererseits, der Antisemitismus im Zusammenhang mit der typisch männlichen Entwicklung steht, so läßt sich daraus folgern, daß die seelische Verfassung des einzelnen Mannes und die Art seiner Erziehung und seiner Verinnerlichungen elterlicher Verbote und Verhaltensweisen zur Chronifizierung von Vorurteilskrankheiten beitragen.

Nach meiner Auffassung gibt es einen »männlichen« und einen »weiblichen« Antisemitismus. Der Antisemitismus der Frauen entwickelt sich eher über die Anpassung an männliche Vorurteile, als daß er sich aus der geschlechtsspezifischen Entwicklung und Erziehung ergibt.

Wir wissen noch zu wenig darüber, was Männer und Frauen psychisch so tiefgehend unterscheidet und was ihnen im Zusammenleben häufig so unüberwindliche Verständnisprobleme bereitet.

Als Feind im Inneren eines Landes oder innerhalb einer Gesellschaft, als Feind, der zur »Familie« und doch nicht zur »Familie« gehört, eignet sich der Jude offensichtlich besonders gut. Alle familiären Probleme und alle Konflikte zwischen den Geschlechtern können ohne große Schwierigkeiten auf ihn verschoben werden. Wenn es ihn nicht mehr gibt, wird man – bei unveränderter Struktur der bestehenden Geschlechter-Verhältnisse – ein Substitut dafür erfinden müssen. Nur die »Höllenfahrt der Selbsterkenntnis« (Kant) kann uns von den gefährlichen Projektions- und Verschiebungsneigungen befreien und die zwischen den Geschlechtern bestehenden Einfühlungsstörungen mildern. Voraussetzung sind Analyse und Kritik des herrschenden »Realitätsprinzips«.

12. Patriarchen in einer vaterlosen Gesellschaft

Wir leben in einer Zeit vielfältiger, sich verändernder Wertorientierungen. Die »vaterlose Gesellschaft«, die sich immer mehr herauszubilden scheint, wird von manchen begrüßt, von anderen abgelehnt. Viele Beobachter verbinden mit ihr einen Fortschritt in den zwischenmenschlichen Beziehungen, andere den Niedergang kultureller Umgangsformen. Was aber ist das: eine vaterlose Gesellschaft?

In einer Gesellschaft, die von Männern bestimmt wird, umgeben uns nach wie vor Hierarchien. In der Wirtschaft, in der Politik, in staatlichen und kirchlichen Institutionen bleiben die Männer tonangebend. Frauen spielen dort, wenn überhaupt, nur eine geringe Rolle. In den Familien mögen sich die patriarchalischen Strukturen, verglichen mit denen früherer Jahrhunderte, weitgehend geändert haben, verschwunden sind sie aber auch dort nicht. Warum also sprechen heute viele von einer »vaterlosen Gesellschaft«?

Alexander Mitscherlich (1963) beschrieb mit der Formulierung vor allem eine Entwicklung, in der der Vater und seine beruflichen Tätigkeiten »spurlos« geworden sind. Eine Auflösung des Vaterbildes, Folge unserer technisch-industriellen Zivilisation, habe sich vollzogen. Mit dem Verschwinden seines konkreten Arbeitsbildes wurde auch die unterweisende Funktion, die der Vater bisher innehatte, in weiten Bereichen bedeutungslos.

Der Staat repräsentiert für die meisten Menschen keine Vater-Autorität mehr. Er wird von einer mehr oder weniger anonymen Gesellschaft, von technisch geschulten Sachverständigen und professionellen Politikern geprägt. Diese bilden, wenn man so will, eine »elitäre Bruderschaft«. In solchem Milieu spielen Frauen kaum eine Rolle; sie sind auch heute noch, fast ausnahmslos, als Lohnarbeiterinnen tätig oder in Dienstleistungsberufen anzutreffen.

Daß Frauen sich in ihrer Berufswahl weiterhin von Traditionen
lenken lassen, ist sicher nicht nur darauf zurückzuführen, daß die
Männer, trotz harter Rivalitätskämpfe untereinander, sich nach
wie vor darin einig sind, Frauen aus ihren »Männerbünden« herauszuhalten, sondern auch darauf, daß die meisten der bisher den
Männern vorbehaltenen Berufe jede Anschaulichkeit vermissen
lassen und keine Grundlage für positive Identifikationen bieten.

Wir leben zwar in einer von Männern beherrschten Gesellschaft, in
der aber von »Väterlichkeit« als Gefühlsqualität oder im Sinne einer unterweisenden Vorbildkultur nur wenig zu spüren ist. Auch in
der Familie änderte sich die Rolle des Vaters. Die »Kernfamilie«, in
der Vater, Mutter, Kind im traditionellen Rahmen ihre vorgezeich-
neten Rollen übernehmen, scheint viel stärker in Auflösung begriffen zu sein, als wir es uns bisher eingestehen. Nicht der Vater spielt
in der Binnenstruktur der Familie die Hauptrolle, sondern die Mutter. An sie pflegen sich die Kinder mit ihren Wünschen und Sorgen
zu wenden. Das erregt zwar die Eifersucht des Vaters, und er fühlt
sich ausgeschlossen, obwohl er gleichzeitig dazu neigt, die Kinder
eher als lästig zu empfinden und sie, wenn sie einmal seine Aufmerksamkeit fordern, schnell zurück an die Mutter zu verweisen.
Er scheint in vielen Fällen eine Ahnung davon zu haben, wie weit er
von sich selbst, seinen Gefühlen, seinem Körpererleben entfernt ist.
Diese Ahnung und die gleichzeitige Befürchtung, diesen Mangel
offen eingestehen zu müssen, tragen dazu bei, ihn zum schwierigen
Vater und schwierigen Mann zu machen, der Gemeinsamkeit nicht
zulassen kann. Er agiert dann seinen Ärger über sich und seinen
Neid auf seine Frau an ihr und den Kindern aus.

Der untergründige Neid des Mannes auf die Frau war häufig Gegenstand psychologischer Untersuchungen. Vor allem Psychoanalytiker erkannten, daß dieser Neid aus der frühen Kindheit stammt,
in der die Mutter als allmächtig erlebt wird. Aus Neid und Eifersucht wehrt sich ein Mann dagegen, daß eine Frau in seinem Leben
eine einzigartige Bedeutung gewinnt. Häufiger Beziehungswechsel
– Frauen werden »konsumiert« – ist eine charakteristische männliche Abwehrform gegen den ursprünglichen Haß und die Abhängigkeit von Frauen.

Typischerweise wird die Mutter oft in die überfürsorgliche Rolle
gedrängt, und die Folge davon ist, daß alle Familienmitglieder,
einschließlich des Ehemannes, kindliche Verhaltensweisen beibe-

halten oder entwickeln. Es bestehen aber in unserer Gesellschaft verschiedene mütterliche Rollentypen, die einander nicht auszuschließen brauchen. Oft vermischen sich solche unterschiedlichen Haltungen: Einerseits übernimmt die Frau die ihr zugeschriebene Rolle der allmächtigen Mutter, um ihre aus der Kindheit stammenden Gefühle der Hilflosigkeit zu überwinden und ihr Minderwertigkeitsgefühl darüber, aus der Gesellschaft der Männer herausgehalten zu werden, zu kompensieren; andererseits hält sie in mancher Hinsicht an der Rolle des anlehnungsbedürftigen Kindes fest, idealisiert ihren Mann, wie früher ihren Vater, erwartet von ihm Schutz und Überlegenheit. Natürlich finden wir auch immer häufiger die selbständige Frau, die sich beruflich und gesellschaftlich mühsam durchzusetzen vermag; aber auch sie spielt innerhalb der Familie oft weiterhin die Rolle der sich aufopfernden Mutter und dienenden Frau.

Dennoch ist Verunsicherung gegenüber allem, was bisher unter »Männlichkeit« verstanden wurde, allenthalben zu beobachten. Nicht nur mit wachsender Einsicht in die zentrale Bedeutung der Mutter-Kind-Beziehung, auch mit Entstehen einer vitalen Frauenbewegung wurde der Vater als dominierendes Familienoberhaupt zunehmend in Frage gestellt. In Deutschland trugen die beiden verlorenen Weltkriege, vor allem der Zusammenbruch des Nazireiches, zu einer rapiden Entwertung des Vaterbildes bei. Auf die hymnische Verherrlichung des Vaters – und des Vaterlandes – folgte die Verwerfung der autoritären Vaterherrschaft, der um sich greifende Vaterhaß.

Die Ablehnung des Vaters hängt demnach nicht nur mit dem unanschaulichen Charakter als beruflichem Vorbild zusammen, sondern auch mit der inzwischen brüchig gewordenen autoritären Erziehungsform, welche die Beziehung zwischen Vater und Sohn bis vor kurzem beherrschte und in erster Linie Angst und Aggression auslöste. Der Vater der herrschenden Schicht des vorigen Jahrhunderts stellte das Bild der befehlenden, Gehorsam gewohnten, ohne Zögern strafenden Autorität dar. Er durfte seinen liebevollen Gefühle dem Sohn gegenüber, sofern sie überhaupt vorhanden waren, nicht nachgeben, sonst wäre er als Versager angesehen worden.

Erst seit das autoritäre Vaterbild für junge Menschen kein Ideal mehr darstellt und kaum noch Anziehungskraft besitzt, bemüht man sich um eine Neudefinierung der »Väterlichkeit« (s. A. u.

M. Mitscherlich, 1983). Was »Väterlichkeit« eigentlich sein könnte, haben die meisten aus den Augen verloren, sofern sie überhaupt je ein Bild davon besessen haben. Die Autorität eines »guten Vaters« gründete sich nicht auf Befehle, sondern auf den Schutzfunktionen, auf der persönlichen Fähigkeit, einfühlenden Kontakt mit den verschiedenen Kindern und vor allem mit der Mutter aufnehmen zu können und als Vorbild für die skizzierte Erziehung Anschaulichkeit zu gewinnen.

Im Gegensatz dazu erhalten die väterlichen Ansprüche auf Respekt und Gehorsam ihre Legitimation in der Regel nicht durch das tatsächliche Verhalten des Vaters noch beruhen sie auf dem anschaulichen Bild seiner beruflichen Tätigkeit. Das Kind erfährt den Vater beruflich nicht, weiß nicht, welchen Rang er in seiner Arbeitsgruppe einnimmt, wie sicher er sich dort verhält oder auch wie unterdrückt und unglücklich er sein mag. Zu Hause erlebt die Familie ihn oft als unselbständig, sowohl materiell wie intellektuell, und gleichzeitig als überkritische und entwertende Instanz, die zu Unrecht Autorität fordert.

Mit zwei Beispielen – ich nenne die Patienten hier Erich und Doris – möchte ich versuchen, vor allem die Rolle des Vaters in den familiären Beziehungen zu skizzieren.

Erich kam mit depressiven Verstimmungen und psychosomatischen Symptomen in meine Behandlung. Er war im Zweiten Weltkrieg geboren worden und hatte seinen Vater in den ersten Lebensjahren nur sporadisch gesehen. Die Mutter hatte sich, so schien es, ihrer zwei Kinder, solange der Vater abwesend war, mit Stolz und Fürsorglichkeit angenommen. Erich erlebte sich als das sensibelste der Geschwister und glaubte sich von der Mutter besonders geliebt. Auch er liebte sie und fühlte sich sehr abhängig von ihr. Zahlreiche Hautkrankheiten veranlaßten die Mutter auf Anraten der Ärzte dazu, seine Hände nachts am Gitterbett festzubinden, damit er sich nicht wundkratzen konnte. Darauf reagierte er mit Angst, Wut und Hilflosigkeit, wendete sich zeitweilig von der Mutter ab, was seine Angst nur vermehrte. Seine zahlreichen psychosomatischen Krankheiten, auch als Erwachsener, ließen darauf schließen, daß die Phase der notwendigen Trennung von der frühkindlichen, allzu engen, wenn auch ambivalenten Beziehung zur Mutter nicht, wie es seiner Entwicklung entsprochen hätte, gelöst worden war.

Der Vater, dessen Rückkehr er mit Spannung erwartet hatte, entsprach schon bald nicht mehr seinen Erwartungen und Hoffnungen. Er hatte ihn gemeinsam mit der Mutter als »Held« idealisiert und konnte mit dem realen Vater, der als früherer Offizier vorerst keine Arbeit fand, der krank und gebrochen aus der Kriegsgefangenschaft zurückgekehrt war und seine schlechten Launen nicht beherrschen konnte, wenig anfangen. Die schöne Zeit mit der heiteren Mutter, die er nur gelegentlich mit der Schwester zu teilen brauchte, war nun vorüber. Neuerdings stand der Vater im Mittelpunkt, und Erich erlebte ihn als Tyrannen, der die ganze Aufmerksamkeit der Mutter für sich forderte.

Trotz seiner Enttäuschung hatte Erich anfänglich das Bedürfnis, die Liebe seines Vaters mit allen Mitteln zu gewinnen, ihm zu Diensten zu sein und die väterlichen Wünsche zu erfüllen. Doch Anerkennung bekam er selten dafür. Meist erlebte er den Vater als ungeduldig, oft auch als brutal. Im Laufe der Zeit wandte sich Erich von seinem Vater ab. Seine kaum noch zu durchbrechende ablehnende Haltung beantwortete der Vater zunehmend mit Bestrafungen oder mit Prügel.

Erich erlebte keine Dreierbeziehung Vater–Mutter–Kind, in der die Einfühlung des Vaters sowohl in die Kinder als auch in die Mutter eine Brücke zwischen den verschiedenen Familienangehörigen bildet und mit deren Hilfe die Kinder selber langsam zu Einfühlung in andere fähig werden. Das Fehlen eines vertrauten Dritten hatte zur Folge, daß er die Zweierbeziehung zur Mutter, mit ihrer frühen ambivalenten Abhängigkeit von ihr, nicht altersentsprechend aufzulösen vermochte, was zur Chronifizierung seiner psychosomatischen Störungen beitrug, auf die er überempfindlich reagierte. Sie lösten in ihm hypochondrische Ängste oder depressive Verstimmungen aus.

Die Gefühlsbeziehung zum Vater gab er, soweit es ihm bewußt war, schon während seiner Schulzeit endgültig auf. Erich empfand nur noch Angst und Haß ihm gegenüber, so daß er den relativ frühen Tod seines Vaters eher als Erleichterung erlebte. Untergründig blieb, wie sich in der Analyse herausstellte, das Bedürfnis nach einem Sicherheit und Liebe spendenden Vater bestehen, einem Vater, den er sich als Retter vor der symbiotischen Verschmelzung mit der Mutter ersehnte.

Erichs Beziehungen zu Frauen waren durchgehend schwierig. Die Sehnsucht nach seelischer Verschmelzung erzeugte Bindungsangst und gleichzeitig das Gefühl, in seiner sexuellen Identität bedroht zu sein. Als er schließlich doch heiratete und Kinder bekam, bemühte er sich, ihnen gegenüber ein anderer Vater zu sein, als er den eigenen Vater erlebt hatte. Bei ihm bestand nicht die Gefahr, daß er sich als Vater autoritär oder einfühlungslos verhielt, eher neigte er dazu, seine Kinder zu sehr an sich zu binden. In seine Kinder schien er sich müheloser einfühlen zu können als in seine Frau, weil er aufgrund seiner Verschmelzungswünsche unbedingt Distanz zu ihr aufrechterhalten mußte, um seine Angst vor männlich-körperlichem Identitätsverlust zu mildern.

Da er ein hohes Ich-Ideal hatte, das heißt große sittliche Anforderungen an sich und andere stellte, verachtete er nicht nur seinen Vater, den er als wenig einfühlend erlebte, der gelegentlich kleinere Unehrlichkeiten begangen und die doppelte Moral in Wirtschaft und Familie selbstgerecht moralisierend unterstützt oder verleugnet hatte, sondern er verachtete auch viele andere Väter, die ihm im Laufe seines Lebens, auch auf der Universität, begegnet waren und die sich auf ähnliche Weise mit der Gesellschaft arrangiert hatten.

Die Mischung von hohem Ideal eines Vaters und abgewehrter Identifikation mit einem wenig geachteten und ungeliebten tatsächlichen Vater, das heißt das Fehlen eines verpflichtenden Überichs in den alltäglichen Dingen des Lebens, kann nicht selten die Ursache dafür sein, daß junge Leute sich aus der Gesellschaft zurückziehen, kriminelle Handlungen als mehr oder weniger selbstverständlich, oft als notwendig ansehen oder in Sekten oder sektiererischen Gruppen ihr Heil, das heißt die Befriedigung ihrer Idealisierungen und Perfektionsbedürfnisse suchen, um gleichzeitig ihre Verleugnungen aufrechterhalten zu können.

Aber nicht nur für den Sohn, auch für die Entwicklung der Tochter scheint das Fehlen eines verstehbaren und vertrauten Vaterbildes schmerzliche Folgen zu haben. Dafür ein weiteres Beispiel.

Doris sucht Hilfe, weil sie an vielfältigen Ängsten und einer sie sehr belastenden Selbstunsicherheit und übermäßiger Kränkbarkeit leidet. Wenn man sich die Geschichte dieser jungen Frau anschaut, fällt einem zuerst auf, daß ihr die allerfrüheste Kindheit als freundlich und heiter in Erinnerung geblieben ist, während sie die späteren Jahre eher als dunkel, ja als düster erlebt hatte. Dazu trugen die immer heftigeren Auseinandersetzungen zwischen den Eltern bei, die sich schließlich trennten. Wie so häufig war der Vater von Anbeginn eher eine Person am Rande der Familie, der mit seiner Tochter, solange sie klein war, wenig anfangen konnte oder durfte. Sie war ja auch »nur« ein Mädchen. Als sie größer wurde und man seiner Ansicht nach gründliches Wissen und sicheres Auftreten von ihr erwarten konnte, zeigte er deutlich, wie wenig sie seinen Vorstellungen von einer gebildeten jungen Frau entsprach.

Die überkritische Haltung des Vaters wurde von Doris teilweise verinnerlicht, so daß heftige Selbstkritik sie mehr oder weniger zwanghaft überfiel. Oft wurde sie von einer quälenden Neigung zur Selbstbeobachtung beherrscht. Die Mutter versuchte sich gegen den Vater durchzusetzen und sich beschützend vor ihr Kind zu stellen, wobei sie aber nicht selten erfolglos war. Teilweise verachtete die Mutter den Vater, der beruflich wenig erfolgreich war, teilweise unterwarf sie sich seiner oft beißenden Kritik und litt unter Selbsthaß und Selbstunsicherheit.

Doris ließ sich zur Kindergärtnerin ausbilden; in Gegenwart von Kindern und Jugendlichen, die sich um Hilfe an sie wandten, fühlte sie sich fähig zum Geben und einigermaßen sicher. Diese Fähigkeiten scheint sie von der Mutter übernommen zu haben. Doris hatte aber auch noch eine andere Seite: Gleichaltrigen und Kollegen gegenüber konnte sie so scharf und kritisch sein, wie es ihr Vater ihr gegenüber gewesen war. Sie hatte Angst, wie ihr Vater zu werden, der einerseits unfähig gewesen war, sein Leben zu meistern, andererseits sich durch seinen Hochmut an den Rand der Gesellschaft manövrierte, weil er sich den meisten Menschen als überlegen empfunden und das auch geäußert hatte. Auch Doris ging es manchmal ähnlich; ihre Überlegenheits- und Größenphantasien waren ihr aber durchaus bewußt.

In zweiter Ehe heiratete die Mutter einen, so scheint es, sehr angepaßten Mann, der bei näherer Betrachtung offenbar nicht weniger selbstunsicher war als der leibliche Vater von Doris, nur äußerten sich seine Selbstwertprobleme in gegensätzlicher Weise. Der Stiefvater fügte sich ganz in das kleinstädtische Bürgermilieu ein, in dem er zu Hause war und dem er, nur quasi entschuldigend, seine neue, geschiedene Frau mit Kind anzubieten wagte. Die Folge war, daß Mutter und Tochter glaubten, sich wie graue Mäuse verhalten zu müssen, um ja niemandem aufzufallen. Die Mutter, die sich gegen ihren ersten Mann noch aufgelehnt hatte, paßte sich jetzt ganz den Vorurteilen und moralischen Verlogenheiten ihrer Umgebung an. Gleichzeitig war die Rollenverteilung innerhalb der Familie, wie häufig, so gestaltet, daß der Vater sich schwach und abhängig verhielt, die Mutter aber – überfürsorglich und oft von allzu vielen Aufgaben gehetzt – allen Bedürfnissen gerecht zu werden versuchte. Das Selbstwertgefühl von Doris sank auf den Nullpunkt; sie glaubte sich als lästige, häufig negativ auffallende Person verstehen zu müssen. In ihrer Phantasie kompensierte sie alle diese Erniedrigungen mit ihren Größenphantasien; sie wollte um jeden Preis berühmt werden.

Doris hatte wenig schutzbereite Väterlichkeit erfahren und besaß kein Vaterbild, nach dem sie sich ausrichten konnte. Ihre Väter erlebte sie als großmannssüchtig und autoritär oder kleinmütig und angepaßt. Sie waren schwache Persönlichkeiten und mehr oder weniger unfähig, sich in ihre Kinder einzufühlen, ihre Frauen zu respektieren und in ihren Kindern ein Gefühl der inneren Sicherheit entstehen zu lassen; noch konnten sie ihnen vermitteln, wie man Einfühlung in andere und Respekt vor Andersdenkenden lernt. In diesen Familien pflegt man sich zu streiten, heftige Auseinandersetzungen miteinander zu haben oder sich depressiv zurückzuziehen; Gespräche hingegen, bei denen sich das Gefühl entwickeln kann, man selbst sein zu dürfen, auf Verständnis zu stoßen, neue Erfahrungen mit sich und anderen zu machen, die scheint es hier nicht zu geben.

Die jüngere Generation hat bekanntlich mit ihren Müttern und Vätern häufig große Verständigungsschwierigkeiten, weil über die Vorkommnisse in der Hitler-Zeit Gespräche zwischen den Generationen kaum zustande kommen. Das Bedürfnis nach solchen Gesprächen mit der älteren Generation hat allerdings in letzter Zeit eher abgenommen. Noch in den sechziger Jahren kam es wegen der jüngsten deutschen Vergangenheit zwischen kritischen, politisch interessierten jungen Deutschen und ihren Eltern oder Elternfiguren zu heftigen Konflikten. Es kam zu einer oft erbarmungslosen Auseinandersetzung über vergangene und gegenwärtige Wertvorstellungen und Verhaltensweisen und im Zusammenhang damit zur Suche nach neuen Idealen und Vorbildern. Der politische Aufbruch der studentischen Jugend Ende der sechziger Jahre hielt aber nicht lange an.

Das politische Engagement der heutigen Jugend hat sich neuen Inhalten und Problemen zugewandt. Jetzt stehen ökologische Fragen im Vordergrund; die Friedensbewegung wird von großen Teilen der Bevölkerung mitgetragen. Die Menschen sind aber weit weniger an detaillierter Aufarbeitung der nazistischen Vergangenheit oder an komplizierten geschichtstheoretischen Begründungen interessiert als die Jugend der sechziger und siebziger Jahre. Sie orientieren sich mehr an der Gegenwart; sie leiden unter der Erkenntnis, daß mit einem möglichen Atomkrieg unvorstellbare Zerstörungen verbunden sind. Für sie besteht »Vater« Staat in seiner überwältigenden Mehrheit aus »Technokraten« von eingeengten spezialistischen Interessen und aus Bürokraten, Angestellten der Verwaltungsmaschinerie, die durch substanzarme Tätigkeit, Ahnungslosigkeit und sogenannte »Sachzwänge« in Gang gehalten wird. Diese Erfahrungen werden als besonders schmerzlich empfunden, weil damit der »Fortschritt« als Devise des Jahrhunderts aufgegeben werden muß. Ein Fortschritt, der mehr zerstört als aufbaut und an dem die Massen nur passiven Anteil haben, erzeugt vielfachen Widerstand.

Die infantile Abhängigkeit vom Staat, seiner Bürokratie und seinen scheinbaren Sachzwängen mit der Konsequenz, nie zur Freiheit der Verantwortung vorstoßen zu können, erweckt in vielen Menschen, bewußt oder vom Bewußtsein abgewehrt, Verbitterung und Resignation. Die Verdrossenheit setzte sich zunächst in der Studentenrevolution und setzt sich heute in der Friedensbewegung, in den ökologischen Parteibildungen und Interessenverbänden langsam in bewußten Veränderungswillen um und erschöpft sich nicht mehr nur in Abwehrbewegungen wie fanatisierte Vorurteile, Alkohol- und Drogenkonsum oder blindem unpolitischen Konsumverhalten. Nach wie vor bietet sich aber dem Jugendlichen das Bild eines Erwachsenen, der um der Lebensfristung und um mehr oder weniger Komfort willen sinnlos erscheinende Prozesse geschehen läßt, eine Haltung, die den Möglichkeiten einer Zerstörung von unüberschaubaren Ausmaßen gedankenlos ihren Lauf läßt.

Neue Formen des Denkens, neue Formen des Zusammenlebens werden gesucht; darum bemühen sich immer mehr Menschen. An der Studentenrebellion der sechziger Jahre beteiligte sich nur ein relativ kleiner Teil der Bevölkerung, verglichen mit der Zahl der Mitglieder der Friedensbewegung und der aktiven ökologischen Gruppen, die sich gegen verhärtetes traditionelles Denken über Fortschritt, über Angriffs- und Verteidigungsmöglichkeiten zur Wehr setzen wollen. Häufig werden die Mitglieder der Friedensbewegung als regressiv, infantil, realitätsfern abgelehnt. Es ist wahr, bei vielen von ihnen findet eine »Regression im Dienste des Ich« (E. Kris, 1952) statt. Denn um zu neuem Denken fähig zu werden, müssen Rollen und alte Identifikationen aufgegeben werden, was zur teilweisen Auflösung bestehender Strukturen führt, das heißt, was, zumindest anfänglich, auch Regressionen mit sich bringt. Es ist gefährlich, die Geschichte zu vergessen oder zu verdrängen, aus Erfahrungen nicht zu lernen. Dann halten wir an überholten Denkformen fest, die längst durch weiterführende Realitätseinsicht überwunden sein sollten. Das vorwiegend traditionsgelenkte Denken gerät leicht in die Nähe eines Wiederholungszwanges. H. Lichtenstein (1977) hat in der Auseinandersetzung mit Erik Eriksons Identitätsbegriff hervorgehoben, daß nur eine neue Art des Denkens den Menschen befähigt, »Geschichte zu machen«. Deshalb müsse man damit rechnen, daß jedes neue Paradigma des »historischen Bewußtseins im gewöhnlichen Wortsinn« entbehre. Es bleibt das Problem bestehen, ob es neue Paradigmen, das heißt neue Denk- und Erkenntnisweisen, in Hinblick auf individuelle und gesellschaftliche Funktionen und Strukturen geben kann, die sowohl in sich plausibel sind, eine durchdachte Geschlossenheit anbieten wie die von Marx und Freud, aber dennoch entwicklungsfähig sind und für kritische Einwände zugänglich bleiben. Historische Erfahrungen zu verdrängen führt sicherlich in eine Sackgasse und hält nicht zu weiterwirkenden Erkundungen an.

Unsere Identifikationsmöglichkeiten in Kindheit und Jugend bestimmen weitgehend Reichtum und Stabilität unserer Persönlichkeit. Ohne die grundlegenden Beziehungen zu den Menschen unserer ersten Lebensjahre und ohne die Verinnerlichung ihrer Funktionen und Verhaltensweisen fühlen wir uns in unseren späteren mitmenschlichen Beziehungen wie auch im Umgang mit uns selbst häufig orientierungslos und verloren. Wenn aber kindliche Identifikationen im Laufe der weiteren Entwicklung nicht stetig erneuert, erweitert und in Frage gestellt werden, machen Fixierungen an frühe Identifikationen lernunfähig und blockieren neue Erfahrungen des Denkens und Fühlens. Es wäre gut, wenn unsere Vorbilder, unsere »Väter« und »Mütter«, ihren Kindern beibringen könnten, sich nicht nur nach den elterlichen Wertorientierungen zu richten, sondern ihnen erlaubten und sie darin förderten, »nein« zu sagen, neue Wege einzuschlagen, neue Denk- und Verhaltensweisen zu entwickeln (s. M. Mitscherlich, 1978).

Ein Vorbild für eine solche offene, flexible Art des Umgangs miteinander war der Vater der vergangenen Jahrhunderte gewiß nicht. Doch seit einiger Zeit beginnen sich veränderte Begriffe und Vorstellungen von Väterlichkeit durchzusetzen. Immer häufiger sind Männer dazu bereit, Hausarbeit zu übernehmen, mit ihren Frauen zeitweilig die Rollen zu tauschen und sich mit ihnen in die Kindererziehung zu teilen. Sie lehnen es ab, Vorbilder im Sinne einer unbefragbaren Autorität zu sein, denn sie wissen nur allzugut, daß eine die eigenen Fehler und Begrenzungen verleugnende väterliche Strenge nicht Liebe weckt und Einfühlungsvermögen fördert, sondern Angst oder von Angst bestimmtes, übermäßig angepaßtes Verhalten zur Folge hat, hinter dem sich tiefsitzende Aggressionen verbergen. Die durch autoritäre Erziehung geprägte Persönlichkeit zeichnet sich dadurch aus, daß ihre Verhaltensschablonen beim Verschwinden der angsterregenden Autorität rasch zerfallen und ihre Aggressionen und Sadismen sich mehr oder weniger ungehemmt am jeweils Schwächeren entladen.

Der Wunsch nach neuen Formen und Inhalten von »Väterlichkeit« wird in der jungen Generation immer stärker; die Selbstkritik rigide abwehrende Autoritätsrolle des Vaters wird zunehmend in Frage gestellt. Väterlichkeit im Sinne eines Verantwortung übernehmenden, einfühlenden Vaters, der auf die Klischees von »Männlichkeit« nicht mehr hereinfällt, läßt sich in den privaten, familiären Bereichen immer häufiger beobachten.

In Wirtschaft und Politik sind jedoch solche Veränderungen väterlicher Selbstkritik und der Widerstand gegen überholte autoritäre Klischees nur selten zu beobachten. Dort haben sich autoritäre Vaterbilder oder »elitäre Bruderschaften« weitgehend erhalten. Männlichkeit und doppelte Moral, so wie sie seit eh und je definiert und gelebt worden ist, bestimmen immer noch weite Bereiche unserer Gesellschaft.

Neben veränderten Formen der Väterlichkeit, veränderten Vorstellungen von »Männlichkeit« finden wir in Familie und Gesellschaft weiterhin tradierte Verhaltensformen und Werturteile. Das führt zu Widersprüchen und Konfrontationen und bringt ein besonderes Klima des Unverständnisses zwischen den Generationen mit sich. Auch der einzelne spürt in sich die vielfältigsten Orientierungen und beobachtet bei sich die widersprüchlichsten Verhaltensweisen. Auf der einen Seite hat mancher Mann gelernt, so etwas wie Einfühlung, Mitmenschlichkeit und Offenheit Kindern, Frauen und sich selbst gegenüber als vorbildlich anzusehen, auf der anderen Seite ist er dem Männlichkeitswahn seiner Gesellschaft mit ihrer doppelten Moral, ihrer unkritischen Fortschrittsgläubigkeit und ihrem Zynismus verfallen.

Es ist vielfach beobachtet und beschrieben worden, daß diese einander widersprechenden, psychischen Strukturelemente und gesellschaftlichen Moralvorstellungen wie die aus der Tradition übernommenen, gegen den eigenen Lebenszyklus erworbenen Verhaltensweisen psychische Zwänge zur Folge haben, die »multiple Persönlichkeiten« erzeugen, das heißt Menschen, die in verschiedene Teile zerfallen und sich im Grunde selbst nicht mehr begreifen.

Gibt es also eine »vaterlose Gesellschaft«? Ja, in Wirtschaft und Politik, überall, wo Männerbünde, Brudergemeinschaften, »Männlichkeit« im traditionellen, selbstidealisierenden Sinn und doppelte Moral, aber kaum Väterlichkeit zu finden sind. In der Familie hat der autoritäre Vater seine Anziehungskraft auf die Kinder verloren. Väter dieser Art sind zu Hause der Ablehnung, ja oft der Lächerlichkeit ausgesetzt. Eine neue Form von Väterlichkeit wird angestrebt, die in vielem dem nahekommt, was bisher unter Mütterlichkeit verstanden worden ist und nur noch wenig mit der Väterlichkeit autoritärer Erziehungsformen zu tun hat. Das aber wirft neue Probleme auf, sowohl individueller wie gesellschaftlicher Natur.

13. Eine ungehaltene Rede

Herr Präsident,
meine Damen und Herren!
Es ist mir eine Ehre, in diesem »Hohen Hause« zu Ihnen sprechen zu dürfen. Einer Frau wird diese Ehre, wie Sie alle wissen, nur selten zuteil. Aber vielleicht ist das auch gut so, denn wie vorübergehend und zerstörbar »Männerehre« ist, wurde uns in diesen Tagen wieder einmal drastisch vorgeführt. Hatten wir nicht gestern noch einen General, dessen vier Sterne ehrenhaft leuchteten, der »Hand in Hand« – so glaubten wir – mit dem ranghöchsten Offizier unserer hochgeachteten Verbündeten, der Supermacht USA, die militärischen Geschicke Europas leitete? Von heute auf morgen war es dann aus mit der Ehre, hatten die Ehrabschneider das Wort. Wer sollte da als ehrenwerter Mann nicht unter einem Kastrationskomplex leiden? Wie gut es doch manchmal ist, eine Frau zu sein, deren Ehre ohnehin auf niederer Ebene abgehandelt wird. So daß sie so tief nie fallen kann, wenn sie fällt.
Unser ehrenwerter General sei nicht »normal«, so heißt es, er habe »im Bademantel an sich selbst gespielt«, er verkehre in zweifelhaften Lokalen, ja er sei homosexuell und deswegen ein Sicherheitsrisiko. Und unser General, was tat er? Er gab sein Ehrenwort, nicht zu der ehrlosen Zunft der Homosexuellen zu gehören, auf das ehrlose Terrain, auf dem diese sich bewegen, niemals einen Fuß gesetzt zu haben. Sein Ehrbegriff, das wurde klar, entsprach dem seiner Angreifer und Verleumder. Wie in allen Institutionen wird offenbar auch in der Bundeswehr das kritische Denken nicht gerade gefördert.
Auch von Ihnen, meine Damen und Herren, so nehme ich an, ohne Ihnen zu nahe treten zu wollen, werden viele einem Ehrbegriff huldigen, der der »Moral« einer Gesellschaft hörig ist, die das von der »Norm« abweichende Verhalten als »ehrlos« brandmarkt.

Gleichzeitig ist Ihnen allen, so gut wie mir, bekannt, daß Korruption auch in diesem Hohen Hause mit den höchsten Ämtern verbunden sein kann und doppelte Moral mit männlicher Ehre durchaus zu vereinbaren ist. Unser General also hatte nichts Eiligeres zu tun, als mit diesem »Ehrenkodex« übereinzustimmen und auf »Ehrenwort« zu bestreiten, je in seinem Leben derart von der Norm abweichende Neigungen empfunden zu haben oder gar ihnen nachgegangen zu sein.

Welch eine »Ehre« kann denn die Ehre noch sein, so frage ich Sie, meine Damen und Herren, wenn sie auf der Grundlage einer heuchlerischen Moral und einer fühl- und kritiklosen »Normalität« erteilt und je nach Bedarf wieder genommen werden kann?

Herr Verteidigungsminister, Sie schienen, als ich Sie kürzlich im Fernsehen beobachten konnte, von der eigenen ehrenhaften Normalität auf eine mich bedrückende Weise überzeugt zu sein, ein für mein Empfinden »normales« Gefühl des Selbstekels schien Ihnen fremd zu sein, als Sie den eher kleinwüchsigen, kranken, alternden General jagten, umgeben von einer Meute Gleichgesinnter. Ihr Gesicht zeigte ein stereotyp siegreiches Lachen; trainiert, gestrafft und hochgewachsen zeigten Sie sich als einer der Norm der Männlichkeit entsprechender Zeitgenosse, dem die Bewunderung des Publikums unerläßlich ist. Aber wie darf man denn, so werden Sie einwenden, als Mann in unserer Gesellschaft, der dem Erfolg verpflichtet ist, zugeben, an etwas in unserem Lande gar zu Normalem teilgenommen zu haben, an einer »Vorhinrichtung« eines Menschen, wie Augstein es nannte? Man macht aus seinem Herzen, wenn man denn noch eines hat, doch eher eine Mördergrube, als daß man Gefühle zeigt. Wer in Ihrer ehrenhaften Männergesellschaft stolpert, muß eben dran glauben, wen rührt das schon? Heuchelei und doppelte Moral werden von Ihnen wie selbstverständlich praktiziert, aber gleichzeitig verleugnet und verdrängt, das wissen Sie, meine Damen, so gut wie ich, und leiden darunter. Aber das ist eben normal, ein Normalitätsbegriff, dem auch der General zu huldigen scheint, trotz aller Intelligenz und Formulierungsfähigkeit, die ihn eigentlich zu einem kritikfähigeren Denken den Normen gegenüber befähigen sollten.

Homosexualität, ein Sicherheitsrisiko, weil ein Mann dadurch erpreßbar wird, ich kann nur lachen. Wie steht es denn mit den Freundinnen, meine Herren, die Sie sich doch mehr oder weniger selbstverständlich zulegen? Was ist, wenn die Ehefrau davon nichts erfahren darf, wären Sie da nicht auch erpreßbar und ein Sicherheitsrisiko? Oder der Gang in die Bordelle – für die meisten Männer nicht der Rede wert –, um seine »Gastfreundschaft« zu beweisen, sich lukrative Kunden aus aller Welt geneigt zu machen, ein probates, oft verwendetes Mittel. Aber darf all das bekannt werden, ist da ein Mann nicht auch erpreßbar? Ja, werden Sie sagen, das schon, aber das ist eben doch etwas ganz anderes, denn das ist doch alles »normal«.

Für die Bundeswehr, wie für jede Männergesellschaft, ist es ja auch selbstverständlich, Kriege als »normal« anzusehen. Man muß sie vorbereiten, sich auf sie vorbereiten, das nennt sich dann Verteidigung. Es gibt keine Kriegsminister, es gibt nur Verteidigungsminister. Der Herr Minister ist ein solcher, er hat sich eben nur gegen den General verteidigt. Aber im Ernst, meine Damen und Herren, diese Rüstungsmentalität, die sich auf beiden Seiten der Supermächte und ihrer Verbündeten als Verteidigung ausgibt, ist tödlich, vor allem, nachdem sich die technischen Möglichkeiten, einen Krieg zu führen, im Laufe der Zeit so verändert haben, daß die Kriegsmaschinerie Millionen von Menschen oder gar die ganze Menschheit zerstören kann, wenn man weiterhin versucht, Konflikte durch Kriege zu lösen. Wenn der Verstand schon bei primitiven Konfliktlösungsversuchen, wie im Fall des Generals, versagt, wie wenig können wir uns dann erst auf die Denkfähigkeit im Umgang mit den um so vieles komplexeren Problembereichen wie der Außenpolitik, der militärischen Elektronik und deren Auslösung verlassen?

Dennoch, meine Damen und Herren, hat die Mehrheit dieses Hohen Hauses beschlossen, daß es normal und notwendig ist, sich militärisch möglichst abzusichern und lieber nach- als abzurüsten. Die Einsicht, daß wir damit einer gegenseitigen Vernichtung entgegenstreben, wird abgeblockt. Psychologisch ist die Kriegsgefahr immer mit der Einteilung der Menschen in gute und böse, das heißt, mit der Verschiebung eigener abgewehrter aggressiver Anteile auf »Feinde« verbunden. Ich, mein Volk, meine Verbündeten sind gut, die Kommunisten, die Juden sind böse. Die bösen anderen sind es also, die uns bedrohen, und nicht die Möglichkeit eines Atomkrieges. Ohne gegenseitige Projektionen und Schuldverschiebungen kann es eine Rüstungsmentalität nicht geben. Daß es die gleichen Verfolgungsphantasien und seelischen Mechanismen im

Osten gibt, meine Damen und Herren, das ist auch für mich unübersehbar, aber auch dort sind es vor allem Männer, die solches
Denken als »normal« ansehen. Solange sich die Lust am Erteilen
von Befehlen mit der Lust verbindet, die Befehlshaber zu befriedigen, Gehorsam, Ordnung, Unterwerfung zu genießen, wird sich
das nicht ändern. Man kann nur einem »Herren« dienen, so heißt
es, was nicht unbedingt bedeutet, daß man im Osten nur der
UdSSR – auch wenn es dort oft unumgänglich scheint – und im
Westen nur den USA dienen kann. Aber um sich vom Zwang zur
Unterwerfung und Verdummung zu befreien, muß man hier wie
dort dem jeweiligen Normalitätsdenken und den Klischees von
»Ehre« abschwören und lernen, die verschiedenen Forderungen,
Normen und Wertvorstellungen gegeneinander abzuwägen, sie immer wieder neu zu durchdenken; dann läßt auch der Drang nach,
die unterdrückten Aggressionen nach außen, auf Sündenböcke zu
projizieren und zu verschieben.

Natürlich weiß ich, wie schwer es ist, seine innere Selbständigkeit
gegen gängige Erziehung und Propaganda zu behaupten. Es hat
sich aber in letzter Zeit gezeigt, daß Frauen beginnen, sich der
gesellschaftlichen Situation bewußter zu werden und die in ihr
herrschende paranoide und sadomasochistische Struktur in Frage
stellen. Natürlich nicht alle Frauen! Keine Sorge, meine Herren,
unter Ihren Kolleginnen in diesem Hohen Hause gibt es immer
noch etliche, die sich mit Ihnen identifizieren und sich dem landes-
üblichen »normalen« Muster von männlicher Herrschaft und Unterdrückung anpassen.

Dennoch, um sich der kritischen Potenz einer wachsenden Anzahl
von Frauen zu erwehren, die mit Recht als Gefahr für die Stabilität
unserer heutigen Gesellschaft erlebt wird, benutzen Sie, Herr Bundeskanzler, und Sie, Herr Arbeitsminister, gern den psychologischen Trick, Frauen als die »besseren Menschen« zu idealisieren.
Das kostet sie nämlich nichts; kein Geld, keine Änderung Ihres
Verhaltens, keine neue Politik. So soll denn, wenn es nach Ihnen
geht, alles beim alten bleiben.

So rührend es anmutet, über die Heilung der irdischen Misere
durch weltweite Mütterlichkeit zu sprechen, so empörend ist die
Wirklichkeit, mit der Sie als christliche Politiker offenbar gut zu
leben wissen und die Sie nicht daran hindert, Ihre Klischees »ohne
falsche Scham« zu äußern. Zur gleichen Zeit, da wir als Frauen mit
solchen Phrasen konfrontiert sind, beharren Sie als Mitglieder der

CDU auf dem Nato-Doppelbeschluß und tragen dazu bei, daß die Sozialleistungen eingeschränkt werden, was vor allem Frauen betrifft. Was von Ihnen mit »heiler Familie« an Welterlösungsphantasien verbunden wird, kann nicht nur als Zeichen von Naivität angesehen werden, wie Sie es durch Ihre Art der Mimik, der Sprache und des Verstehens gern den der Mütterlichkeit auch Ihnen gegenüber traditionell verpflichteten Frauen nahelegen, sondern auch, das läßt sich nicht verbergen, als Ausdruck unverfrorener Heuchelei.

In Wahrheit sind es die Mächtigen, die die Welt beherrschen, und dazu gehört die Macht der Männer über die Frauen, die Macht der Eltern über ihre Kinder. Folglich bestimmen die jeweils Herrschenden, was als Gewalt definiert wird; wenn es diesen gerade paßt, ist auch Pazifismus Gewalt. Sie, Herr Familienminister, sprechen auch dort von Gewalt, wo es um Proteste gegen den Aufrüstungswahnsinn oder um den Paragraphen 218 geht. Jeder, der sich vor dem wirklichen Leben einer Frau nicht verschließt, weiß, welches Verhängnis es für Mutter und Kind ist, ein ungewolltes Kind in die Welt zu setzen. Und ich möchte nicht unerwähnt lassen, wie willkürlich mit dem Begriff Gewalt bei uns umgegangen wird. Wer gegen die Aufstellung von Raketen demonstriert, indem er beispielsweise den Verkehr blockiert, ist gewalttätig, wer Raketen aufstellt und so am Tod unzähliger Menschen schuldig werden kann, ist gewaltfrei. Sie, Herr Fraktionsvorsitzender der CDU, haben kürzlich in Übereinstimmung mit Ihrer Fraktion bekanntgegeben, daß es gewaltfreien Widerstand nicht gebe, Widerstand sei immer Gewalt. Sie haben damit eindeutig klargemacht: Wer die Macht hat, bestimmt auch darüber, wer wann mütterlich und sanft zu sein hat, welche Rolle die Untertanen ohne Proteste jeweilig zu übernehmen haben, wann sie an lebensvernichtenden Kriegen teilzunehmen haben wie an allem, was sonst noch als »normale« staatsbürgerliche Pflicht deklariert wird.

Uns als kritischen Frauen schlägt dennoch das Gewissen. Wir sehen es als unsere Pflicht an, die festgefahrenen und gefährlichen Ideologien in den gegenwärtigen Herrschaftsverhältnissen so vielen Zeitgenossen wie möglich bewußtzumachen, um diese perversen Denknormalitäten zu bekämpfen. Wenn Sie das Ihren »normalen« Rechtsvorstellungen entsprechend als Gewalt ansehen, wäre es eine gute Gelegenheit für Sie, Ihren Straf- und Ordnungsbedürfnissen nachzugehen und viele von uns, das heißt Menschen mit einem

von Ihrer Norm abweichenden Gewissen, einzusperren. Wir sind
leicht zu finden, Sie brauchen sich nur an den MAD zu wenden.
Verzeihen Sie, meine Damen und Herren, ich konnte mir diese
Bemerkung nicht verkneifen, auch wenn ich dadurch in Gefahr
gerate, mir einen Ordnungsruf des Herrn Präsidenten einzuhan-
deln.

Aber Sie versuchen den moralisch begründeten zivilen Ungehorsam zu kriminalisieren, Sie wollen mit allen Mitteln staatlicher
Einschüchterung gegen ihn vorgehen. Dennoch setzen sich immer
mehr Menschen, trotz Strafandrohung, für das ein, was sie für
moralisch, vernünftig und für menschlich halten. Der Regelverlet-
zer legt eben nicht, wie Sie es, Herr Familienminister, kürzlich
formulierten, »die Axt an die Demokratie«, im Gegenteil: Ziviler
Ungehorsam kann ein Prüfstein für die moralische Qualität, für die
Grundlagen unserer Demokratie sein.

Nach dem UNO-Bericht, meine Damen und Herren, sterben jedes
Jahr etwa 50 Millionen Menschen, darunter sechs Millionen Kinder, an Hunger. Jedermann weiß, daß die Bevölkerungsexplosion
in den unterentwickelten Ländern bisher nicht zu bewältigendes
Elend mit sich bringt. Nach etwa 20 Jahren oder weniger wird sich
die Bevölkerung in manchen dieser Bereiche verdoppelt haben.
»Wer soll diese entfesselte Vermehrung denn eindämmen, die Aggression dieser ungebeten erschienenen Massen in sozial erträg-
liche Bahnen leiten, ehe sich die schrecklichsten Katastrophen
ereignen? Dies oft im Namen eines Religionsstifters, der eine bis
dahin unbekannte Menschenliebe gefordert hat«, so äußerte sich
Alexander Mitscherlich im Jahre 1969, als ihm der Friedenspreis
des Deutschen Buchhandels verliehen wurde.

Das Elend, das mit der explosiven Vermehrung der Menschheit
verbunden ist und bisher nicht zu bewältigen war, scheint aber nur
wenigen von uns den Schlaf zu rauben. Uns erregt nur, daß hier-
zulande zu wenig Kinder geboren werden, daß es im Jahre 2030 in
der Bundesrepublik Deutschland nur noch 38 Millionen Deutsche
geben wird. Warum aber müssen es unbedingt deutsche Kinder
sein, die geboren werden, wo es schon viel zu viele Kinder auf der
Welt gibt, die dringend unsere Hilfe brauchen? Ist das christlich?
Wäre es nicht naheliegend und normal, sich beispielsweise der Tür-
kenkinder in unserem Lande anzunehmen, anstatt sie unbedingt
von hier fernhalten zu wollen? Warum wird bei den in Berlin lebenden Türken die soziale Indikation der Abtreibung indirekt

gefördert, indem man ihnen als Nicht-EG-Bürgern das Familien-
gründungsdarlehen streicht, während sonst von manchen christlichen Demokraten die Schwangerschaftsunterbrechung als Mord
kriminalisiert wird? Bei den deutschen Gegnern der Schwangerschaftsunterbrechung geht es, wie in vielen anderen Ländern auch,
um ein handfestes Interesse: Der Generationenvertrag soll durch
die nachfolgende Generation garantiert werden. Aber warum sollen das nur deutsche Kinder leisten können?
So soll auch Bildung vor allem einer Elite zugänglich gemacht werden. Weiße sind anders als Schwarze, Männer anders als Frauen,
Deutsche anders als Türken etc. Die jeweilig als »andere« Abge-
stempelten denken anders oder gar nicht, sie brauchen, wenn
überhaupt, eine andere Bildung.
Was aber ist Bildung, wie soll sie sein, wo soll sie gefördert werden?
Dort anscheinend nicht, wo sie zu eigenständigem Denken anregt,
etwas Neues, bisher Unbekanntes darstellt und deswegen leicht als
»Unmoral« oder anstößig von den uns ihre Norm vertretenden
Herrschenden erlebt wird. Herr Innenminister, diese Ansicht war
schon immer die gängige unter Banausen. Sie scheinen schon vergessen zu haben, daß es den Begriff der »entarteten Kunst« gab und
was mit Hilfe weltanschaulich gleichgeschalteter »Normalität« an
Zerstörung möglich war. Kunst und Kultur werden sich immer
gegen die bestehende Auffassung von »Norm« durchsetzen müssen, ohne von der Norm abweichendes Verhalten, abweichendes
Denken und abweichende künstlerische Darstellung gibt es keine
Kultur. Durch Ihren Eingriff in die Kunstförderung zugunsten eines »normalen« Mehrheitsgeschmacks bei gleichzeitiger Ökono-
misierung der Medien über Privatfunk, durch Förderung der
Werbung, des entpolitisierten und entproblematisierten Films laufen Bildung und Kunst auf eine Kultur von Waschmittelangeboten
hinaus. Eine kulturlose Jugend von schrecklicher Normalität wird
die unausweichliche Folge sein.
Meine Damen und Herren, sicherlich werden sich viele von Ihnen
durch meine Worte vor den Kopf gestoßen fühlen, manche werden
auch glauben, der Zorn sei mit mir durchgegangen. Es ist wahr,
Zorn angesichts einer starren Abwehr gegen kritische Reflexion ist
mir nicht fremd. Wie oft wird der öffentlich geäußerte Zorn als
Verstoß gegen den Anstand gebrandmarkt, Zerstörung dagegen als
gleichsam normal hingenommen, Haß als ehrenwerte Einstellung
gegen aufklärerisches Denken verteidigt. Die sorgfältig durch Er-

ziehung zu Vorurteilen hergestellte Dummheit, die leider massen-
haft Erfolg zeitigt und so unendlich viel Elend im Gefolge hat, kann
sicherlich jeden denkenden Menschen zur Verzweiflung bringen.

Meine Damen und Herren, darin werden Sie, glaube ich, mit mir
übereinstimmen, daß es gilt, die Energie des Zorns zu nutzen und
in Einsicht zu verwandeln, die Denk- und Verhaltensweisen zu ändern und die Erstarrung in einen blinden Haß zu verhindern, der
nur noch den Drang nach Zerstörung kennt.

Nachwort
Weibliche Aggression – ein Modell?

Dem Leser wird mittlerweile klargeworden sein, daß es der Wirklichkeit nicht entspricht, dem Bild des aggressiven, unfriedfertigen Mannes ein Bild der nicht-aggressiven, friedfertigen Frau entgegenzusetzen, um damit sozusagen ein Modell oder Rezept zur Lösung aller gesellschaftlichen Probleme und Konflikte anzubieten. Nach allem, was wir wissen, auch aus der Psychoanalyse und der psychoanalytischen Praxis, sind bei beiden Geschlechtern, von Geburt an, aggressive Potentiale vorhanden und können jederzeit geweckt werden. Sie werden auch gebraucht, um Aktivität, Individuation, Abgrenzungsfähigkeit des Kindes zu fördern. Der Unterschied zwischen den Geschlechtern besteht lediglich in der Verarbeitung und Äußerung aggressiver Impulse oder Triebregungen, was allerdings von grundsätzlicher Bedeutung ist.

In dieser Hinsicht können wir erhebliche Differenzen feststellen, Differenzen, die sich, zumindest zu einem großen Teil, aus den Erziehungsmethoden und -inhalten, aus der Sozialisation erklären lassen. Offensichtlich sind seit Jahrhunderten bewußte und unbewußte Methoden »gesellschaftlicher Arbeitsteilung« am Werk: eine Trennung der gesellschaftlichen Praxis in männliche Durchsetzungs- und Eroberungsmentalität mit all den bekannten, heute allerdings ins Extrem getriebenen zerstörerischen Konsequenzen auf der einen Seite und der bewahrenden, sich aufopfernden, dienenden Mentalität auf der anderen Seite, mit den ebenfalls nicht zu übersehenden Konsequenzen für innere und äußere Lebensführung. Wenn eine solche sadomasochistische Form der zwischengeschlechtlichen Beziehung mit Lust verbunden ist, das heißt die Lust am Erobern und Befehlen mit der Lust, die Eroberer und Befehlshaber zu befriedigen, Unterwerfung zu genießen, dann können nur immer erneute Versuche, solche unglückseligen psychischen Verstrickungen bewußtzumachen, von ihnen befreien.

Es scheint höchste Zeit, eine solche äußere und innere »Arbeitsteilung« zu durchbrechen und damit bestimmte fatale Konsequenzen
– Zerstörung der Außenwelt und Zerstörung der Innenwelt – wenn
nicht aufzuheben, so doch zu mildern. Wir werden die Aggressionen nicht abschaffen können; sie gehören zur Grundausstattung
des Menschen und führen nicht nur zur Destruktion, sondern haben auch eine Überlebensfunktion. Ihre Verwandlungsfähigkeiten
sind erheblich. Angst kann in Aggression, Aggression in Angst ver-
wandelt werden. Idealisierung und Haß können einander ablösen
oder auch folgenreiche Verbindungen miteinander eingehen; das
hat im Deutschland unserer jüngsten Vergangenheit auf besonders
unglückselige Weise zu einer alle kulturellen Barrieren durchschla-
genden Destruktion geführt.
Doch die weitgehend unbewußte, einseitige Abspaltung bestimmter
seelischer Mechanismen im Umgang mit aggressiven Verinnerli-
chungs- und Entäußerungsformen, diese überwiegend sozial-deter-
minierte Triebdynamik dürfte sich – ohne daß wir die katastropha-
len destruktiven, aggressiven Potentiale verniedlichen wollen –
verschieben, auflockern, selbstkritischer Untersuchung zugängli-
cher machen lassen. Dazu könnte das eine Geschlecht vom anderen
lernen. Die Männer sollten verstehen lernen, daß sie mit ihren Projektionen und Aggressionen auf Sündenböcke einen seit Jahrhunderten ununterbrochenen, sich immer steigernden zerstörerischen
Kreislauf in Gang halten, der in die globale Vernichtung zu führen
droht. Und die Frauen sollten erkennen, daß sie mit der Wendung
von Aggressionen gegen sich selbst und der daraus resultierenden
Manipulierbarkeit durch Schuldgefühle nicht nur sich selbst schädigen, sondern auch den verhängnisvollen Kreislauf männlichen Ag-
gressions- und Idealisierungsverhaltens mit aufrechterhalten. Das
eine bedingt das andere, und wenn der eine, der Mann, der offensichtlich aus seiner Aggression tiefe narzißtische Befriedigungen
und Gratifikationen an Macht und Einfluß zu ziehen vermag, sich
nicht zu ändern vermag, vielleicht auch nicht will, dann muß der andere, die Frau, dieses seit altersher eingeschliffene Zusammenspiel
männlicher Angriffs- und Zerstörungslust und weiblicher Unter-
werfungs- und Opferungsfreude zu durchkreuzen beginnen.
Solche Änderungen lassen sich nicht von heute auf morgen bewerkstelligen. Doch der übliche Zeitrahmen, in dem sich Veränderungen zu vollziehen pflegen, scheint angesichts der in den letzten
Jahren aufgehäuften militärischen, sozialen und ökologischen Ver-

nichtungspotentiale zu weit gesteckt zu sein. Nicht nur Pessimisten und Weltuntergangspropheten drängen zur Eile, auch die Optimisten und Lebensbejaher beschleicht ein Unbehagen, wenn sie den paradoxen Widerspruch zwischen dem Friedensgerede auch an den höchsten politischen Stellen und der permanenten Auf- und Hochrüstungsaktivität beobachten. Da die »Spitzenmänner« auf ihren politischen Hochseilen, mit ihrer offensichtlich eigengesetzlichen Argumentations- und Handlungsakrobatik, für jeden Appell an Vernunft und Menschenverstand unzugänglich sind, muß die Allgemeinheit, die Basis, tätig werden, um das drohende Verhängnis abzuwenden. Den Frauen fällt eine besonders wichtige Aufgabe zu: Sie, die immer Unterdrückten, scheinen zunehmend ein Gespür für alte und neue Formen der Unterdrückung zu haben, für die Unterdrückung durch Technokraten und Spezialisten, für die Unterdrückung durch Hochtheoretiker und Wissenszauberkünstler, für all diese modernen verbalen Verschleierungsmanöver, hinter denen die Realität verschwindet.

Der in Jahrhunderten trotz aufgezwungener Unterwerfungslust und Resignation geschärfte Sinn der Frauen für Unterdrückung in jeder Form sollte von ihnen stärker eingesetzt werden, zu aller Nutzen. An der Frau liegt es, die primären sadomasochistischen Sozialisationsformen, die den Geschlechterbeziehungen zugrunde liegen, zu ändern. An der Frau liegt es, ihren männlichen Lebensgefährten daran zu hindern, ständig Sündenböcke zu produzieren, ob im Privat-, Berufs- oder politischen Leben. An der Frau liegt es, männlichem Imponier- und Selbstdarstellungsgehabe, diese Wurzel vieler Gewaltakte und kriegerischer Auseinandersetzungen, die zur Aufrechterhaltung solcher Mentalität notwendige Bewunderung zu versagen, die eigenen Identifikationen mit männlichen Idealen und Wertvorstellungen zu überprüfen und in Frage zu stellen. An der Frau liegt es aber auch, die von den Männern »gepachteten« Positionen zu erringen, um ihre »friedfertige«, vernünftigere und objektbezogenere Einstellung zu vielen Fragen der Lebensgestaltung stärker zur Geltung zu bringen. An der Frau liegt es, sich ihrer Geschichte zu erinnern und sich auf ihre Vorbilder in Vergangenheit und Gegenwart zu besinnen.

184

Literaturverzeichnis

Abelin, E. L. (1971): Role of the father in the separation-individuation process. In: J. D. McDevitt u. C. F. Settlage (Hg.): Separation-individuation, Essays in honour of Margaret Mahler. New York, S. 229 bis 252.

–, (1975): Some further observations and comments on the earliest role of the father. In: Intern. J. of Psycho-Analysis, 56, S. 293–302.

Adorno, Th. W. (1949/50): Studien zum autoritären Charakter. Frankfurt a. M. 1973.

Balint, M. (1952): Urformen der Liebe und die Technik der Psychoanalyse. Bern, Stuttgart 1966.

–, (1968): Therapeutische Aspekte der Grundstörung. Stuttgart 1970.

Beauvoir, S. de (1949): Das andere Geschlecht. Reinbek b. Hamburg 1965.

Bettelheim, B. (1954): Die symbolischen Wunden. München 1975. Fischer Taschenbuch 7322.

–, (1962): Gespräche mit Müttern. München 1982.

–, (1967): Die Geburt des Selbst. München 1977. Fischer Taschenbuch 42247.

Blum, H. P. (Hg.) (1976): Female psychology. Supplement of J. of the Amer. Psa. Assn., 24.

Boehlich, W. (1965): Der Berliner Antisemitismusstreit. Frankfurt a. M.

Chasseguet-Smirgel, J. (Hg.) (1964): Psychoanalyse der weiblichen Sexualität. Frankfurt a. M. 1974.

–, (1964): Die weiblichen Schuldgefühle. In: Chasseguet-Smirgel (Hg.) (1964), S. 134–191.

–, (1975): Bemerkungen zu Mutterkonflikt, Weiblichkeit und Realitätszerstörung. In: Psyche, 29, S. 805–812.

Chesler, Ph. (1972): Frauen – das verrückte Geschlecht. Reinbek b. Hamburg 1974

–, (1978): Über Männer. Reinbek b. Hamburg 1975.

Dahmer, H. (1983): Kapitulation vor der »Weltanschauung«. In: Psyche, 37, S. 1116–1135.

Deutsch, H. (1925): Psychologie des Weibes in den Funktionen der Fort-pflanzung. In: Intern. Zeitschr. für Psa, 11, S. 40–59.

–, (1930): Der feminine Masochismus und seine Beziehung zur Frigidität. In: Intern. Zeitschr. für Psychoanalyse, 16.

–, (1944): Psychologie der Frau. Bern, Stuttgart 1954.

–, (1973): Selbstkonfrontation. München 1975.

Drews, S. u. R. Zwiebel (1978): Entscheidungen und ihre Psychodynamik in der »Lebensmitte«. In: Provokation und Toleranz. Festschrift für Alexander Mitscherlich zum siebzigsten Geburtstag. Frankfurt a. M., S. 278–294.

Eidelberg, L. (1934): Beiträge zum Studium des Masochismus. In: Intern. Zeitschr. für Psa, 20, S. 330–353.

Eissler, K. R. (1977): Comments on penis envy and orgasm in women. In: Psychoanalytic Study of the Child, 32, S. 29–83.

Engels, F. (1890): Brief an Isidor Ehrenfreund. Zitiert nach Marx/Engels/Lenin/Stalin: Deutsche Geschichte. Bd. 2. Berlin (Ost) 1953.

Erikson, E. H. (1959): Identität und Lebenszyklus. Frankfurt a. M. 1966.

Fairbairn, W. R. D. (1954): An object-relations theory of the personality. New York.

Fenichel, O. (1940): Psychoanalysis of antisemitism. In: Amer. Imago, 1, S. 24–39.

–, (1945): Psychoanalytische Neurosenlehre. Bd. 1–3. Olten, Freiburg 1974–1977.

–, (1953–54): Aufsätze. Bd. 1.2. Olten, Freiburg 1979–81.

Fester, R., M. König u. D. u. D. Jonas (1979): Weib und Macht. Frankfurt a. M.

Fetscher, I. (1965): Zur Entstehung des politischen Antisemitismus in Deutschland. In: Huss, H. u. A. Schröder (Hg.): Antisemitismus. Frankfurt a. M., S. 9–33.

Figes, E. (1974): Patriarchal attitude. Zit. nach C. Lasch: Freud on women. In: The New York Review of Books, Oktober 1974.

Fraiberg, S. (1969): Libidinal object constance and mental representation. In: Psychoanalytic Study of the Child, 24, S. 9–47.

Freud, A. (1965): Wege und Irrwege in der Kinderentwicklung. Stuttgart 1968.

Freud, S. (1940–1968): Gesammelte Werke (GW) London u. Frankfurt a. M. Daraus:

–, (1905): Drei Abhandlungen zur Sexualtheorie. In: GW, Bd. 5.

–, (1910): Über einen besonderen Typus der Objektwahl beim Manne. (Beiträge zur Psychologie des Liebeslebens, I.) In: GW Bd. 8. S. 66–77.

–, (1912; 1918): Beiträge zur Psychologie des Liebeslebens. II u. III. In: GW, Bd. 8 u. Bd. 12.

–, (1914): Zur Einführung des Narzißmus. In: GW, Bd. 10.

–, (1915): Die Verdrängung. In: GW, Bd. 10.

–, (1915): Triebe und Triebschicksale. In: GW, Bd. 10.

–, (1917): Trauer und Melancholie. In: GW, Bd. 10.

–, (1920): Jenseits des Lustprinzips. In: GW, Bd. 13.

–, (1923): Das Ich und das Es. In: GW, Bd. 13.

–, (1924): Das ökonomische Problem des Masochismus. In: GW, Bd. 13.

–, (1925): Einige psychische Folgen des Geschlechtsunterschiedes. In: GW, Bd. 14.

–, (1926): Hemmung, Symptom und Angst. In: GW, Bd. 14.

–, (1930): Das Unbehagen in der Kultur. In: GW, Bd. 12.

–, (1931): Über die weibliche Sexualität. In: GW, Bd. 14.

–, (1933): XXXIII Vorlesung: Die Weiblichkeit. Aus: Neue Folgen der Vorlesungen zur Einführung in die Psychoanalyse. In: GW, Bd. 15.

–, (1939): Der Mann Moses und die monotheistische Religion. In: GW, Bd. 16.

–, (1960): Briefe 1873–1939. Hrsg. v. E. und L. Freud. Frankfurt a. M.

Fromm, E. (1973): Anatomie der menschlichen Destruktivität. Stuttgart 1974.

Galenson, E. (1976): Panel report: Psychology of women: Late adolescence and early adult. In: J. of the Amer. Psa. Assn., 24, S. 631–645.

Galenson, E. u. H. Roiphe (1976): Some suggested revisions concerning early female development. In: Blum (Hg.) (1976).

Gillespie, W. (1969): Concepts of vaginal orgasm. In: Intern. J. of Psycho-Analysis, 14, S. 57–70.

–, (1975): Freud's Ansichten über die weibliche Sexualität. In: Psyche, 29, S. 789–804.

Greenacre, Ph. (1950): The prepuberty trauma in girls. In: Psychoanalytic Quarterly, 19, S. 298–317.

–, (1971): Notes on the influence and contribution of ego psychology to the practice of psychoanalysis. In: J. B. MacDevitt and C. F. Settlage (Hrsg.): Separation-individuation: Essays in honour of Margret Mahler.

Greenson, R. R. (1954): The struggle against identification. In: J. of the Amer. Psa. Assn., 2, S. 200–217.

–, (1967): Technik und Praxis der Psychoanalyse. Stuttgart 1981.

–, (1968): Dis-identifying from mother: its special importance for the boy. In: Intern. J. of Psycho-Analysis, 49, S. 370–374.

–, (1978): Psychoanalytische Erkundungen. Stuttgart 1982.

Grunberger, B. (1960): Etude sur la relation objectale anale. In: Revue Française de Psychanalyse, 24, S. 138–160 u. 166–168.

–, (1962): Dynamische Motive des Antisemitismus. In: Psyche, 16, S. 255–272.

–, (1964): Über das Phallische. In: Psyche, 17, S. 604–620.

–, (1964): Beitrag zur Untersuchung des Narzißmus in der weiblichen Sexualität. In: Chasseguet-Smirgel (Hg.) (1964), S. 97–119.
–, (1971): Vom Narzißmus zum Objekt. Frankfurt a. M. 1976.

Hagemann-White, C. (Hg.) (1979): Frauenbewegung und Psychoanalyse. Frankfurt a. M.
Hartmann, H., E. Kris and R. M. Loewenstein (1949): Notes on the theory of aggression. In: Psychoanalytic Study of the Child, 3/4, S. 9–36.
Hartmann, H. (1964): Ich-Psychologie. Stuttgart 1972.
Hoffer, W. (1950): Oral aggressions and ego development. In: Intern. J. of Psycho-Analysis, 31, S. 156–160.
Horney, K. (1923): Zur Genese des weiblichen Kastrationskomplexes. In: Horney (1967), S. 11–33.
–, (1933): Die Verleugnung der Vagina. In: Horney (1967), S. 128–147.
–, (1967): Die Psychologie der Frau. München 1977. Fischer Taschenbuch 42246.

Jacobson, E. (1937): Wege der weiblichen Über-Ich-Bildung. In: Intern. Zeitschr. für Psa., 23, S. 402–412.
–, (1950): Development of the wish for a child in boys. In: Psychoanalytic Study of the Child, 5, S. 139–152.
–, (1964): Das Selbst und die Welt der Objekte. Frankfurt a. M. 1973.
Jones, E. (1927): Child analysis. In: Intern. J. of Psycho-Analysis, 8, S. 387–391.
–, (1933): Die phallische Phase. In: Intern. Zeitschr. für Psa., 19, S. 322–357.
–, (1935): Über die Frühstadien der weiblichen Sexualentwicklung. In: Intern. Zeitschr. für Psa., 21, S. 331–341.

Kestenberg, J. S. (1968): Outside and inside, male and female. In: J. of the Amer. Psa. Assn., 16, S. 457–520.
–, (1976): Regression and reintegration in pregnancy. In: Blum (Hg.) (1976), S. 213–250.
Kleeman, J. A. (1976): Freud's views on early female sexuality in the light of direct child observation. In: Blum (Hg.) (1976).
Klein, M. (1932): Die Psychoanalyse des Kindes. Wien. Fischer Taschenbuch 42109.
–, (1955): Neid und Dankbarkeit. In: Psyche, 11, S. 241–255.
–, u. J. Rivière (1939): Seelische Urkonflikte. München 1974.
Kohut, H. (1973): Narzißmus. Frankfurt a. M.
Kris, E. (1952): Die ästhetische Illusion. Frankfurt a. M. 1977.
–, (1975): Psychonalytische Kinderpsychologie. Frankfurt a. M. 1979.

Lampl-de Groot, J. (1927): Zur Entwicklungsgeschichte des Ödipuskomplexes der Frau. In: Intern. Zeitschr. für Psychoanalyse, 13.
–, (1933): Zu den Problemen der Weiblichkeit. In: Intern. Zeitschr. für Psa., 19, S. 385–415.

Lantos, B. (1958): Die zwei genetischen Ursprünge der Aggression und ihre Beziehungen zur Sublimierung und Neutralisierung. In: Psyche, 12, S. 161–169.

Levinson, D. (1977): Das Leben des Mannes. Köln 1979.

Lichtenstein, H. (1977): The dilemma of human identity. New York.

Loewald, H. W. (1972): Negative therapeutic reaction. In: J. of the Amer. Psa. Assn., 20, S. 235–245.

Loewenstein, R. M. (1951): Psychoanalyse und Antisemitismus. Frankfurt a. M. 1968.

Lowenfeld, H. u. Y. (1970): Die permissive Gesellschaft und das Überich. In: Psyche, 24, S. 706–720.

Mahler, M. S. (1965): On the significane of the normal separation-individuation phase: with reference to research in symbiotic child psychosis. In: Drives, affects, behavior. Bd. 2. Hg. M. Schur. N.Y., S. 161–169.

–, (1968): Symbiose und Individuation. Stuttgart 1972.

–, (1972): On the first three subphases of separation-individuation process. In: Intern. J. of Psycho-Analyis, 53, S. 333–338.

Mahler, M. S., F. Pine u. A. Bergmann (1975): Die psychische Geburt des Menschen. S. Fischer, Frankfurt a. M. 1978.

Marcuse, H. (1963): Das Veralten der Psychoanalyse. In: Marcuse (Hg.) (1965): Kultur und Gesellschaft, Bd. 2. Frankfurt a. M., S. 85–106.

Mason, J. (1983): (Über die Probleme des Sigmund-Freud-Archivs) (Zitiert nach J. Malcolm, in: The New Yorker, 1983, Dec.)

Masters, W. H. u. V. E. Johnson (1966): Die sexuelle Reaktion, Frankfurt a. M. 1967.

Mead, M. (1928–1939): Jugend und Sexualität in primitiven Gesellschaften. Bd. 1–3. München 1970.

Menninger, K. (1938): Selbstzerstörung. Frankfurt a. M. 1974.

–, (1965): Das Leben als Balance. München 1968. Fischer Taschenbuch 42129.

Miller, A. (1979): Das Drama des begabten Kindes und die Suche nach dem wahren Selbst. Frankfurt a. M.

Mitscherlich, A. et al. (1962): Symposion über »Die psychologischen und sozialen Voraussetzungen für den Antisemitismus«. In: Psyche, 16, S. 255–272.

Mitscherlich, A. (1963): Auf dem Weg zur vaterlosen Gesellschaft. Ideen zur Sozialpsychologie. München.

Mitscherlich, A. u. M. (1975): Das sechste Gebot. In: Die zehn Gebote heute. Dortmund, München, S. 150–153.

Mitscherlich, A. u. M. (1983): Väter und Väterlichkeit. In: A. Mitscherlich: Gesammelte Schriften, Bd. 3, S. 371–413. Frankfurt a. M.

Mitscherlich, M. (1971): Entwicklungsbedingte und gesellschaftsspezifische Verhaltensweisen der Frau. In: Psyche, 25, S. 911–931.

–, (1975): Sittlichkeit und Kriminalität. Psychoanalytische Bemerkungen zu Karl Kraus. In: Psyche, 29, S. 131–153.

–, (1975): Psychoanalyse und weibliche Sexualität. In: Psyche, 29, S. 769–788.

–, (1975): Theorien und Probleme der psychosexuellen Entwicklung der Frau. In: V. Sigusch (Hg.): Therapie sexueller Störungen. Stuttgart, New York, S. 54–73.

–, (1977): Psychoanalytische Bemerkungen zu Franz Kafka. In: Psyche, 31, S. 60–83.

–, (1978): Zur Psychoanalyse der Weiblichkeit. In: Psyche, 32, S. 669–694.

Müller, J. (1931): Ein Beitrag zur Frage der Libidoentwicklung des Mädchens in der genitalen Phase. In: Intern. Zeitschr. für Psa., 17, S. 256–262.

Parens, H. (1979): The development of aggression in early childhood. New York, London.

Parin, P., F. Morgenthaler u. G. Parin-Matthèy (1971): Fürchte deinen Nächsten wie dich selbst. Frankfurt a. M.

Person, E. (1974): Some observations of the femininty. In: J. Strouse (Hg.): Women and psychoanalysis. New York.

Pross, H. (1979): Politische Partizipation von Frauen in der Bundesrepublik Deutschland. In: Die Psychologie des 20. Jahrhunderts. Bd. 8. Zürich, S. 503–509.

Protokolle der Wiener Psychoanalytischen Vereinigung (1962–1975). Bd. 1–4. S. Fischer, Frankfurt a. M. 1976–1981.

Reich, A. (1953): Narcissistic object choice in women. In: J. of the Amer. Psa. Assn., 1, S. 22–44.

Reinke-Köberer, E. (1978): Zur heutigen Diskussion der weiblichen Sexualität in der psychoanalytischen Bewegung. In: Psyche, 32, S. 695–731.

Rohde-Dachser, Ch. (um 1982): Frauen als Psychotherapeuten; Das Janusgesicht einer Emanzipation und die Folgen. Unveröffentl. Manuskript.

Rotmann, M. (1978): Über die Bedeutung des Vaters in der »Rapprochement-Phase«. In: Psyche, 32, S. 1105–1147.

Rotter, L. (1934): Zur Psychologie der weiblichen Sexualität. In: Intern. Zeitschr. für Psa., 20, S. 367–374.

Sanfte Macht der Familie, Die (1981). Hg. CDU, Bonn.

Schafer, R. (1968): Aspects of internalization. New York.

–, (1974): Problems in Freud's psychology of women. In: J. of the Amer. Psa. Assn., 22, S. 459–485.

Schick, P. (1965): Karl Kraus. Reinbek b. Hamburg.

Schottlaender, F. (1946): Die Mutter als Schicksal. Stuttgart.

Schupper, F. (1962): Dynamische Motive des Antisemitismus. In: Jahrbuch der Psychoanalyse. Bd. 2, Köln, Opladen, S. 3–24.

Schwarzer, A. (1977): (Männerhaß). In: Emma, März 1977.

Sheehy, G. (1974): In der Mitte des Lebens. München 1976.

Sherfey, M. J. (1966): Die Potenz der Frau. Wesen und Evolution der weiblichen Sexualität. Köln 1974.

Shorter, E. (1975): Die Geburt der modernen Familie. Reinbek b. Hamburg 1977.

–, (1982): Der weibliche Körper als Schicksal. München, Zürich 1984.

Silbermann, A. (1981): Der ungeliebte Jude. Zur Soziologie des Antisemitismus. Osnabrück.

Simmel, E. (Hg.) (1964): Anti-semitism, a social disease. New York.

Spitz, R. A. (1957): Nein und Ja. Stuttgart 1959.

–, (1965): Vom Säugling zum Kleinkind. Stuttgart 1967.

–, (1976): Vom Dialog. Stuttgart 1976.

Staewen-Haas, R. (1970): Identifizierung und weibliche Kastrationsangst. In: Psyche, 24, S. 23–39.

Stoller, R. J. (1968): Sex and gender. New York.

–, (1974): Sex and phantasies; an examination of Freud's concept of bisexuality. In: J. Strouse (Hg.): Women and psychoanalysis. New York.

–, (1975): Perversion. Reinbek b. Hamburg 1979.

–, (1979): Sexual exitement. New York.

Strindberg, A. (1884–86): Die Verheirateten.

–, (1887): Der Vater. In: Dt. Gesamtausg. 1902–1930.

Sullivan, H. S. (1955): Die interpersonale Theorie der Psychiatrie. S. Fischer, Frankfurt a. M. 1980.

Taylor, H. (1851): Über Frauenemanzipation. In: Mill, J. St.: Gesammelte Werke, Bd. 12 (Hrsg. Th. Gomperz). Leipzig. Übers. v. S. Freud (1879).

Thomä, H. (1967): Konversionshysterie und weiblicher Kastrationskomplex. In: Psyche, 21, S. 827–847.

Ticho, G. R. (1976): Female autonomy and young adult women. In: Blum (Hg.) (1976). S. 139–155.

Tolpin, M. (1971): On the beginning of a cohesive self. In: Psychoanalytic Study of the Child, 26, S. 316–352.

Torok, M. (1964): Die Bedeutung des Penisneides bei der Frau. In: Chasseguet-Smirgel (Hg.) (1964), S. 191–222.

Vilar, E. (1971): Der dressierte Mann. Gütersloh, Wien.

Wangh, M. (1962): Psychologische Betrachtungen zur Dynamik und Genese des Vorurteils, des Antisemitismus und des Nazismus. In: Psyche, 16, S. 273–284.

Winnicott, D. W. (1965): Reifungsprozesse und fördernde Umwelt. München 1974. Fischer Taschenbuch 42255.

–, (1965): Familie und individuelle Entwicklung. München 1978. Fischer Taschenbuch 42261.

–, (1971): Vom Spiel zur Kreativität. Stuttgart 1973.

Wolf, Ch. (1976): Kindheitsmuster. Berlin, Weimar.
Wolfenstein, M. (1951): A phase in the development of children's sense of humor. In: Psychoanalytic Study of the Child, 6, S. 336–350.

Zilboorg, G. (1944): Männlich und weiblich. In: C. Hagemann-White (Hg.) (1979), S. 183–276.

Nachweise zu den Beiträgen

Alle in dem vorliegenden Buch versammelten Beiträge sind gründlich überarbeitet und zum Teil gekürzt oder ergänzt worden. Sie stimmen weder inhaltlich noch sprachlich mit den ursprünglich zu den selben Themen veröffentlichten Texten überein. Insofern erübrigt sich ein detaillierter Quellennachweis. Ausnahmen sind die beiden folgenden Beiträge: »Antisemitismus – eine Männerkrankheit?« ist in der Zeitschrift »Psyche«, 37,1, 1983 erschienen; der Text wurde überarbeitet. Der Beitrag »Eine ungehaltene Rede« erschien zuerst in der Zeitschrift »Natur«, 3, 1984; er wurde für das vorliegende Buch überarbeitet.

Namen- und Sachregister

Abelin, E. L. 56, 184
Abhängigkeit(s-)
  bedürfnis 69
  frühkindliche 9
  kindliche 96
  wünsche 81
Abtreibung (s. a. Schwangerschaftsunterbrechung) 66, 178
Abwehr(-) 132
  charakter 38
  maßnahmen, phallische 23
  mechanismen 16, 37, 152 ff.,
    158
  psychische 104, 151
  system 132
Adorno, Theodor W. 153, 184
Aggression(s-)/Aggressionen
  passim
  analsadistische 67
  Beute- 40
  u. Entwertungstendenzen 16
  entwicklung 13
  geschlechtsspezifische 3, 19
  infantil-orale 40
  männliche VIII f, 19
  u. Narzißmus 37
  passive 9
  projektive Neigung im Umgang
    mit 5
  Rivalitäts- 19, 40 f., 152
  trieb 12, 39
  weibliche IX, 19
  zerstörerischer Umgang mit IX
Aggressivität der Geschlechter 12
Alkoholismus 29

Alkoholkonsum 169
Allmacht(s-)
  männliche 69
  der Mutter – Ohnmacht der
    Frauen 86
  narzißtische 63
  phantasie, sadomasochisti-
    sche 146
Ambivalenz(-) 35, 67
  gefühl, kindliches 58
  Gefühls- 68, 97
  konflikt 41
  ödipale 12
Amerikaner, Entidealisierung d.
  5
»Anästhesie, genitale« 45
Analität, abgewehrte 156
Angst(-)/Ängste
  Abwehr d. 4
  Bindungs- 80, 165
  d. Frauen vor d. Macht 9
  hypochondrische 165
  Kastrations- 11 f., 16, 39, 48,
    53, 58 f., 62
  soziale 13, 15
  Trennungs- 80, 144
  vor Unmännlichkeit 30
  Verfolgungs- 13, 17
  Verlassenheits- 9
Anklammerungstendenz(en) 90
Antisemitismus/Antisemit(en)
  110, 148–159
  bei Frauen 155
  kultureller 148
  männlicher 160

Antisemitismus *(Forts.)*
  rassistischer 148, 151
  religiöser 148, 151
  weiblicher 160
Anziehungskraft
  natürliche sexuelle 124
  psychosexuelle 100
Apparat, seelischer 38
Arbeit(s-)
  lohn, gleicher, f. Mann u.
    Frau 114
  losigkeit 145
  störungen 52
  teilung, gesellschaftliche 181
Aristoteles 157
Arnim, Gabriele v. 115
Astrologie 11
Atmosphäre, familiäre 117
Attraktivität, sexuelle 84, 94
Aufrüstung(s-)
  mentalität 4
  wahnsinn 177
Aufstand, revolutionärer 20
Ausbildung, psychoanalytische 23
Auschwitz 8
Ausländerfeindlichkeit 149 f.
Autonomieverbot, sexuelles 68
Autorität, väterliche 11, 39

Balint, Michael 42, 184
Beauvoir, Simone de 24, 97, 184
Bedürfnis, narzißtisches 96, 135
Befriedigung(s-)
  formen, anale 119
  masochistische 3
  narzißtische 182
  wünsche, orale 70, 119
Behandlung
  psychoanalytische 55, 113
  psychotherapeutische 52, 79
Beichtzwang 65
Beiträge, psychoanalytische 60
Bemächtigungswünsche, anal-sadistische 60
Benachteiligung, familiäre u. gesellschaftliche 117

Bergmann, A. 188
Beruf(s-)
  psychoanalytischer 23
  wechsel 94
Bestätigung, narzißtische 137
Bettelheim, Bruno 154, 184
Beziehung(s-; en)
  aufnahme, orale Formen d. 29
  defizit 28
  dyadische 104
  eheliche 100
  fähigkeit 84
  d. Geschlechter 9
  heterosexuelle 50, 97
  inzestuöse 28, 48
  konflikte 32
  lesbische 50, 81, 115
  zwischen Mann u. Frau 6
  sadomasochistische 144
  sexuelle 90 f., 130
Bindung(s-; en)
  bedürfnisse 108
  fähigkeit 84
  heterosexuelle 20
Blum, Harold 22, 45 f., 184,
  186 f., 190
»Bodythinking« 61
Boehlich, W. 148, 184
Bonaparte, Marie 116
Brudergemeinschaft(en) 172
»Bruderschaft(en)« 76
  elitäre 161, 171
Bücher, antifeministische 110
Bürgertum 20
Bundeskanzler 4
Bundeswehr 173, 175
»Ehrenkodex« d. 174

Charakter(-)
  bildung 38
  masochistischer 141, 145 f.
  neurose 141
  Tausch- 29
Chasseguet-Smirgel, J. 22, 60,
  63 f., 72, 74, 85, 184, 186, 190
Chessler, Phyllis 9, 184

Christlich Demokratische Union (CDU) 8, 189
Circulus vitiosus 15
»Core Gender«(-) 122 f.
  identität 123
»Cross-Identifikation« 56

Dahmer, Helmut 43, 184
Denkverbot 114
Depression(en) 15, 37, 79, 82, 103 f., 108
Destruktivität 41
  feindselige 40
  nicht-feindselige 40
  Selbst- 41
Deutsch, Helene 62, 107, 128, 185
Differenzierungen, sexuelle 121
Dreierbeziehung, sexuelle 28
Dreier-Konstellation, ödipale 56
Drews, S. 185
»Drittes Reich« 5, 157
»Dritte Welt« 5
Drogen(-)
  konsum 169
  mißbrauch 29
Durchsetzungsmentalität 181

Ehe(-) 50, 82 ff., 101, 105 f., 115, 129 f., 138, 167, 175
  frau, sich aufopfernde 17, 30
  mann, Abhängigkeit v. 31
  partnerwechsel 92
  scheidung 145
Eidelberg, L. 147, 185
Eifersucht 19, 25
Eigenschaft(en)
  männliche 71
  weibliche 25, 130
Einsicht(en), kritisch-feministische 84
»Einzelgänger« 30
Eissler, K. R. 121, 185
Elektronik, militärische 175
Eltern(-)
  Drei-Einheit mit d. 79

Entidealisierung d. 5
generation 5
Kind-Beziehung 63, 123, 127
Wertvorstellung(en) d. 89, 91
Emanzipation 8, 21, 23, 85, 110–131
Empfindung(en), »phallisch«-klitoridale 49, 119
Energie, psychische 34
Engels, Friedrich 150, 185
Entwertungstendenz(en) 15
Entwicklung(s-)
  formen, typische 94
  geschlechtsspezifische 55, 160
  neurotische 53
  phase 93
    genitale 122
    sadomasochistische 31
  präödipale 46
  psychosexuelle 45, 55, 60, 89, 121
  stadien, psychische 119
  stufen 94
  weibliche 12, 87, 117, 137
Erregbarkeit
  klitoridale 121
  primäre sexuelle 60
Erektion(en) 24
Erikson, E. H. 79, 185
Erkenntnisse, psychoanalytische 49
Erleben, weibliches sexuelles 64
Erniedrigungswünsche 113
Eroberungsmentalität 181
Erziehung(s-)
  autoritäre 171 f.
  gängige 176
  geschlechtsspezifische 33, 71, 85, 160
  gesellschaftsspezifische 67, 90
  methode(n) 144, 147, 181
  schichtenspezifische 130
Es, Das 36, 38, 133
Ethik *VIII*
Ethnologie 130
Europäische Gemeinschaft (EG) 111

Evolution *VIII*
Exhibitionismus 35

Fairbairn, W. R. D. 42, 185
Familie(n-) 54, 57, 71 ff., 75–78,
    81, 86, 93, 98 f., 104, 106,
    112, 145, 160 ff., 164 ff.,
    167 f., 171
    gründungsdarlehen 179
    »heile« 8, 177
    »Kern«- 162
    Klein- 87, 128
    Macht in d. 10
    minister 8
    oberhaupt, tyrannisches 6
    als ökonomische Basis d. Ge-
        sellschaftsstruktur 49
    patriarchalisch regierte 115
    restauration 7
    struktur 76
    verhältnisse 6, 11
Feministin(nen) (*s. a.* Frauenrecht-
    lerin(nen) 20 f., 26 f., 52, 112,
    115–119, 128
»Feminität, primäre« 45
Fenichel, O. 61, 151, 154, 185
Fernsehen 128, 174
Fester, R. 185
Fetscher, Iring 150, 185
Figes, Eva 116, 185
Fließ, Wilhelm 119
Forderungen, gesellschaft-
    liche 119
Fragen, ökologische 168 f.
Fraiburg, S. 70, 185
Französische Revolution 148
Frau(en-) *passim*
    als abhängig Dienende 10
    Autonomie d. 24
    Befreiung d. 110
    im Beruf 9, 111
    bewegung 4–11, 17, 20, 52,
        81 f., 85 ff., 109, 128, 163
    bürgerliche 112
    charakterliche Schwäche d. 26
    Demutshaltung d. 147

dienende *VII* f., 4, 16, 163
Doppelbelastung d. 111
Durchsetzungsvermögen d. 10
    als »Eigentümerin des Penis« 24
Emanzipation d. 8, 85
Entwertung d. 63, 99
feministisch orientierte 142
und Frieden 3 f.
friedfertige, nicht-aggres-
    sive 181
geistige Minderwertigkeit
    d. 113
gesellschaftliche Stellung d. 117
Gleichberechtigung d. 22
haß 26, 85
    männlicher 30
Haus-
    bürgerliche 111
    rolle 91 ff.
»Heimchen am Herd« 6
Karriere- 46
Kastrationskomplex d. 154
    u. Kleidung 139
    u. Konsum 139
    u. Kosmetik 139
Kreativität d. 24
lesbische Beziehungen zwi-
    schen 20
löhne 111
Macht d. 10
masochistische Aufopferungs-
    haltung d. 147
masochistische Verhaltens-
    weisen d. 147
    als Mütter 5, 9
narzißtische 134
»normale« 50
Opferhaltung d. 9, 30 f.
    in d. Partnerschaft 9
passive masochistische Aggres-
    sivität d. 147
»phallische« 20, 22
Psyche d. 115
    u. Psychoanalytikerin 23
psychoanalytische Theorien
    über 135

Frau(en-) *(Forts.)*
  Psychologie d. 87
  psychosexuelle Entwertung
    d. 116
  psychosexuelle Entwicklung
    d. 22 f., 64
  als Psychotherapeutinnen 23
  rechtlerinnen (*s. a.* Feministin-
    nen) 116
  Revolution d. 115
  »richtige« 6
  Rollenbild d. 142
  Rückzug d. 11
  schicksal, typisches 104
  narzißtische Selbstbezogenheit
    d. 135
  Selbständigkeit d. 21
  Selbstverachtung d. 48
  Selbstwert(-) d. 24
    defizit d. 135
  Sexualität d. 118
  sexuelle Befreiung d. 50
  sexuell leichtfertige 14
  u. ihre soziale(n) Rolle(n) 17
  Stellung d. 21
  stereotyp 23
  unbewußter Penisneid d. 112
  UNO-Jahr d. 110
  verachtung 26
  Vorwurfshaltung d. 9
  wenig gebildete 14
  Wesen d. 21
  »zweiter Klasse« 86
Freiheit, sexuelle 83 f., 116
Frenkel-Brunswik 153
Freud, Anna 40, 185
Freud, Martha 21
Freud, Sigmund 6, 11 f., 21 f.,
  25, 33–39, 42–49, 52–55,
  57 ff., 61 f., 64, 67, 71, 75, 82,
  87, 112, 114, 116–120, 124 f.,
  129, 132–135, 137 f., 140 f.,
  147, 151, 154 ff., 158, 170,
  185 f., 190
Friedensbewegung 4, 15, 169
»Friedensfrauen« 4

Friedenspreis des Deutschen
  Buchhandels 178
Friedfertigkeit, weibliche 3
Frigidität 49, 64, 90
Fromm, Erich 39, 186
Fruchtbarkeit 25

Galenson, E. 70, 186
Gebärzwang 115
Geburt, soziokulturelle 33
Gefühl(s-; e; en)
  abwehr 16
  beziehung(en)
    familiäre 104
    zur Mutter 17
  Minderwertigkeits- 29
  Schuld- 29
  Verleugnung von 156
Gehorsam(s-) 7
  ideologie 8
Gemeinschaft
  psychoanalytische 47
  voreheliche sexuelle 50
Generationsproblem 5
Genital(-)
  organe 62
  männliches 54, 58
  weibliches 121
Genitalität 38
»Geschäfte, männliche« 82
Geschlecht(s-; er-; ern)
  Beziehung zwischen d. 16 f.
  gesellschaftliche Bewertung
    d. 124
  identität 45 f., 122 ff., 143, 146
    stabile 71
  moral, doppelte 7
  neutralität 23
  organ, männliches 54
  schranken, Abbau d. 22
  unterschied(es) 25, 58, 71, 121
    anatomischer 48, 52, 58,
      118 f., 124 f.
    genitaler 122
    Wahrnehmung d. 55
  verhältnisse 6, 10 f.

Geschlecht(s-) *(Forts.)*
  verkehr 44
Gesellschaft(s-; en) 75 f., 84,
  86 ff., 92 f., 96 f., 104 f., 114,
  120, 123, 125 f., 128, 130 f.,
  134, 136 f., 140, 145, 154,
  159 f., 163, 166 f., 171–174
  bestehende 19
  formen, sich wandelnde 46
  geschlechtsspezifische Beschrän-
    kung d. 124
  Leistungsideal d. 93
  männlich orientierte 116
  von Männern beherrschte 21,
    85, 131, 156, 162
  moderne 76
  ordnung 54
    patriarchalische 26, 43, 137
    phallozentrische 43
  struktur
    herrschende 8
    patriarchalische 17
    sadomasochistische 7
  system 98
  vaterlose 75, 105, 161, 172
Gesetze, männliche 12
Getto 149
Gewalt(-) *IX,* 8
  industrie *VIII*
  losigkeit *VIII*
  männliche 3
    gegen Frauen 139
  taten *VIII,* 80
  verbrechen *VII*
Gewissen(s-) 80
  bildung 39
Gillespie, W. 120, 186
Gleichberechtigung 21, 54, 84
  Kampf um d. 118
Gleichheitsideologie 10
Gomperz, Th. 190
Greenacre, Ph. 40, 61, 186
Greenson, R. R. 71, 186
Grunberger, Béla 134 f., 137,
  151 f., 154, 186
Gruppen, aktive ökologische 169

Hagemann-White, C. 187, 191
Haltung
  antiautoritäre 7
  phallisch-exhibitionistische 67
Hartmann, Heinz 40, 187
Haß(-)
  Selbst- 13, 15 f., 69
  tendenzen 15
Hautkrankheiten 164
Heidelberger Manifest 149
Herrschaft(s-)
  Befreiung von männlicher 115
  männliche 176
  struktur, patriarchalische 142
  verhältnisse 177
    patriarchalische 7
  durch verschleierte sadomaso-
    chistische Befriedigung 7
Hexe(n) 31, 54
Hitler, Adolf 77, 148, 152 f., 168
Hochrüstungsaktivität 183
Höherbewertung, gesellschaft-
  liche, d. Männlichen 96
Hoffer, Willi 42, 187
Homosexualität/Homosexuelle
  24, 61, 113, 122 f., 173 f.
  sadomasochistische 146
  weibliche 47
Horney, Karen 52 f., 59 f., 85,
  124 ff., 187
Hospitalismus, partieller 28
Hunger 178
Huss, H. 185
Hypophyse 126

Ich(-) *(s. a.* Überich) 36, 38,
  132 f., 145, 158
  Entwicklung 42, 60, 94
  Erhaltung 36
  Ideal- 80
  Ideal 80, 152
    hohes 166
    mütterliches 46
    weibliches 46
  Körper- 59
  narzißtisches 35

Ich(-) *(Forts.)*
  Stärke 46
  Trieb 34 ff.
Ideal(e) 8
  patriarchalisches, d. Gesell-
    schaft 50
Idealisierung(s-)
  männlich-egoistische 114
  wünsche, frühkindliche 129
Identifikation(s-; en)
  falsche 17
  ketten, generationenalte 146
  schicksale, kindliche 87
Identifizierung, phallische 60
Identität(s-) 135
  prägenitale weibliche 45
  sexuelle 165
  verlust 166
Illusionskritik, psychoanalyti-
    sche 75
Impulse, anal-sadistische 39, 157
Indianer 149
Individuation(s-) 33, 55, 89, 96,
    106
  bedürfnis 71
  fähigkeit 55, 68
  prozeß 56 f.
  Separationsphase 94
Induktor-Theorie 12
Interaktionszusammenhänge,
    gesellschaftliche 33
Introjekt, böses 13, 69, 97
Inzest(-)
  angst 155
  wunsch(es), Abwehr d. 151

Jacobson, Edith 70, 187
Johnson, V. E. 61, 64, 188
Jonas, D. 185
Jones, Ernest 59, 61, 125, 187
Juden(-) 110, 148–152, 154 f.,
    160, 175
  frage, »Endlösung« d. 148
  u. kapitalistische Wirtschafts-
    entwicklung 150
  d. »unheimliche« 154 f.

Jugendlichkeit(s-)
  krampf 103
  kult 102

Kafka, Franz 146 f.
Kant, Immanuel 160
Kastration(s-) 151, 154
  angst 154–157
  komplex 173
Keller, Gottfried 157
Kestenberg, J. S. 62, 70, 187
Kind(er-; es)
  Entwicklung d. 13
  geschlechtsspezifische Ettikettie-
    rung d. 143
  Klein- 10, 88
  Sozialisation d. 124
  tagesstätten 88, 114
  tyrannisches 76, 80
  verwöhntes 78
  wunsch 24, 49, 71, 119
    als Penisersatz 22
Kindheit(s-) 14
  konflikt 94
  Phasen d. 94
Klassenschranken, Abbau d.
    22
Kleemann, J. A. 143, 187
Klein, Melanie 13, 22, 60–64,
    67, 74, 85, 154, 187
Klitoris 62, 121
  Glans- 62
Knabe(n) *passim*
  phallische Phase beim 125
König, M. 185
Körper(-)
  bild 143 f.
  sprache, konkretisierende 63
Kohut, Heinz 99, 133, 137, 187
Kollegen, psychoanalytische 19
Kompromiß, neurotischer 59
Konflikte
  anal-sadistische 74
  ödipale 53, 56, 68, 79, 94, 97,
    130, 151 f.
  präödipale 59

Konkurrenz(-)
  phase, ödipale 57
  zwang 102
Konstellation, familiäre 72, 74
Konsumverhalten, unpoliti-
  sches 169
Konzerne, multinationale 75
Kränkung, narzißtische 60, 152 f.
Krankheit, psychosomatische 79
Kraus, Karl 114, 188 f.
Krieg(s-; e) *VII f.*, 6 f., 43, 81,
  90, 100, 112, 118, 175
  Atom- 3, 169
  Erster Welt- 153 f., 163
  gefahr 4
  gefangenschaft 6, 77 f.
  geräte *VII*
  jahre 11
  mentalität 4
  Schlachtpläne *VII*
  verhältnisse 77
  Vietnam- 5
  Waffenhandwerk *VII*
  Zweiter Welt- 6, 8, 77, 80, 163 f.
Kris, E. 170, 187
Kult mit Werten 43
Kultur(-) 41, 71, 95, 102 f., 117,
  139, 146 f., 150 f., 154, 156,
  179
  christlich(e) 155
    abendländische 148 f.
  deutsche 149
  Vorbild- 162
  kreis, osteuropäischer 13
»Kunst, entartete« 179
KZ-Wächterin 157

Lampl-de Groot, Jeanne 44 ff.,
  187
Lantos, B. 40, 187
Lasch, C. 185
Latenzzeit 45
Leben(s-)
  mitte 93 ff., 97–105, 108
    Krise d. 92
  trieb 35 f., 38

Leidensdruck 39
Leistung(s-)
  ideal
    männliches 83
    sexuelles 129
  zwang 102
Leitzone, libidinöse 119
Levinson, D. 104, 188
Lichtenstein, H. 170, 188
Libido(-) 34, 120
  komponenten 44 f.
  narzißtische 41
  Objekt- 41
Liebe(s-)
  ambivalenzfreie 99
  auffassung, christliche 83
  objekt 16, 38
  primäre 42
  unfähigkeit, männliche 99
  verlust 9, 12, 15
  wünsche, frühkindliche 129
Literatur, psychoanalytische 99
Loewald, H. W. 41 f., 188
Loewenstein, R. M. 151, 187 f.
Lowenfeld, H. 48, 188
Lowenfeld, Y. 48, 188
Loslösung(s-) 106
  prozeß 56 f.
Lustprinzip 34 ff.

Macht(-) 24, 22
  d. Eltern über d. Kinder 8
  hierarchien 30
  d. Männer über d. Frauen 8
  phantasie *s.* Phantasie
  sexuelle 24
  strukturen, gesellschaftstypi-
    sche 74
  verhältnisse 10, 75
Mädchen *passim*
  phallische Phase beim 121
Mahler, Margaret 33, 41, 55–58,
  72, 89, 106, 184, 186, 188
Mann(es)/Männer(-) *passim*
  Besitzrecht d. 83, 115
  bünde 162, 172

Männer(-) *(Forts.)*
Gebärneid d. 112
gesellschaft(s) 156, 163, 174 f.
  destruktive Tendenzen
    d. 118
  typisches Verhalten d. 71
haß 26 f., 85
Herrschaft d. 50, 120
Impotenz d. 114
karrieregebundener 17
narzißtische Orientierung
    d. 158
Potenz d. 120
presse 139
psychosexuelle Entwicklung
    d. 151
rolle, anerzogene 30
Vorherrschaft d. 125
Weiblichkeitskomplex d. 154
u. Weltgeschehen *VIII*
Männlichkeit(s-) 56, 71, 158 f.,
    163, 171 f., 174
komplex 44 f.
wahn 172
Malcolm, J. 188
Marcuse, Herbert 48, 188
Marktwirtschaft, soziokulturelle
  Normen d. 29
Marx, Karl 29, 170
Masochismus/masochistisch/Ma-
  sochist(en) 15, 35, 38, 40, 44,
    139, 158
erogener 140 f.
moralischer 140, 146
psychischer 147
Strafbedürfnis d. morali-
    schen 146
weiblicher 40, 46, 140 f., 146
Mason, J. 42, 188
Massengesellschaft, vaterlose 75
Masters, W. H. 61, 64, 188
Masturbation 45, 85
McDevitt, J. D. 184, 186
Mead, Margaret 130, 188
Melancholie/Melancholiker 37 f.,
    69, 103

Mensch(en)
Gattung *VIII*
Geburt, psychische, d. 33
Zivilisierung d. 41
Menninger, Karl 151, 188
Mentor(en) 104 f.
Metapsychologie 132
Michael, Dr. 120
Mill, John Stewart 21, 190
Miller, Alice 42, 188
Minderwertigkeit(s-)
gefühl(e) 50
genitale 147
Mitteleuropa 83
Mitscherlich, Alexander 48, 75,
    105, 115, 151, 160, 178, 185, 188
Modell
hydraulisches 39
psychohydraulisches 39
Möbius, Paul 26
Mongolen 149
Monismus, phallischer 58
Montherlant, Henry de 26
Moor, K. L. 121
Moral(-)
doppelte 114, 120, 166, 171 f.,
    174
vorstellungen, gesellschaft-
    liche 119, 172
weibliche 12
Morgenthaler, Fritz 130, 189
Müller, Josine 60, 189
Mütterlichkeit/mütterlich 8, 16,
    76, 128, 172, 176 f.
neue 11
Mutter(-)/Mütter 13, 54, 56, 58,
    60, 62–77, 85–90, 92 f., 96 f.,
    104, 106 ff., 114, 123, 126 ff.,
    130, 135 f., 138, 143 ff., 152 f.,
    156, 158, 162–165, 167 f., 170
Abhängigkeit von d. 82
Abwendung von d. 90
alleinerziehende 7
allmächtige/allmächtig er-
    lebte 10, 70, 72, 76, 85,
    87 f., 99, 109, 127, 163

Mutter(-) *(Forts.)*
  d. analen Periode 31
  sich aufopfernde 163
  beziehung d. frühen Kindheit 15
  Beziehung d. Tochter zur 12
  bindung 114
    negative 17
  Brust d. 62, 70
  dyadische Beziehung zur 107
  enttäuschende 76
  figuren, verkleidete 29
  fixierung, ödipale 147
  frühkindliche egozentrische
    Bindung an d. 69
  haß 27–31, 88
  Imago 68, 70, 97
  Kind-Beziehung 27, 29 f., 32,
    39, 59, 68, 76, 79, 99, 108,
    136, 163
    symbiotische 57
  Kind-Dyade 63
  Kind-Einheit, primäre 56
  in d. Lebensmitte 99
  u. Macht 9
  mächtige 144
  omnipotent-phallisch er-
    lebte 114
  präödipale Beziehung zur 64
  rolle 6, 76
  symbiotische Beziehung zur 71,
    108, 122, 144 f.
  stereotyp 23
  Tochter-Beziehung 91
  tüchtige 7
  schaft 117

Narzißmus(-)/narziß-
  tisch 132–147, 159
  gesunder 98
  konzept 34
  phallischer 126
  primärer 41 f.
  weiblicher 99, 138
Nato-Doppelbeschluß 177
Nazizeit 5, 110, 157
Neger 151

Neid
  Brust- 31, 71
  Gebär- 31, 54, 71, 112, 138
Neurose(n)
  Entstehung v. 59
  narzißtische 98, 133
Nordamerika 83
Nymphomanin(nen) 51

Objekt(-)
  beziehung, phasenspezifi-
    sche 44
  beziehungstheorie, psycho-
    analytische 42
  repräsentanz 46, 56, 70, 72
  Übertragung- 78 f.
  wahl, narzißtische 145
Ödipus(-)
  einstellung, negative/positive 44
  komplex 34, 42, 44, 55, 64, 125
    negativer 114
Onanie 29, 52, 65 f., 91, 96,
  114, 125
  Klitoris- 44
Orgasmus(-) 121 f.
  fähigkeit, vaginale 49, 119
  schwierigkeit(en) 119
  unfähigkeit(en) 95
  vaginaler 49 f., 121

Parens, Henri 41, 189
Parin, Paul 130, 189
Parin-Matthèy, Goldy 189
Partnerschaft 106
Pater familias 76
Pazifismus 8, 177
Penis(-) 24, 60–65, 69, 71, 74,
  134 f., 143
  böser 63 f., 66
  Glans- 62
  guter 63 f., 67
  mangel 135
  neid 22, 24 f., 31, 40, 43 ff.,
    52 f., 55 f., 64 f., 112, 125 f.,
    134, 154, 158
  primärer, autoerotischer 59

Penisneid *(Forts.)*
  sekundärer 53
  weiblicher 117
  sadistischer 64, 66
Periode, frühkindliche, präödipale 55
Persönlichkeit(s-) 39
  autoritäre 153
  »Basis«- 133
  entwicklung, weibliche 46
  »multiple« 172
  narzißtisch desorientierte 133
  schwache 168
  struktur 40
Person, E. 125, 189
Perversion(en) 36, 38, 140 f.
Phänomene, gesellschaftliche 147
Phallus 21, 62, 121, 126
Phantasie(n)
  Größen- 17, 167 f.
    rollenstereotype 30
    unbewußte 30
  Macht- 17
  masochistische 141 f., 146
  ödipale 42
  Omnipotenz- 23
  v. Penisbesitz 20
  Rettungs- 11
  Vergeltungs- 16
Phase(n)
  anale 32, 40, 52, 59, 127
  autistische 33
  frühe präödipale 42
  genitale 35, 41, 127
  Individuations- 32
  »innere genitale« 62
  männlich-phallische 119
  Loslösungs- 32
  ödipale 45, 60
  orale 127
  phallische 41, 59
  phallisch-klitoridale 127
  phallische, d. Mädchens 53
  präödipale, d. Weibes 156
  symbiotische 33
  Übergangs- 93

Philosophie/Philosophen *VIII,*
  157
Physiologie d. sexuellen Funktio-
  nen 49
Pille(n-) 83
  knick 6
  zeitalter 76 f.
Pine, F. 188
Pogrom(e) 150
Politik/Politiker 75, 161, 171 f.,
  176
  Außen- 175
Polizei, zaristische 150
Praxis, psychoanalytische 181
Projektion(en) 152 f.
Pross, Helge 111, 189
Protest/protestieren 4 f., 8
Protokolle der Weisen von
  Zion 150
Proust, Marcel 146 f.
Pseudoparadies 11
Psychiatrie/Psychiater 140
Psychoanalyse 3, 15, 33, 42, 44,
  52, 55, 58, 67 f., 87, 89, 94,
  96 f., 110, 112 ff., 116, 119,
  124, 132–135, 140, 154, 165
Psychoanalytiker(in) 20, 22 f., 33,
  37, 39, 41 ff., 46 f., 49, 52 ff.,
  58 f., 61 f., 70, 76, 85, 88,
  98 f., 106, 116, 118, 125 f.,
  130, 132–136, 138, 141–145,
  147, 152, 157, 162
Psychoanalytische Vereinigung 22
Psychologie/Psychologen *VIII,* 10
  weibliche 22
Psychotherapie 50
Pubertät(s-) 32, 49, 51, 61, 91,
  94, 96 f., 105, 107, 119 f., 126,
  128, 153
  riten 154
Pygmalionkomplex 24

Raketen 8
Rasse(n-)
  diskriminierung 148
  »schändung« 151, 155

Rassismus 149
»Realitätsprinzip«, herrschen-
    des 160
Reaktion(s-; en)
    bildung 158
    depressive 99
    typisch männliche 21
»Regression im Dienste des
    Ich« 170
Reich, Anni 145, 189
»Reife«, männliche 84
Reifung(s-)
    biologische 124
    psychische 153
    psychosexuelle 124
    stufe, psychosexuelle 59, 126
    vorgang, psychobiologi-
        scher 120, 124
Reinke-Köberer, Ellen 47
Reiz(e) 34
    endogene 34
    sexuelle 119
Religion VIII, 149
    monotheistische 151
Revolution, feministische 115,
    118
Rivière, J. 187
Rohde-Dachser, Christa 23, 189
Roiphe, E. u. H. 186
Rollen(-)
    konflikt 23
    stereotyp, männliches 23
    typen, mütterliche 163
    verteilung 168
    vorschriften 95
        traditionelle 33
    zwang 17
Rote Armee Fraktion (RAF) 20
Rotmann, M. 56, 189
Rotter, L. 24, 189
Rüstung(s-)
    fabriken 5
    mentalität 43, 175
Rußland, zaristisches 150

»Sachzwänge« 169

Sadismus/sadistisch 35 f., 40
    analer 40
    moralischer 156
    psychischer 147
Sadomasochismus 15
Säugling 39
Sartre, Jean Paul 24 f.
Sauberkeitsgewöhnung 40
Schafer, R. 157, 189
Schaulust 37
    infantile 125
    u. Zeigelust, infantile 52, 125
Schick, P. 189
Schicksal, biologisch-anatomi-
    sches 140
Schiller, Friedrich 20
Schlafmittelsucht 28
Schottlaender, F. 136, 189
Schopenhauer, Arthur 157
Schröder, A. 185
Schwachsinn, geistiger 26
Schwangerschaft(s-) 66
    unterbrechung (s. a. Abtrei-
        bung) 179
    verhütung 49
Schwarzer, Alice 26, 190
Schuld(-)
    gefühle 9 f., 12 f., 15 f., 19
        falsche 17
        unbewußte 16
    unterschiedlicher Umgang d.
        Geschlechter mit 15
Schupper, F. 151, 189
Schur, Max 188
Sekten, religiöse 11
Selbst, Das
    eigene 138
    eigenständige, kohäsive 99
    falsche 133
    wahre 133
Selbst(-)
    bestrafungstendenz 68
    bild 17, 136
        autonomes 72
    destruktion 40
    entwertung 15, 103

Selbst(-) *(Forts.)*
  findung 30 f., 108
  haß 97, 167
  mord 37
  repräsentanz(en) 46, 56, 70,
    72
  verwirklichung(s) 95, 103,
    128 f.
    berufliche 98
    chancen 99
    idee 93
  wert(-)
    defizit 133
    gefühl 168
    störung(en) 69, 90, 96, 138,
      151, 167
Settlage, C. F. 184, 186
Sexual(-)
  akt 64, 122
  hormone 126
  lust 35
  moral, doppelte 114, 129
  objekt(e) 35
  organ(e) 62
  schub, pubertärer 120
  theorie 120
  trieb 34 ff., 39
  überschätzung 120
Sexualität 9, 22, 25, 29, 35, 39,
    43 f., 49 f., 58, 65, 83, 85, 89,
    91, 95 f., 102, 120, 142
  Bi- 141
  böse 66
  klitoridale 119
  Psychoanalyse d. weiblichen 22
  reife vaginale 49, 119
  Trans- 122 f.
  unreife klitoridale 49
  Verdrängung d. 120
  weibliche 22, 47, 49, 64
Sheehy, Gail 92, 190
Sherfey, M. J. 121, 190
Shorter, Edward 29, 190
Sigusch, V. 189
Silbermann, A. 150, 190
Simmel, Ernst 151, 190

Sippe, patriarchalisch
  regierte 83
Situation, ödipale 45
Sklaverei 115
Skolnikow 70
Sloane, Margret 115
Sohn/Söhne 5
Soldaten *VII*
Sozialisation 33–47, 181
  geschlechtsspezifische 16
  sadomasochistische 183
  sekundäre 33
Sozialismus 22, 54
»Sphinktermoral« 156
Spiel(-; e)
  raum 79
  sexuelle 24
Spitz, René 28, 40, 58, 70, 124,
    190
Staewen-Haas, R. 74, 190
Stöcker, Adolph 148
Störung(en)
  phallisch-regressive 58
  psychosomatische 165
Stoller, R. J. 122 f., 142 f., 190
Strafbedürfnis 71
Strebung(en)
  anale 19
  homosexuelle 56
  phallische 19
Strindberg, August 21 f., 157,
    190
Strouse, J. 189 f.
Student(en-) 113, 130
  bewegung 7 f., 80 f.
  protest 4 f.
  revolte 6, 78, 169
Stufe(n)
  genitale 21
  orale 32
  phallische 126
  symbiotische 32
Struktur(-)
  konzepte, psychoanalytische 36
  patriarchalische 75, 161
  paranoide 176

Struktur(-) *(Forts.)*
  sadomasochistische 176
  zusammenhänge, gesellschaft-
    liche 33
Sündenböcke 5, 11, 16 f., 20, 39,
  150, 155, 176, 182 f.
Sullivan, H. S. 59, 124, 190
Symptom(-; e)
  hysterische 147
  masochistische 141
  neurose 124, 141
  psychosomatische 80, 164
Systemveränderung 115

Taylor, Harriet 21, 190
Technokraten 169
Tendenz(-; en)
  selbstdestruktive 15
  wende 111
Terroristin(nen) 20
Theorie(-; n)
  psychoanalytische 17, 21, 34,
    44, 99, 136 f., 140, 155,
    157
  psychosexuelle 56
  d. stufenweise erfolgenden Los-
    lösung 89
  d. Unbewußten 132
Therapeuten, männliche 23
Therapie, psychoanalytische 23
Thomas von Aquin 26
Thomä, H. 74, 190
Ticho, G. R. 46, 190
Tochter/Töchter 9
  Sexualität d. 89
  Trennungswünsche d. 32 f.
  übermäßige Abhängigkeit d. 88
Tolpin, M. 70, 190
Torok, M. 31, 190
Transvestiten/Transvestitis-
  mus 122 f.
Trauer(-) 100, 102
  arbeit 69, 97, 101, 103 f.,
    108
Trauma, kindliches 15
Treitschke, Heinrich v. 148

Trennung(s-)
  bedürfnis 108
  fähigkeit 84
  problematik 57, 69
  schwierigkeit(en) 68
Treueauffassung, christliche 83
Triangulierung(s-) 56 f., 68, 71,
  107
  problematik 57, 69
Trieb(-; e) 35
  aggressive 35
  bedürfnis 53 f., 156
  Bemächtigungs- 34
  Destruktions- 37, 65
  dynamik, sozial-determi-
    nierte 182
  einbrüche 57
  entlastung 39
  entmischung 37
  entwicklung 32, 42, 59, 144
    aggressive 41
    sexuelle 41
  libidinöse 37
  mischung 36
  Partial- 35
    anale 35
    orale 35
    phallische 35
    prägenitale 38
  regung(en) 42, 60
  repräsentanz(en), psychi-
    sche 34
  schicksal 33, 35, 37–41
    kindliches 87
    weibliches 40, 44
  Selbsterhaltungs- 35
  sexuelle 34 f., 38
  Sublimierung d. 19
  theorie 34 f.
  Todes- *VIII,* 35 f., 38 f.
    männlicher 19
    weiblicher 19
  unterdrückung 40
  wünsche 43
  ödipale 59
Türken 149, 178 f.

Überich(-; s) 12, 15, 19, 36–39,
  48 f., 80, 117, 128, 133, 152,
  157 ff., 166
  »antisemitisches« 155
  autonomes weibliches 46
  bedeutung 67
  bildung 12 f., 37, 40, 44 ff.,
    93, 117, 133
    sadistische, beim Mäd-
    chen 62
  defizit 133
  deformation 152
  doppeltes 47
  entwicklung 12 f., 155
  gesellschaftliches 15
  instanzen, elterliche 15
  krankheit 159
  männliches 11
  sadistisches, frühentwickel-
    tes 62
  Strenge d. 37
  »schwaches« 19, 156
  weibliches 11, 47, 155 f., 159
Überlegenheit(s-)
  phantasie 167
  These von d. männlichen 84
Übertragungsanalyse 44
  Gegen- 44
Umgebung, kinderfeindliche 86
Unbehagen in der Kultur,
  Das 12, 36, 38
Unbewußte, Das 53
Ungehorsam, ziviler 178
Unlustreaktion(en) 35 f.
Unschuldshaltung, masochistische 9
Unterdrückung
  familiäre 131, 142
  ökonomische 131
  sexuelle 114
  soziale 131, 142
Untergangsvorstellungen VIII
Unterwerfung(s-) 7 f.
  haltung, masochistische 95
  lust, masochistische 125
Urszenen-Erlebnisse 58

Vagina 60 ff., 143
Väterlichkeit 75 f., 162 ff., 168,
  171 f.
Vater(-; s)/Väter 7
  autorität 75, 161, 163
  beziehung 80
  bild 161, 163, 166
  frühes 79
  Einsamkeit d. 14
  Entidealisierung d. 5
  Generation d. 78
  haß 151
  kastrierter 74
  losigkeit 49
  patriarchalischer 116
  phallischer 31
  Pseudo- 29
  Sohn-Beziehung 42
  Stief- 14
  unväterlicher 82
Verdrängung 34, 38, 104, 158
Verfolgungsphantasie 175
Verführung(s-)
  inzestuöse 42
  phantasie 156
  sexuelle 61
  theorie 42
Vergangenheit, nationalsozialisti-
  sche 7, 169
Vergewaltigung(s-)
  phantasie 141, 146
  sexuelle 139–142
Verhältnisse
  gesellschaftliche 55, 142
  patriarchalische 5, 112
Verhalten(s-)
  geschlechtsspezifisches 122
  nymphomanisches, pseudosexu-
    elles 7
  stereotype 17, 30
  vorschriften 12
  weisen, masochistische 31,
    145, 147
Verkehr
  analer 61
  sexueller 65, 114

Verkrustungen, gesellschaft-
   liche 112
Verleugnung 104, 158, 166
Verlogenheit(en), moralische
   167
Vermarktung d. weiblichen Körpers 49
Verschiebung 152 f.
Verschmelzung(s-)
   bedürfnis 144
   symbiotische 165
   wünsche 166
Versorgungsbedürfnis 77
Verstimmung(en)
   depressive 13, 50 f., 95, 164 f.
   melancholische 100
Verwöhnungsbedürfnis 77
Vilar, Esther 110, 190
Völkermord VII
Vokabular, psychoanalytisches 33
Vorstellungen, biologische 121
Vorurteil(e; s-) 180
   antifeministische 113
   gesellschaftliche 95, 98
   krankheit 149, 159
   männliche 116
   sozio-kulturelle 117
Vorwurfshaltung, masochistische
   9

Wangh, Martin 153–156, 190
Weibliche, Das 73, 97
   »typisch« 110
Weiblichkeit(s-) 22 f., 44 f., 52,
   54, 62, 73, 83, 87, 118, 121,
   124, 126 f., 130, 134 f., 139 f.
   angeborene 127
   natürliche 59, 124
   neue 82
   primäre 58 f.
   psychoanalytische Aussagen
      über 20
   reife 21, 49 f., 119
   theorie(n) 52
   wahre 22, 49
Weininger, Otto 26

Welt(-)
   erlösungsphantasie(n) 8, 177
   sozialistischer Teil d. 111
   technisch-industrielle 75
Wert(-; e)
   kritik, psychoanalytische 75
   normen 54
      traditionelle 147
   orientierung 161
   männliche 159
   ordnung, patriarchalische 137
   systeme 159
   urteil 74
   vorstellungen 8, 14, 46, 53,
      83, 128 ff., 168, 176, 183
      gesellschaftliche 85
      männliche 12
   wandel 75
   »welt« 43
      väterliche 47
Widerstand, gewaltfreier 177
Wiederannäherungsphase 55 ff.,
   71
Wiederaufbau 6
Wiederholung(s-)
   situation, ödipale 28
   zwang 36, 43, 170
Winnicott, D. W. 40, 42, 56, 190
Wirklichkeit, psychische 87
Wirtschaft 6, 75, 78, 166, 171 f.
Wohngemeinschaft(en) 113, 130
Wolf, Christa 100, 191
Wolfenstein, Martha 97, 191
Wünsche
   inzestuöse 155
   narzißtisch-exhibitioni-
      stische 128
   ödipale 53, 59, 126

Xenophobie 149

Zärtlichkeit(en) 25
   kindlich-sexuelle 91
Zeitalter, bürgerliches 83
Zelle, terroristische 80

Zerstörung(s-) *IX*
  ängste, kindliche 58
  neigung(en) *VIII*
Zilboorg, Gregory 71 f., 85, 154,
  191
Zivilisation, technisch-industrielle 161

Züge
  anal-sadistische 156
  zwangsneurotische 157
Zwang(s-)/Zwänge 22
  neurose 37
Zweierbeziehung 83
Zwiebel, R. 185

Die Frau in der Gesellschaft

Band 3754   Band 3726   Band 3705

Elisabeth
Beck-Gernsheim
Das halbierte Leben
Männerwelt Beruf –
Frauenwelt Familie
Band 3713
**Vom Geburtenrück-
gang zur Neuen
Mütterlichkeit?**
Band 3754

Susan Brownmiller
Gegen unseren Willen
Vergewaltigung und
Männerherrschaft
Band 3712

Richard Fester/
Marie E.P. König/
Doris F. Jonas/
A. David Jonas
Weib und Macht
Fünf Millionen Jahre
Urgeschichte der Frau
Band 3716

Shulamith Firestone
**Frauenbefreiung und
sexuelle Revolution**
Band 1488

Frauengruppe
Faschismusforschung:
**Mutterkreuz und
Arbeitsbuch**
Zur Geschichte der
Frauen in der Weimarer
Republik und im
Nationalsozialismus
Band 3718

Signe Hammer
Töchter und Mütter
Über die Schwierig-
keiten einer Beziehung
Band 3705

Gerhard Kraiker
**§ 218 – Zwei Schritte
vorwärts, einen
Schritt zurück**
Band 3835

Jean Baker Miller
**Die Stärke
weiblicher Schwäche**
Band 3709

Erin Pizzey
Schrei leise
Mißhandlung
in der Familie
Band 3404

Penelope Shuttle/
Peter Redgrove
**Die weise Wunde
Menstruation**
Band 3728

Eva Weissweiler
**Komponistinnen
aus 500 Jahren**
Eine Kultur- und
Wirkungsgeschichte
mit Biographien und
Werkbeispielen
Band 3714

Fischer Taschenbuch Verlag

Die Frau in der Gesellschaft

Band 3769

Band 3770

Band 3745

Gerhard Amendt
Die bevormundete Frau
oder Die Macht der
Frauenärzte
Band 3769

Hansjürgen Blinn (Hg.)
Emanzipation und
Literatur
Texte zur Diskussion –
Ein Frauen-Lesebuch
Band 3747

Colette Dowling
Der Cinderella-Komplex
Die heimliche Angst
der Frauen vor der
Unabhängigkeit
Band 3068

Marianne Grabrucker
»Typisch Mädchen...«
Prägung in den ersten
drei Lebensjahren
Band 3770

Astrid Matthiae
Vom pfiffigen Peter
und der faden Anna
Zum kleinen Unterschied
im Bilderbuch
Band 3768

Ursula Scheu
Wir werden nicht als
Mädchen geboren – wir
werden dazu gemacht
Zur frühkindlichen
Erziehung in unserer
Gesellschaft
Band 1857

Alice Schwarzer
Der »kleine« Unter-
schied und seine
großen Folgen
Frauen über sich –
Beginn einer Befreiung
Band 1805

Dale Spender
Frauen kommen
nicht vor
Sexismus im
Bildungswesen
Band 3764

Karin Spielhofer
Sanfte Ausbeutung
Lieben zwischen
Mutter und Kind
Band 3759

Senta Trömel-Plötz
Frauensprache –
Sprache der
Veränderung
Band 3725

Senta Trömel-
Plötz (Hg.)
Gewalt durch Sprache
Die Vergewaltigung von
Frauen in Gesprächen
Band 3745

Hedi Wyss
Das rosarote
Mädchenbuch
Ermutigung zu einem
neuen Bewußtsein
Band 1763

fi 15/4

Fischer Taschenbuch Verlag

Nadine Gordimer

Anlaß zu lieben
Roman. 456 Seiten. Leinen
Fischer Taschenbuch Band 5948

Burgers Tochter
Roman. 447 Seiten. Geb.
Fischer Taschenbuch Band 5721

Der Ehrengast
Roman. 872 Seiten. Leinen

Eine Stadt der Toten, eine Stadt der Lebenden
Eine Novelle und zehn Erzählungen.
316 Seiten. Leinen

Entzauberung
Roman. 504 Seiten. Geb.
Fischer Taschenbuch Band 2231

Gutes Klima, nette Nachbarn
Sieben Erzählungen. Fischer Bibliothek
144 Seiten. Geb.

July's Leute
Roman. 207 Seiten. Geb.
Fischer Taschenbuch Band 5902

Clowns im Glück
Erzählungen. Fischer Taschenbuch Band 5722

Fremdling unter Fremden
Roman. Fischer Taschenbuch Band 5723

S. Fischer

fi 161/5

Doris Lessing

Das goldene Notizbuch
*Roman. Fischer Sonderausgabe. 634 Seiten. Broschur
und Fischer Taschenbuch Band 5396*

Afrikanische Tragödie
*Roman. 240 Seiten. Geb.
und Fischer Taschenbuch Band 5747*

Anweisung für einen Abstieg zur Hölle
*Roman. 287 Seiten. Leinen
und Fischer Taschenbuch Band 5397*

Die Memoiren einer Überlebenden
*Roman. 227 Seiten. Leinen
und Fischer Taschenbuch Band 5202*

Die Terroristin
Roman. 460 Seiten. Leinen

Shikasta
Canopus im Argos: Archive
Betr.: Kolonisierter Planet 5
Roman. 519 Seiten. Leinen

**Die Ehen zwischen den Zonen
Drei, Vier und Fünf**
Canopus im Argos: Archive II
Roman. 302 Seiten. Leinen

Die sirianischen Versuche
Canopus im Argos: Archive III
Roman. 367 Seiten. Leinen

Die Entstehung des Repräsentanten für Planet 8
Canopus im Argos: Archive IV
Roman. 181 Seiten. Leinen

Die sentimentalen Agenten im Reich der Volyen
Canopus im Argos: Archive V
Roman. 230 Seiten. Leinen

S. Fischer

fi 148/5